세계철학사 6

世界哲学史 6
SEKAI TETSUGAKUSHI 6: KINDAI I KEIMO TO NINGEN KANJORON

Edited by Kunitake Ito, Shiro Yamauchi, Takahiro Nakajima, Noburu Notomi
Copyright © 2020 Kunitake Ito, Shiro Yamauchi, Takahiro Nakajima, Noburu Notomi
All rights reserved.
Original Japanese edition published by Chikumashobo Ltd., Tokyo.
This Korean edition is published by arrangement with Chikumashobo Ltd., Tokyo
in care of Tuttle–Mori Agency, Inc., Tokyo through Bestun Korea Agency, Seoul.

세계철학사 6

근대 I
— 계몽과 인간 감정론

책임편집 이토 구니타케 伊藤邦武

야마우치 시로 山内志朗

나카지마 다카히로 中島隆博

노토미 노부루 納富信留

옮긴이 이신철

도서출판 b

| 차례 |

머리말

이토 구니타케 *伊藤邦武*

'철학사'는 지금까지 서양만을 대상으로 하고, 거기서 벗어난 지역과 전통을 그 틀 밖에 두어왔다. 그러나 현재 우리가 살아가는 세계는 서양 문명의 틀을 넘어서서 다양한 가치관과 전통이 교차하면서 일체를 이루는 새로운 시대를 맞이하고 있다.

이로 인해 새롭게 구상된 '세계철학'은 단지 이런저런 지역들의 철학적 영위를 모아 놓는 것이 아니라 철학이라는 장에서 '세계'를 묻고, '세계'라는 시야로부터 철학 그 자체를 다시 묻는 시도이다. 아시아의 한 부분에 있으면서 서양 문명을 받아들여 독자적인 문화를 구축해온 일본에서 이와 같은 커다란 시야에 서서 '세계철학사'를 생각하여 발신하는 것은 철학 그 자체에 대해 커다란 역할을 할 것이다.

이 '세계철학사' 시리즈는 이상과 같은 근본적인 발상 아래 지금까지 고대, 중세, 근세의 시대에 나타난 세계의 다양한 철학에 대해 고찰해왔지만, 지금 이 제6권과 다음 권에서는 근대라는 시대를 다룬다. 대략 말하자면, 지금 이 제6권에서 논의하는 것은 주로 18세기의 철학이며, 다음 제7권에서 논의하는 것은 주로 19세기의 철학이다.

그런데 이 두 세기 사이의 근대 철학사를 서양 철학사로만 치우치지 않고서 고찰하고, '세계철학사'라는 관점에서 살펴보고자 할 때, 지금까지의 고대나 중세와는 다른 의미에서 적지 않은 어려움이 따라붙게 되는 것으로 보인다. 왜냐하면 세계의 '철학'은 바로 '근대'라는 시대에서야말로 '서양 철학'으로 결정되었다고 하는 측면을 지니기 때문이다.

근대에 서양 세계의 문명상의 우위는 17세기(근세)의 과학 혁명에서 시작되어 18세기의(영국, 아메리카, 프랑스에서의) 정치적인 대혁명, 19세기의 산업 혁명과 제국주의적인 식민지화라는 형태로 가속화하고 지구 전체 규모로 확대되었다. 철학이라는 학문적 영위는 서양에서의 이러한 문명상의 우위와 강하게 결부되었기 때문에, 우리 일본에서도 메이지 유신과 더불어 급속하게 음미하고자 한 철학은 무엇보다도 서양 근대의 철학이었다.

그러나 메이지 유신에서 150년 이상이 지난 오늘날 이러한 시대들을 새롭게 고찰하고자 하는 우리에게 이 시대의 서양 철학에서 근대라는 시대에 매몰되지 않고서 그 후의 열린 현대 세계로 이어지는 사상적 맹아를 인지하는 것이 전적으로 불가능한가

하면 그렇지 않을 것이다. 아니, 그보다도 오히려 정치나 사회라는 측면에서 이해되는 세계사적인 형세를 그대로 사상에서의 우위로 이해하는 것이 아니라 문명상의 패권에 대한 날카롭고 내재적인 비판을 통해 서양에 한정되지 않는 좀 더 넓은 시야에서 인간의 본성과 혼의 존재해야 할 모습의 보편을 찾아보고자 하는 자세는 근대 철학 그 자체 속에서도 이미 존재한다는 것이 확인된다.

그리고 우리가 같은 시대의 비서양 세계 측으로 눈을 돌리게 되면, 그러한 보편적 관점을 찾는 자세에 공명하거나 문제의식을 공유하고자 하는 사상운동의 구체적인 모습도 분명히 발견할 수 있을 것이다. 이 제6권은 이러한 이해로부터 이 시대 세계 각지의 철학 동향을 더듬어가면서 사상에서의 다양한 공명의 계기를 탐구해보고자 하는 시도이다.

제1장

계몽의 빛과 그림자

이토 구니타케 伊藤邦武

1. 들어가며

계몽이란

계몽啓蒙이란 '어둠蒙을 연다'라는 것을 의미한다. 어둠이란 어두운 것, 사태의 도리에 통하지 않는 것이다. 연다는 것은 그 무지를 없애는 것, 올바른 지식을 주는 것이다. 이 말은 한어로서는 '속론의 잘못을 바로잡는다'라는 의미에서 2세기경부터 사용되었다고 하며, 일본에서는 15세기경의 문헌에 나타난다.

한편 계몽이라는 말의 영어는 Enlightenment이고, 프랑스어는 Lumières이다. 다만 Enlightenment라는 영어의 의미는 빛을 비춤으로써 미망으로부터 깨어나는 것, 어둠으로부터 탈출하는 것을 의미하긴 하지만, 언어 자체로서는 '계몽주의'라는 경우와 같은 한정된 사용 방식으로 쓰이는 것은 아니다. 예를 들어 불교에서의 '해탈'이라는 것을 영어로 표현하는 말은 Enlightenment이다. 석가는 깨달은 사람이라는 의미에서 붓다라고 불리지만, 붓다란 무엇보다도 우선 각성한 사람, the enlightened person이다.

붓다 가르침의 중심은 인간이 나면서부터 빠지기 쉬운 깊은 미망과 강한 집착으로 인해 고통의 상태에 놓여 있다는 것을 인정한 다음, 거기서 해방되기 위해서는 어떻게 해야 하는가에 있지만, 붓다는 동시에 철학적 반성과 사유의 중심을 그러한 마음의 굴절, 비틀림으로부터의 해방에 놓음으로써 종래의 브라만교가 지니는 의례 종교적 성격으로부터의 탈각을 시도했다. 빛을 준다는 계몽의 활동은 이러한 종교에서의 재생, 르네상스라는 의미에서 사용할 때도 있고, 불교 이외에도 예를 들어 18세기의 유대교 내부의 계몽 활동과 19세기의 이슬람 재생 운동도 각각의 종교 역사에서의 계몽기라고 불리는 일이 많다.

이 책에서도 제8장 「이슬람의 계몽사상」은 19세기부터 20세기 초의 아랍 지역에서 전개된 깨어남, 부흥, 르네상스라는 의미를 지니는 '나흐다'라는 사상을 다루어 이슬람에서의 계몽사상가들이 자신들에게 고유한 문화를 등에 짊어지면서도 동시에 서양 근대의 문화와 진지하게 대화하고 관용과 다원성을 중시함으로써 인간의 보편성을 지향하고 있었다는 사정을 설명한다.

이처럼 계몽이라는 말의 의미를 가능한 한 넓게 취하고자 한다면, 이 사상은 세계의 넓은 범위에 걸친 사상운동에서 그 근간에 자리하는 발상이라고 볼 수 있을 것이다. 그러나 같은 집착으로부터의 해방, 미망에서의 탈각이라는 의미에서의 계몽이라는 것을 말한다고 하더라도, 서양 근대의 이른바 '계몽주의'라고 불리는 사상에는 다른 사상 전통에 없는 이 사상에 독특한 격렬함이 따라붙는다.

서양 근대의 계몽주의

서양 근대의 계몽주의라는 말에 독특한, 격렬한 뉘앙스가 따라붙고 있는 것은 무엇보다도 서양 근대의 계몽사상이 영국에서의 명예혁명, 아메리카에서의 독립 전쟁 그리고 프랑스 혁명이라는 18세기에 연속해서 생겨난 서양 세계 최대급의 변혁 물결에 직간접적으로 영향을 미치는 정치사상에서 중추적인 역할을 했기 때문이다. 서양에서의 이러한 정치상의 혁명적 격동은 일본에서는 에도 시대에 생겨난 세계사적 대사건이지만, 당시 쇄국의 한 가운데 있었던 일본 사회에서는 이러한 사건들이 거의 알려지지 않았다고 할 수 있을 것이다. 그런 의미에서 정치사상으로서의 계몽주의의 충격은 일본에서는 반드시 커다란 충격을 지니고서 느껴졌다고는 말할 수 없다. 당시의 동양 세계 전체에서도 마찬가지일 것이다.

그렇지만 18세기에 대변혁을 경험한 서양 사회는 그 후 대규모의

산업 혁명과 제국주의적 식민지 정책을 통해 지구 규모에서의
패권을 확립했기 때문에, 그 간접적인 영향으로서 계몽주의적
정치 이념을 세계의 구석구석까지 전하게 되었다. 이 점은 서양
근대로부터 현대에 이르는 세계의 역사에 대해 대단히 결정적인
의미를 지닌다. 비서양 세계로의 계몽주의적 사상의 파급에는
대단히 긴 시간이 필요했지만, 이 사상이 내거는 인권 사상과
민주주의 이념이 후세에 세계의 넓은 지역에서 다양한 형태로
채택되게 된 것은 의심할 여지 없는 사실이다. 특히 20세기에
생겨난 세계대전과 식민지 독립 전쟁 등의 수많은 장면에서 서양의
계몽주의적인 정치사상이 수행한 역할은 그야말로 엄청나게 큰
것이었다.

그런데 서양의 계몽사상은 사회 전체의 구체제와 전제정치,
절대적 왕권 등으로부터의 해방으로서 이해되는 그러한 정치적
의미와는 별도로 인간 정신에 대한 독특한 이해로서도 생각할
수 있다. 게다가 그와 같은 각도에서 볼 경우, 계몽 시대 사상가들의
인간 이해에는 그 이전의 철학에는 없었던 독특한 뒤틀림을 포함한
일종의 긴장 상태가 포함되어 있으며, 그로 인해 계몽주의의 인간
론은 단순한 해방 사상과는 다른 성격을 띠게 된다. 서양 근대의
계몽이라는 사상운동에는 말하자면 '빛'이라는 호칭으로 지시되
는 빛나는 측면과 동시에 이에 반하는 어둠의 부분이랄까, 빛에
수반하는 그림자 부분이 포함되어 있다. 그 때문에 본래 빛의
운동이어야 할 서양 근대의 계몽사상 전개는 단순히 그때까지의

어둠과 어리석음의 시대에 밝은 빛이 스며들었다는 것으로만 끝나지 않는, 복잡한 음영을 띠게 되는 것이다.

여기서 말하는 인간 정신에서 보이는 빛과 그림자의 긴장 상태란 간단히 말하면 인간 이성이 지니는 빛의 측면과 그림자의 측면을 가리킨다. 이성은 우리의 어둠을 이끄는 빛임과 동시에 강렬한 빛에 의해 우리의 눈을 부시게 하여 다른 의미에서의 혼란과 혼돈으로 이끌 가능성을 내포한다. 이성은 편견에 물든 우리에게 본래의 자연에 대한 눈을 열게 하는 한편, 우리의 '자연 상태'를 파괴하고 우리의 인간 정신의 움직임에 광기와 불안을 불어넣을 가능성을 지닌다.

이성은 인간의 자연인가?

그런 까닭에 이성은 인간 정신의 자연임과 동시에 부자연이기도 하다. 그리고 이성에 의해서 초래될 우려가 있는 정신의 부자연을 자연 상태로 되돌리는 것은 이성에는 없는 정신적 치유력을 지닌 마음의 활동, 즉 감정의 작용이다. 따라서 계몽이라는 빛의 작용이 지니는 그림자 부분에 작용을 미쳐 그 작용을 가볍게 하는 것은 감정이다. 이성과 감정의 어느 쪽이 인간의 자연에 있어 본래의 능력이라고 해야 할까? 서양 근대의 계몽사상 운동에서 다수 사상가끼리의 공감과 적대 관계를 산출한 것은 이러한 '이성과 감정'의 의의를 둘러싼 이론에서의 곤혹이며, 그것이 서양 근대 사상에 대해 다른 계몽 운동에서는 보이지 않는 철학적인 긴장 관계와 역동성을 부여하게 되었다.

이하에서는 우선 이러한 긴장 관계를 둘러싼 서양 계몽사상의 역동성에 대해 개관해 보이고자 하지만, 이 역동성은 최종적으로는 서양 사상의 전통에만 한정되는 것이 아니라는 점이 곧바로 밝혀진다. 서양의 인간 감정론은 사상 전통을 전적으로 달리하는 동양 사상의 모종의 측면과도 일종의 공명 관계를 일으킨다는 점이 이 책에 수록된 몇 개의 장을 봄으로써 서서히 명확하게 느껴지게 될 것이다. 지금 이 장의 마지막 부분에서도 이 점에 대해 간단히 언급하고자 한다.

그런데 그렇다면 왜 18세기를 중심으로 하는 서양 근대의 계몽사상에서 이와 같은 이성과 감정이라는 일단은 동양에 없는 내재적 긴장이 잉태되게 된 것일까? 이를 위해서는 중세 스콜라 철학에서 탄생하고 그 후 17세기의 갈릴레오와 데카르트의 사상에서 그 의미를 변경함과 동시에 좀 더 강렬한 의의를 부여받게 된 '자연의 빛lumen naturale'이라는 말에 주목할 필요가 있다. 이 말은 스콜라 철학에서는 '이성의 빛'이라든가 '자연 이성의 빛'이라고도 불리며, '은총의 빛'이라든가 '계시의 빛', '신앙의 빛' 등과 구별되었다. 그것은 신에 의해 창조된 아담이 특별한 은총의 움직임에 힘입지 않고서도 피조물로서의 본래의 능력으로서 지니는 것이며, 그것 자체로서 은총의 빛과 정면에서 대립하는 것이라기보다 오히려 거기에 이르는 준비적인 능력으로서 인정되고 있었다.

자연의 빛

그러나 17세기에 갈릴레오와 데카르트가 등장하자 자연 이성의 활동에 의한 진리야말로 그때까지의 스콜라 철학과 아리스토텔레스주의가 가져온 편견, 오류, 미망, 혼란으로부터 우리를 전면적으로 해방시킨다는 것이 강조되기 시작했다. 자연의 빛에 비추어 밝혀진 이성의 능력은 감각적 지각이라는 형태로 주어지는 일상적인 세계를 2차 성질에 의한 잘못된 세계 이해라고 하여 분명히 거부하고, 세계를 수학화하고 기계론화함으로써 스스로를 1차 성질에 의해서만 세계를 분석, 기술하는 투시적 시선이라고 선언했다. 이에 의해 세계의 어둠을 뿌리치는 빛의 원천인 '자연과 은총'은 단순한 구별 이상의 대립적인 관계로 변환되게 되고, 나아가서는 대립 이상의 단절적인 관계로 정리되게 되었다.

다만 데카르트와 그 후의 라이프니츠도 자신들의 형이상학적 사유가 수학이나 자연 철학과는 서로 잇닿아 있다는 것을 인정하는 한편, 자연의 빛에 기초한 그 형이상학이 은총의 빛에 의해 주어지는 진리, 교회에서 가르치고 대학의 신학부에서 논의되고 있는 이론과는 다른 차원이라는 것을 말했던 만큼, 은총의 빛이 없더라도 모든 진리가 온전한 형태로 인간에게 주어질 것이라고 주장하는 데까지는 이르지 않았다. 그들은 다만 계시에 의한 진리를 기다리지 않더라도 인간의 이성에는 신의 존재를 증명한다거나 그 본성의 이해에 기초하여 세계의 물리적 성질에 대해 여러 가지 지식을 얻을 만큼의 힘이 있다고 말한 것이다.

그러나 이성의 힘을 강조한 그들과 같은 합리주의자 뒤에는 그들 이상으로 종교상의 진리가 모두 남김없이 이성에 의해 이해될 것이며, 기적 등의 초자연적 현상의 용인은 종교에 대해 유익하기는커녕 오히려 해롭다고 하는 이성 제일주의를 이야기하는 자가 나타나며, 이것이 널리 사상계에 유포되게 된다. 이것이야말로 모든 종교적 진리가 기본적으로 이성에 의해서만 구축 가능하다고 하는 '이신론理神論'의 발상이며, 그 대표로는 『그리스도교의 합리성』 등의 저작을 공표한 영국의 로크와 그 이상으로 과격한 입장을 표명한 톨런드John Toland(1670~1722) 등이 있다. 이 책에서 다루는 서양 근대의 계몽주의는 이 이신론적 종교관에서 보이는 순수이성주의라고도 해야 할 발상에 바탕을 두고 있다. 자연의 빛에 의해 어둠을 밝힌다는 것은 가장 단순한 의미에서는 비합리적인 기적과 미신을 일소하고 이성적으로 순화된 철학적 진리에 귀의한다는 것이다. 그것은 예로부터의 '미신'과의 철저한 투쟁의 길이다.

그러나 당연한 일이지만 은총과 대립하는 정신의 자연적인 활동이라고 함으로써 인간 이성이 지니는 능력이라는 것을 이처럼 특히 강하게 말하게 되면, 이번에는 이 이성의 활동이 그 자체로서 정말로 '자연적인 것'인가 하는 다른 문제의식이 생겨나지 않을 수 없다. 이성의 활동에는 그 지나침에 의한 광기나 혼란의 가능성이 포함된 것이 아닐까? 또는 인간 정신 활동의 본래 모습은 자연적인 감정의 발로에 따르는 것에 놓여 있는바, 계산적인 지성이나 사변적인 이성의 중시는 도리어 인공적이고 일그러진 세계 이해를 낳는 것이 아닐까?

이성이라는 자연의 빛의 강력함에 눈뜬 17세기의 유럽 정신은 18세기에 들어서면 인간의 자연이 이성에 있는 것인가 그렇지 않으면 오히려 감정에 있는가 하는 그때까지 볼 수 없었던 복잡한 문제의식에 사로잡히게 되었다. 명예혁명과 프랑스 혁명을 산출한 계몽주의라 불리는 철학적 사조는 그러한 정치적인 이유에서의 혁신성이나 혁명성과 더불어 인간 정신의 본래성과 자연스러움이라는 것에 관한 상당히 복잡하게 얽힌 긴장 관계를 잉태한 사상이었다. 여기서는 그 긴장 관계에 대해 계몽주의 시대의 대표적인 사상가의 태도를 통해 간단히 개관해보고자 한다.

2. 계몽에서의 이성과 감정

영국과 프랑스의 계몽주의

유럽에서의 계몽사상이라는 것은 18세기 중엽에 영국과 프랑스에서 높아진 특별한 사상에서의 기운이다. 그것은 영국에서는 스코틀랜드 계몽사상이라는 이름 아래 허치슨Francis Hutcheson(1694~ 1746), 흄, 스미스 등에 의해 에든버러대학을 중심으로 하는 '도덕 감정론'이라는 특징 있는 도덕 철학으로서 발전했다. 그것은 또한 프랑스에서는 디드로Denis Diderot(1713~1784)와 달랑베르Jean Le Rond d'Alembert(1717~1783)를 중심으로 한 『백과전서』라는 대규모의 출판 계획으로 상징되는 문화 활동의 형태로 추진되었다. 전자는 그 이름 그대로 이성보다 감정 쪽에 무게를 둔 인간론을 전개하고, 후자는 기본적으로는 과학적 이성의 가치를 최대한 찬양하는 자세를 취했다.

18세기 유럽의 계몽주의 운동은 이처럼 스코틀랜드와 프랑스라는 두 개의 초점을 지닌 것이자 그 중심의 위치도 다른 것이었지만, 그것들이 반드시 다른 것이었다고 볼 필요는 없다. 볼테르의 『영국으로부터의 서간』(1729년)은 프랑스에서 구제도를 향해 던져진 '최초의 폭탄'이라고 불리지만, 이 작품은 그 이름 그대로 데카르트보다 뉴턴의 과학을 모범으로 취하여 경험주의적 탐구 활동을 추진해야 한다고 하는 프로파간다이며, 디드로 등의 『백과전서』는 볼테르의 이 사상을 대단히 많은 학자의 공동 작업이라는 형태로 구체화한 것 이외에 다른 것이 아니기 때문이다.

콩도르세

또한 디드로 계열의 계몽사상과 스코틀랜드류의 계몽사상이

병존해온 것은 예를 들어 '계몽사상의 유서遺書'라고도 불린 『인간 정신의 진보의 역사』(1793년)의 저자, 콩도르세Nicolas de Condorcet (1743~1794)의 경우에서도 간취된다. 콩도르세는 사회 수학 등의 참신한 이론에 의해 프랑스 정치사상의 전위화를 도모한 사상가인데, 혁명 중에 지롱드당의 관점에서 자코뱅 헌법을 비판했다는 이유로 사형을 선고받았다. 『인간 정신의 진보의 역사』는 그의 도피 중에 쓰인 역사서인데, 전체를 인류의 여명기, 서유럽에서의 인간 정신, 인간 정신의 장래라는 3부로 나누고, 제2부의 완성자를 데카르트로 판정한 다음, 그 연장선상에서 인류의 밝은 장래를 멀리 내다보고 있다.

콩도르세는 이렇게 대단히 낙관적인 자세로 인간의 이성적 능력의 가능성을 소리 높여 노래하고 있고, 이 도식은 뒤에 생시몽Henri de Saint-Simon(1760~1825)과 콩트Auguste Comte(1798~1857)에게로 계승되었다. 그는 또한 페미니즘적 관점에서 장래의 여성의 역할에 커다란 기대를 걸고 있는데, 이러한 자세는 아내인 소피 드 그루시의 영향에 의한 것으로 생각된다. 그녀는 영국의 스미스와 페인 저작의 최초의 프랑스어 번역자이며, 동생은 나폴레옹 전쟁에서의 나폴레옹의 심복인 에마뉘엘 드 그루시이다. 어쨌든 우리는 콩도르세 부부에게서 프랑스와 영국의 계몽사상이 아무런 위화감 없이 쉽게 공존할 수 있었다는 것을 볼 수 있다.

그런 까닭에 계몽사상가의 몇몇 사람에게서는 이성과 감정이 결코 양립 불가능한 것으로 생각될 수 없었다. 그렇지만 다른 한편으로 이성이라는 것이 지니는 부자연스러움을 강하게 의식하고, 계몽이라는 정신의 운동에서는 이성을 떠나 인간 감정의 자연스러운 발로라는 것에 중심을 둘 필요가 있다는 것을 특히 날카롭게 의식한 사상가도 존재했다는 것은 틀림없다. 우리는 이성에 의심의 눈을 돌리는 그와 같은 입장의 대표로서 프랑스에서는 루소를, 영국에서는 흄의 이름을 들 수 있다. 여기에서는 계몽이라는 빛의 빛남에 의해 보이기 어렵게 될지도 모르는, 이성이 지니는 그림자 부분에 주목한 그들의 사상을 간단히 소개하고자 한다.

루소

우선 백과전서파의 사람들에게 커다란 기대를 품게 하면서 많은 사상가나 문학자와의 사이에서 격렬한 대립과 내분을 불러일으킨 사상가, 루소Jean-Jacques Rousseau (1712~1778)에 대해 살펴보자.

루소는 자주 서양 근대 민주주의의 아버지처럼 그려지기도 하고, 칸트 도덕 철학의 선구자로서도 중요하다. 그러나 그 자신의 사상 방향과 그 참된 뜻이 과연 어디에 놓여 있는지는 대단히 복잡하고 미묘한 문제이다. 그는 자신의 음악론의 재능을 평가받아 디드로 등의 『백과전서』 동아리에 초대받았지만, 저작 활동의 출발점에 자리하는 『학문예술론』과 『인간 불평등 기원론』에서 이미 지식과 학예의 발전이 인간을 행복으로 이끌기는커녕 자연 상태로부터의 이반과 타락이라는 악덕으로의 길일 뿐이라는 것을 소리 높여 주장하고 있었다. 이 점에서 그는 처음부터 주류의 계몽사상과는 서로 용납하지 못하는 측면을 지니고 있었다.

루소의 반권위주의와 감정주의가 더욱 분명하게 표명된 것은 그가 파리에서 떨어진 몽모랑시에서 집필하고 독서계의 압도적인 지지를 얻게 된 『신엘로이즈』, 『사회 계약론』, 『에밀』 등의 대표작에 의해서이다. 이것들은 당시의 독서인들 사이에 커다란 흥분을 불러일으켰는데, 특히 『에밀』은 당시의 종교적 권력과 정치적 권력의 눈에는 체제를 근본부터 뒤흔들 위험한 책으로 비쳤다. 이 작품은 인간이 현대 사회의 타락에서 벗어나 새로운 재생을 이루는 것이 가능하기 위해 유소년기 이후 어떠한 교육이 이루어져야 할 것인가의 주제를 논의한 교육론인데, 거기에는 그의 독자적인 인간 본성론이 제시되어 있다.

어린이는 본래 고립된 상태에서 길러지고 있는 한에서 자연인으로서의 본능적인 선량함을 갖추고 있다 하더라도 그 선량함은 도덕적 가치를 지니는 것이 아니라 어디까지나 동물적 생명에 갖추어진 맹아적인 것에 지나지 않는다. 어린이의 선량함이 도덕적 덕이라는 성질로 성장하기 위해서는 어린이가 타자와의 교류에 들어섬으로써 다양한 행동을 공유하고 서로의 감정을 주고받는 경험이 필요하다. 이때 '자연의 질서'에서 보아 인간의 정신에 인상을 남기는 사람에 대한 가장 큰 감정은 '연민'(동정)이다. 인간은 본래 감수성을 갖추고 있지만, 그

감수성의 활동이 타자에게로 향하고 선악의 관념을 지니는
것으로 되면, 인간은 공동체의 일원이 됨과 동시에 '참된 인간'
이 된다. 연민의 정에서 출발하여 선악의 관념을 지니고 그것을
덕으로서 유지하려고 싸울 때, 인간은 비로소 미덕을 갖춘
존재가 되는 것이다.

연민과 양심

『에밀』의 제4권에는 「사부아인 보좌 신부의 신앙 고백」이라는
유명한 부분이 있는데, 루소는 거기서 가공의 사제의 입을 빌려
자기의 도덕관·종교관을 '고백'하고 있다. 그것은 외계의 세계에
관한 통일적인 의지의 존재를 믿는 제1의 신앙 조항과 그 규칙성을
고안하는 탁월한 지성으로서의 신의 존재를 믿는 제2의 신앙
조항, 그리고 신체와는 독립해서 인간 자신이 지니는 자유 의지의
존재를 믿는 신앙 조항으로 이루어진 세계관인데, 그 세계관이
가르치는 것은 인간의 내적인 감정으로서의 양심의 존재이며,
거기서 확인된 양심이야말로 우리가 지니는 도덕관의 보편적
정당성을 보증하는 근거라고 결론지어진다.

인간에게는 양심이라는 정의와 미덕에 관한 생득적인 원리가
갖추어져 있다. 이 원리를 아는 것은 이성이 아니라 감정이다.
인간은 무엇보다도 우선 느끼는 정신으로서 존재한다. 무언가를
감수하는 능력은 자기 보존의 감정을 포함하여 모든 정신이

태어나면서부터 지니는 것이다. 이 감정은 자신으로만 향할 때는 자기애와 행복의 희구, 고통의 두려움, 죽음에 대한 불안 등으로 나타나지만, 타자와의 교류 속에서는 연민(동정)의 정에 근원을 지니는 양심으로서 발달하고, 이윽고 동포를 걱정하는 사교성으로 성장한다. 이러한 성장 과정에서 이성은 다양한 지식을 제공하고 반성의 재료를 주며 선악 관념의 내실을 밝히는 것을 돕는다. 그런 의미에서 이성은 반드시 감정의 적대자가 아니다. 그렇지만 그것은 어디까지나 보조적인 역할을 지닐 뿐이며, 타자에 대한 사랑이라는 생득적이고 보편적인 성질과 힘을 갖추고 있는 것은 아니다.

『에밀』은 이렇게 논의하여 계산적 지성과 과학적 이성에 우선해서 자연스럽게 솟아오르는 타자에 대한 연민의 정과 그로부터 성장하는 정신의 내적인 양심의 목소리에야말로 널리 인간 정신 일반에 보편적으로 타당한 도덕적 원리의 근거가 있다고 설명하고자 했다. 『에밀』은 이러한 사상에 따라 어린아이로부터 청년기에 이르는 어린이를 위한 교육 방법의 쇄신을 호소한 것인데, 그 결과 루소는 프랑스에서 전통적인 종교 이념과 교육 이념을 근본에서부터 부정하는 파괴적 사상가라고 하여 단죄되며, 더 나아가서는 고향인 스위스에서도 추방되는 쓰라린 체험을 겪게 되었다.

3. 이성의 어둠

루소와 흄

백과전서파의 사람들과도 사이가 틀어지고 고립 상태에 빠진 루소는 흄의 조언을 받아들여 영국에서의 도피 생활에 들어갔다. 두 사람은 함께 데카르트류의 자아 개념과 이성의 절대적인 가치에 의문을 지니고, 계산적 지성보다 감정 수준에서의 가치 평가 쪽을 우선하고자 한 사상가였다. 그런 의미에서 흄의 초청으로 영국으로 건너간 루소의 행동은 그 자체로서는 뜻밖의 것이 아니었다고 생각된다.

그러나 '자연으로 돌아가라'라는 과격한 사상과 더불어 근대 문명 전체의 기만을 고발하고자 한 루소의 사상은 '온건한 정념'의 활동을 가지고서 도덕의 원리를 대체하고자 하는 흄에게는 역시 지나친 것으로서 서서히 의혹을 품고 생각되기에 이른다. 이러한 흄의 태도를 앞에 두고서 루소는 흄도 배신자로 간주하고 시기와 의심으로 가득 찬 격렬한 인신공격을 퍼부었다. 이에 대해 흄도 루소를 비판하고 자기의 입장을 변호하는 글을 출간한 결과, 두 사람의 관계는 마침내 결정적으로 회복 불가능한 것이 되었다.

18세기의 계몽주의 시대에 인간 감정론의 주요한 사상가 두 사람이 이와 같은 개인적 대립의 희비극을 펼치게 된 것은 감정의 철학이라고 하더라도 일률적이지 않고, 거기에는 중대한 이론적 혼란과 단절의 계기가 잉태되어 있다는 것을 가르쳐준다. 그러나 여기에서는 더 이상 두 사람 관계의 파탄에 관해서는 캐묻지 않고, 도대체 흄이 어떠한 의미에서 인간에 있어서의 정념과 감정의 우위를 주장하기에 이르렀는가 하는 점만을 살펴보고자 한다.

다시 한번 이성과 감정(또는 정념, 정동情動)의 관계를 둘러싼 17세기 철학자와 18세기 철학자의 발상 차이를 반복하자면, 고전적인 합리주의 입장에 선 데카르트와 스피노자에게서는 인간 정신의 정상적인 기능에 장애를 초래하는 것은 매우 거친 정념과 편협한 감정인 까닭에, 우리에게 있어 무엇보다도 중요한 것은 이성의 강력한 활동에 눈뜸으로써 정념에 의한 정신의 교란을 가라앉히고 그 작용을 가능한 한 줄이는 것이며, 철학의 주요한 역할 가운데 하나는 이 점을 명확히 설명하는 것이었다. 데카르트의 『정념론』과 스피노자의 『에티카』는 바로 이러한 목표에 따라 쓰인 책이었다.

이에 반해 18세기의 사상가들은 이성이란 그것만으로 단독의 활동으로서 방치하면 회의론으로 나아갈 가능성이 있으며, 회의론은 심각한 불안과 절망을 낳을 우려가 있다고 생각했다. 그들은 그것을 극복하기 위해 자연적인 사교성을 회복하고, 공감과 동정이라는 온화한 정념에 따르는 것이 최선이라고 생각했다. 이러한 두 입장의 차이는 그들이 회의론이라는 공통의 수법을 사용하면서 그 귀결과 관련하여 상당히 다른 결론을 끌어냈다는 각도에서 이해할 수도 있다.

데카르트의 회의

잘 알려져 있듯이 서양 고대·중세의 아리스토텔레스적 세계상을 대신해야 할 수학적·기계론적 세계상을 확립하고자 한 데카르트는 그때까지의 모든 신념을 전면적 허위라고 하여 폐기하는 '과잉 회의'의 중요성을 호소했다. 이를 위해 그는 외계에 관한 감각적 지식의 불확실성과 꿈과 현실을 구별하기의 어려움과 같은, 고대 헬레니즘 철학 이래로 언급되어온 회의의 이유 이외에 수학과 논리학 등의 영원 진리와 관련한 '악령에 의한 기만'의 가능성이라는 전적으로 새로운 회의의 이유까지 제출했다. 이러한 과잉 회의를 수행하는 성찰의 주체는 『제2성찰』 서두에서 말해지듯이 '물속에서 허우적대면서 물 밖으로 머리를 내밀 수도 없고, 물 밑에 발을 디딜 수도 없는' 극도의 혼란과 공포를 맛보게 된다.

그러나 성찰의 주체인 '나'는 그러한 전면적인 자기 믿음의 상실 끝에 '악령이 속이는 것이라면, 적어도 그 대상으로서의 나는 존재한다'라는 사실을 '아르키메데스의 점'으로서 발견하고, 도리어 모든 지식이 기초 지어지는 궁극의 근거가 '코기토 에르고 숨cogito ergo sum'(나는 생각한다, 고로 나는 존재한다)에 있다는 것을 발견한다. 물속에서의 공포 체험은 말하자면 모든 지식의 제1원리가 되어야 할 코기토(나는 생각한다)를 직관하기 위한 일종의 통과의례의 역할을 짊어진 것이다.

　　흄의 회의

　　흄은 그의 대표작인『인간 본성론』을 데카르트가 공부한 라플레슈 학원에서 데카르트의『방법서설』보다 정확히 100년 후에 집필했다. 그 역시 고대 회의론의 논의에 정통했지만, 데카르트와는 달리 회의의 대상이 되는 것을 인과성의 판단과 귀납법적 추론의 근거 쪽에서 발견했다. 그는 더 나아가 데카르트와는 반대로 '생각하는 주체'로서의 '나' 그 자체가 모순된 원리 아래에서만 파악될 수 있다고 주장했다. 어떤 인격의 동일성이란 그 주체가 지니는 관념의 다발에 있다고 이해된다. 그러나 이 다발을 묶고 거기에 통일성을 가져다주는 것을 나 자신은 인식할 수 없다. 따라서 나의 동일성이 정말로 있는 것인지 아닌지 내게는 알려질 도리가 없다.
　　이것은 코기토라는 불가사의한 사실은 인정되었다고 하더라도 그로부터 '에르고 숨(고로 나는 존재한다)이라는 형태로 자아의 존재를 승인할 수는 없다는 것이며, 사유는 있다고 하더라도, 사유의 주체가 있는지 없는지는 알 수 없다고 하는 기묘하게도 전도된 사태의 표명이다.『인간 본성론』의 제1권「인식론」의 마지막 부분은 자아를 둘러싼 이러한 회의론으로 매듭지어지고 있는데, 거기에는 인간 이성의 모순에 휩쓸린 정신이 체험하지 않을 수 없는, 물에 빠진 데카르트의 회의 주체보다 더욱더 괴로운 '가장 깊은 어둠'이 제시되어 있다.

인간 이성에서의 이러한 다양한 모순들과 불완전함을 힘껏 주시하는 것이 내게 강하게 작용하고 나의 뇌수를 뜨겁게 했기 때문에, 나는 모든 신념과 추론을 스스로 나서 거부하게 되고, 어떠한 의견에 관해서도 그 밖의 것보다 확실한 듯하다든가 있음 직하다고 간주할 수 없게 되었다. 여기는 어디인가? 나는 누구인가? 나는 자신의 존재를 어떤 원인에서 얻고 있는가? (…) 나는 이러한 의문들 모두에 의해 망연자실하고, 자신을 가장 깊은 어둠에 둘러싸이고, 모든 기관과 능력의 행사를 완전히 빼앗겨 상상할 수 있는 한에서 가장 불쌍히 여겨져야 할 상태에 있다고 상상하게 된다. (『인간 본성론』, 제1권 「지성에 대하여」, 기소 요시노부木曾好能 옮김, 法政大学出版局, 2011년, 304쪽. 일부를 인용 자가 수정함).

4. 인간 감정론의 범위

이성은 정념의 노예다

이성의 승리로부터 이성의 가장 깊은 어둠으로. 이것이 17세기의 데카르트와 18세기의 흄의 철학을 떼어 놓는 커다란 단절이다.

'이성은 정념의 노예이며, 그래야 한다.'

흄은 위와 같은 절망으로 끝난 『인간 본성론』의 제1권에 이어지는 제2권 「정념에 대하여」의 서두에서 새삼스럽게 이렇게 선언했다.

그는 이성만으로는 인간이 행위의 선택도 선악의 판단도 충분히 할 수 없다고 주장함과 동시에 극단적인 고독, 불안, 절망으로 이끌지도 모르는 이성의 활동에 자연스러운 회복을 가져오는 것은 정념, 즉 감정이라고 주장했다. 그가 말하는 정념은 쾌감이나 고통과 같은 직접적인 정념 외에 자부와 비하, 사랑과 미움 등의 자신과 타인의 관계에 관련되는 간접적인 감정도 포함한다. 나아가 자기 자신에 대한 고려를 떠난 일반적 관점에서 이루어지는 정념도 있다고 하여 공감이라는 좀 더 객관적이고 온화한 감정의 존재도 인정했다.

그의 도덕론은 이러한 정념론을 토대로 하여 공감이라는 마음의 움직임을 지닐 수 있는 우리가 사람과 사람의 관계를 관찰함으로써 어떻게 해서 도덕적 선악의 판단을 내리는지를 설명하는 것이다. 나는 A가 B에게 괴롭힘을 당하고 있는 것을 목격하고 A의 슬픔의 감정에 공감을 지니는 것을 통해 B를 나쁜 사람으로 평가한다. 또는 A가 B에게 도움받고 있는 것을 목격하고 A의 기쁨에 공감하는 것을 통해 B가 좋은 사람이라고 판단한다. 인간들의 감정 교류를 기초로 한 이와 같은 도덕적 평가의 분석은 스미스나 벤담에게도 영향을 줌과 동시에 다양한 이론적 수정을 받게 되었는데, 그 상세한 것은 아래의 도덕 감정론 등의 장에서 확인할 수 있을 것이다.

그런데 인간 정신의 활동 중심을 감정과 정념에 두고 지성과 이성의 활동을 보조적인 것으로 간주하는 흄 등의 이러한 자세는 데카르트를 그 아버지로 하는 서양 근대 이후의 철학 흐름에서는 상당히 후발적인 이론적 전개에 자리한다는 것은 틀림없다. 그러나 그것이 언제까지나 소수파의 입장에 머물렀는가 하면 반드시 그렇다고는 단정할 수 없다.

왜냐하면 18세기의 유럽에서 이성과 감정의 관계는 위험한 균형을 유지하고 있었지만, 그다음의 19세기 서양 철학은 칸트의 이성 비판이라는 위대한 시도 이후 이성 그 자체가 일종의 감정적 측면을 내포한다고 하는 낭만주의 철학으로 변모하고, 나아가서는 현상계를 산출하는 이성의 취약함을 폭로함과 동시에 본능과 감정의 우월을 설파하는 쇼펜하우어와 니체의 철학으로 탈피하기 때문이다. 특히 서양 근대 철학의 이성 편중에 처음부터 강한 위화감을 느끼고 있던 아메리카의 신흥 사상인 프래그머티즘에서는 데카르트의 회의론도 흄의 회의론도 모두 부정되고 인간의 인식 작용과 실천적 활동의 연속성이 강조되었는데, 이것은 다른 각도에서 말하면 이성과 정념의 관계와 관련하여 정념 측에 우선성을 주장하는 것일 뿐이다.

아메리카의 인간 감정론

프래그머티즘의 사상가 가운데서도 특히 이 점을 강조한 사람은 윌리엄 제임스William James(1842~1910)이다. 그는 지각적 경험으로부터 계산적 추론에 이르는 모든 인식 활동에는 감수적인 성격이 따라붙는다는 점을 지적함과 동시에, 실재론과 유명론의 대립이나 유물론과 관념론의 대립 등 철학의 역사에서 나타나는 주요한 이론적 대립 등이 실제로는 지적인 문제라기보다 오히려 기질의 대립이라고 갈파했다. 이러한 제임스의 감수성 철학에 강한 공감을 표명한 것이 프랑스의 베르그송인데, 그도 역시 인간 정신의 깊은 부분에서의 활동은 표면상의 지적 계산과는 다른 감정의 질적인 강함에 의해 내측으로부터 감수된다고 했다.

게다가 제임스 등의 감정을 기초로 한 인간 정신의 이해가 결코 19세기 후반부터 20세기 전반에 돌발적으로 등장한 신기한 사상이 아니었다는 점에 대해서도 주의가 필요하다. 이 책의 제6장 「식민지 독립사상」에서도 해명되고 있듯이 당시의 서양에 있어 '후진 지역'이었던 아메리카에서는 선진적 유럽의 계몽주의를 적극적으로 수용하면서 도덕의 기초를 이성이 아니라 심정에 두는 인간관이 이미 명확히 주장되고 있었다. 독립 전쟁의 일익을 담당한 프랭클린이 독학으로 전기 기술을 만들어내 계몽주의의 위력을 서양 이외에도 널리 알리는 한편, 그 후배인 제퍼슨이 그리스도교의 박애 정신을 토대로 한 도덕 사상을 소리 높여 노래하고 있었기 때문이다.

그리고 서양에서의 계몽주의 전성기에는 오히려 어쩔 수 없이 사상적인 폐쇄 상황에 머무를 수밖에 없었던 동양 사회도 이윽고 아메리카라는 신세계를 거쳐 서양 문명과의 새로운 접촉 시기를 맞이하자 감정론을 축으로 한 인간론에 강한 공명 현상을 일으키게 되었다. 그것은 예를 들어 교토학파에서의 제임스와 베르그송에 대한 깊은 공감이라는 사례에서 보이는데, 이 점은 결코 우연한 사건이라고는 생각할 수 없다. 왜냐하면 인간의 정신 활동의 주축에 감정적인 마음의 작용을 두는 것은 옛날부터 동양 사상에서 대단히 커다란 힘을 지닌 발상이며, 그것은 고대 중국에서의 '측은의 정'을 축으로 한 도덕론으로부터 일본에서의 '모노노아와레'의 세련을 추구하고자 하는 예술적 도덕론 등에 이르기까지 일관되게 유지된 인간 본성론의 전통이었기 때문이다.

동양의 인간 감정론

일본어로서의 '나사케^{なさけ}'(정情)나 한자어로서의 '감정感情' (일본에서도 메이지 이전에는 '간죠'가 아니라 '간세이'로 읽혔다) 에는 개인 인간 안에서 생겨나는 다양한 심리적 움직임으로부터 개인이 타인에게 던지는 동정심이나 애정 등, 대단히 폭넓은 의미가 담겨 있다. 중국이나 일본에서는 이러한 복잡한 의미에 대한 반성이라는 형식 아래 도덕적 탁월성과 미적 의식의 세련이

문제가 되고 다시 다듬어져 갔다. 동양적 전통에서의 철학적 반성의 중심에는 이와 같은 인간 감정론이 놓여 있다고 할 수 있을 것이다.

이 책의 제9장 「중국에서의 감정의 철학」은 송대의 주희朱熹로부터 명대의 왕수인王守仁, 陽明에 이르는 중국 철학에서의 성性과 정情의 이론 전개를 개관하면서 특히 청대의 대진戴震에 의해 성취된 '이성의 철학'으로부터 '감정의 철학'으로의 전환에 대해 주목하고 있다. 대진은 측은의 정을 기초로 한 고대의 맹자 사상에 대한 해석을 통해 중국에서의 감정의 철학을 근대를 향해 해방했다고 생각했다.

또한 제10장 「에도 시대의 '정'의 사상」은 이토 진사이伊藤仁齋와 오규 소라이荻生徂徠의 '인정人情 이해론'이 주자학과는 달리 타자의 정에 대한 이해를 중시하고 정의 유형들을 앎으로써 올바른 인간관계를 기르고자 한 것이었다는 것을 확인한다. 그리고 모토오리 노리나가本居宣長의 '모노노아와레'의 사상에 한편으로는 이 인정 이해론과 통하는 면이 있다는 것을 지적함과 동시에 '스이粹'나 '쓰通' 등의 미의식과도 근저에서 통한다는 점을 이야기한다.

독자들은 이러한 장들을 통해 동양에서의 감정론의 내실에 관해 새롭게 눈을 뜰 수 있게 되겠지만, 말할 필요도 없이 중요한 것은 그러한 지식을 익힘으로써 세계 각 지방의 철학적 전통의 다양성을 아는 것만이 아니다. 다양성과 함께 중요한 것은 서로 겹치는 철학적 사유 경향의 존재이다. 우리는 계몽주의의 서양 근대와 동양의 사상적 전통이라는 언뜻 보아 가장 거리가 먼 사유 경향으로 생각되는 것 속에서도 실제로는 연민과 동정심과 공감 등 '가족 유사성'을 지닌 여러 개념 아래 표현될 수 있는, 눈에 잘 띄지 않지만, 대단히 풍부한 내실을 수반한 사상적 수맥이라고도 할 만한 것을 찾아낼 수 있는 것이다.

마지막으로 한마디 하자면, 지성과 감정의 대립이라는 지금까지 살펴본 철학의 문제는 오늘날 우리의 세계에서도 여전히 계속해서 묻고 있는 살아 있는 철학적 주제라는 점을 덧붙여 두고자 한다.

영어로 지성주의를 나타내는 intellectualism이라는 말은 제퍼슨과 제임스 등 프래그머티즘적인 사유의 전통이 뿌리 깊은 아메리카에서는 오늘날에도 대부분 경우 그리 좋지 않은 의미에서 사용되며, 오히려 반지성주의야말로 인간의 존재해야 할 모습이라고 생각되는 일이 많다. 또한 파스칼이 말하는 '섬세의 정신'의 의의를 높이 평가하는 프랑스어에서도 '데카르트주의자'라는 말은 대개는 환영받을 만한 호칭이 아니라고 여긴다. 그러나 반대로 일본어로서의 반지성주의라는 말은 기본적으로 좋은 의미로는 사용되지 않는 듯한 느낌이 든다.

이처럼 우리는 지금도 이성과 감정이라는 인간 정신의 두 기둥 사이에서 흔들리고 있다고도 할 수 있지만, 이러한 동요 속에는 세계적인 규모에서의 철학과 사상의 역사의 흔적이 여러 가지 형태로 숨어 있다. 바로 그런 까닭에 세계철학사라는 관점 아래 인간 정신의 두 가지 중심인 이성과 감정의 복잡한 관계에 대해 다시 한번 생각해보는 것에는 충분한 의미가 있다고 생각된다.

☞ 좀 더 자세히 알기 위한 참고 문헌

— 야마자키 마사카즈山崎正一·구시다 마고이치串田孫一,『악마와 배반자—
  루소와 흄惡魔と裏切り者—ルソーとヒューム』, ちくま学芸文庫, 2014년. 원저가
  출판된 지는 오래지만, 루소와 흄의 감정적 대립에 관해 생생하게 해설한
  연구서로서 지금 읽어도 대단히 재미있다. 지금과 같은 대학교수가
  아닌, 18세기의 서양 철학자의 생활 스타일과 의견 교환 방식도 알
  수 있는 까닭에, 철학이라는 지적 활동에 대한 반성의 재료가 되기도
  한다.

— 막스 호르크하이머Max Horkheimer·테오도르 아도르노Theodor Adorno,『계몽
  의 변증법啓蒙の弁証法』, 도쿠나가 마코토德永恂 옮김, 岩波文庫, 2007년. 제2
  차대전 직후에 프랑크푸르트학파의 두 사람의 사상에 의해 미국에서
  쓰인 '이성의 야만'을 폭로하는 책. 20세기 후반에 유럽에서 활발해진
  '서양 중심주의 비판'의 선구라고도 할 수 있는 책이다. 현대의 감각에서
  보면, 그럼에도 불구하고 다분히 서양 중심적인 느낌이 남아 있다고
  생각될지도 모른다.

— 윌리엄 제임스William Jame,『프래그머티즘プラグマティズム』, 마스다 게이자
  부로桝田啓三郎 옮김, 岩波文庫, 1957년. 실재론과 관념론, 이원론과 일원론
  등의 철학사에 등장하는 대표적인 이론적 대립이 순수하게 이성적인
  논의의 대립이라기보다 많은 감정적 요소에 의해 성립한다는 것을
  밝혔다. 고전적 텍스트. 제임스는 철학자의 기질을 '굳은 정신'과 '부드
  러운 정신'의 대비로서 분류한다.

— 야마우치 도쿠류山內得立,『로고스와 렘마ロゴスとレンマ』, 岩波書店, 1974년.
  우리가 서양과 동양의 사유 스타일의 다름을 논의할 때, '이理와 정情'의

대립이라는 형태로 이해하고자 하는 논의가 많지만, 이 책은 양자의 대비가 오히려 '이성' 그 자체가 지니는 논리 형식의 차이에 놓여 있다고 논의한다. 야마우치에 따르면, 서양의 이성은 로고스이며, 동양의 논리는 렘마이다. 이 해석에 대해서는 당연히 이의 제기도 있을 수 있지만, 세계적 규모에서 이성의 다양성을 생각하고자 할 때, 우선 참조되어야 할 기본적인 연구라는 것은 의심할 수 없다.

칼럼 1

근대의 회의론

구메 아키라久米 曉

서양은 대항해 시대에 스스로와는 다른 문명의 존재를 알게 되며, 또한 종교 개혁으로 가톨릭교와 다른 프로테스탄티즘의 가능성을 발견했다. 서양 문명의 기반에 대한 의심이 생겨나고, '회의주의적 위기'가 찾아온다. 몽테뉴Michel de Montaigne(1533~1592)는 사람은 확실한 것을 아무것도 알 수 없다고 하는 자기의 회의적 입장을 '나는 무엇을 알고 있을까'라고 의문문으로 표현했다. '아무것도 모른다'라고 잘라 말하면, '아무것도 모른다'라는 것 자체는 알고 있다는 배리에 휘말리기 때문이다. 한편 데카르트는 우리가 믿고 있는 것은 모두 잘못이라고 감히 생각한다(방법적 회의)고 하더라도 '나는 생각한다, 따라서 나는 존재한다'라는 것은 결코 의심할 수 없다고 하고, 그것을 기초로 확실한 학문 체계를 연역하여 회의론을 극복하고자 했다. 나아가 회의론을 유지하면서도 학문을 옹호하는 중간파도 나타났다.

중간파의 시도 가운데 하나가 18세기 영국의 흄의 논의이다. 귀납에 관한 논의를 다루어 보자. 귀납이란 과거의 데이터를 증거로 미래를 예상하는 추론법이다. 귀납은 '자연의 제일성 원리', 요컨대 '과거와 미래는 비슷하다'라는 전제에 기초하지만, 이 원리는 과연 옳을까? '과거와 미래는 비슷하다'라는 것의 반대, 즉 '과거와 미래가 비슷하지 않다'라고 우리는 적어도 생각할 수 있는 까닭에, 이 원리의 옳음을 보이기 위해서는 경험적인 증거가 필요하다. 예를 들어 '이 원리는 과거에는 옳았다'라는 증거 말이다. 그러나 '이 원리는 과거에 옳았다'라는 증거에 기초하여 '이 원리는 미래에도 옳을 것이다'라고 추론하는 것은 허용될 수 없다. 이 추론 자체가 '과거와 미래는 비슷하다'라는 원리를 전제로 하고 있으므로 순환 논법이 되기 때문이다. 경험적 증거로서 들 수 있는 것은 과거에 관한 데이터에 지나지 않기 때문에, 그것에 기초한 미래에 대한 추론은 '자연의 제일성 원리'에 근거할 필요가 있다. 따라서 '자연의 제일성 원리'의 경험적 증명은 반드시 순환논법에 빠진다. 따라서 '자연의 제일성 원리'는 증명될 수 없으며, 귀납은 이성적 근거를 결여하게 된다. 이러한 것이 흄의 회의적 논의이다. 그러나 흄의 의도는 귀납의 비판에 있는 것이 아니라 귀납이 이성적인 일이 아니라 인간 본성에 깊이 뿌리내린 습관에 의한 상상력의 작용이라고 지적하는 것에 있었다. 흄에 따르면, 여러 차례 같은 것을 경험하면, 마음에 습관이 형성되어 아무런 근거도 없음에도 불구하고 미래도 같은 것이 이어진다고 우리는 자연스럽게 상상하는 것이다.

흄은 도덕 판단도 이성적 근거를 지니지 않는다고 논의했지만, 그것도 도덕 비판이 아니라 도덕 판단이 일종의 감정이라고 이야기하는 수단이었다. 근대의 회의론은 이성의 한계를 보이고, 습관·상상력·감정과 같은, 그때까지 경시되어온 인간 본성의 측면에 빛을 비추었다.

1721년경의 유럽

스웨덴

러시아 제국

상트페테르부르크

스톡홀름

모스크바

발트해

바르샤바

폴란드

부다페스트

헝가리

흑 해

콘스탄티노플리스

오스만 제국

화국

제2장

도덕 감정론

쓰게 히사노리 柘植尙則

1. 도덕 감정론의 형성

감정주의

'계몽의 세기'인 18세기 유럽은 계몽을 주창한 사상가들이 인간의 '이성'을 중시했다는 점에서 '이성의 시대'라고도 불린다. 그로 인해 계몽의 세기에는 오로지 이성만이 중시되었다고 자주 생각되지만, 전혀 그렇지 않다. 많은 사상가는 '감정'도 중시했으며, 그 가운데는 이성보다 감정을 중시하는 사람도 있었다. 사상가들이 목표로 한 것은 이성과 감정을 함께 지니는 자연 그대로의 인간, 즉 '인간의 본성human nature'을 밝히는 것이었다.

그리고 계몽의 사상가들 가운데서도 감정을 중시한 것으로 유명한 사람들은 '스코틀랜드 계몽'의 사상가들, 특히 프랜시스 허치슨Francis Hutcheson(1694~1746), 데이비드 흄David Hume(1711~1776), 애덤 스미스Adam Smith(1723~1790)이다. 허치슨은 스코틀랜드 계몽의 아버지라 일컬어지는 사상가이며, 흄과 스미스는 스코틀랜드 계몽을 대표하는 사상가이다. 스코틀랜드 계몽의 커다란 특징은 바로 감정을 중시한 점에 놓여 있다.

허치슨, 흄, 스미스의 입장은 '감정주의'라고 불리고 있다. 18세기의 영국에서는 '도덕 판단의 기원'을 둘러싸고 '이성주의'와 '감정주의'가 대립했다. 선과 악, 옳음과 그름, 덕과 악덕은 어떻게 해서 알려지는 것일까? 이성주의자는 도덕 판단이 이성과 지성에 의해 이루어진다고 주장했다. 그에 반해 감정주의자는 도덕 판단이 감각에 의해 이루어진다고, 또는 도덕 판단 그 자체가 모종의 감정, 즉 '도덕 감정moral sentiment'이라고 주장했다.

도덕 감정이란 도덕적인 '시인'이나 '부인', '칭찬'이나 '비난'의 감정을 가리킨다. 우리는 행위, 동기, 성격 등을 덕과 악덕으로서 시인하거나 부인하거나 하며, 또한 칭찬하거나 비난하거나 한다. 이와 같은 도덕 감정의 본성과 기원을 탐구한 사람들이 감정주의자들이다. 도덕 감정론은 허치슨에 의해 형성되며, 흄에 의해 전개되고, 스미스에게서 완성되었다. 허치슨은 도덕 감정이 도덕 감각moral sense'에서 생긴다고 주장하고, 흄은 허치슨을 계승하면서 도덕 감정을 '공감sympathy'으로부터 설명하며, 스미스는 흄과는 다른 방식으로 도덕 감정을 공감으로부터 설명했다. 그리하여 그들의 감정주의는 '도덕 감각학파'라고도 불리고 있다.

이하에서는 허치슨의 도덕 감각론을 간단히 살펴본 다음, 흄과 스미스의 도덕 감정론에 관해 상세히 살펴보고자 한다.

허치슨의 도덕 감각론

허치슨은 『미와 덕의 관념의 기원』(1725년)에서 덕과 악덕의 지각에 대해 논의하고 있다. 우선 허치슨은 도덕적인 선인 '덕'과 자연적인 선인 '이익'을 구별하고, 덕이 이익과 다른 방식으로 지각된다고 주장한다. 관대한 사람이나 고귀한 사람에 대한 감정과 풍요로운 토지와 편리한 주거에 대한 감정은 전혀 다르다. 유덕한 사람은 그것을 보는 사람 속에 시인이나 칭찬의 감정을 산출하지만, 유익한 물건은 소유욕밖에 산출하지 않는다. 하지만 덕의 지각이 없으면, 유덕한 사람은 유익한 물건과 똑같이 평가될 것이다. 그런 까닭에 이익의 지각과는 다른 덕의 지각이 있을 것이다.

그리고 허치슨은 이 덕의 지각이 '감각'에 의한 것이라고 주장했다. 우리는 유덕한 행위를 보면 곧바로 자신의 의지와 관계없이 덕의 관념을 받아들인다. 덕의 지각은 직접적이고 수동적이며, 그런 까닭에 감각에 의한 것으로 생각된다. 허치슨은 이 감각을 '도덕 감각'이라 이름 짓고 있다.

그러면 도덕 감각이란 어떠한 감각인가? 허치슨에 따르면, 우리는 도덕 감각에 의해 덕과 악덕을 지각하고 덕을 시인한다거나 악덕을 부인하거나 한다. 요컨대 덕과 악덕의 관념을 받아들이고 덕의 관념에서 쾌락을 느낀다거나 악덕의 관념에서 불쾌함을 느끼거나 한다. 이 쾌락이 시인의 감정이고 이 불쾌가 부인의 감정이다. 나아가 우리는 도덕 감각에 의해 덕을 사랑하거나 악덕을 미워하거나 하게 된다. 이처럼 도덕 감각은 덕을 시인하고 그것을 사랑하도록, 그리고 악덕을 부인하고 그것을 미워하도록 규정하는 것이다. 또한 허치슨의 생각에 도덕 감각은 이성에 의한 반성을 매개로 하지 않고 이해관계에 관한 의견에 앞서 덕과 악덕을 지각하도록 규정한다.

나아가 허치슨은 『도덕 감각에 관한 예증』(1728년)에서 도덕 감각과 이성의 관계에 대해 논의하고 있다. 감각은 자주 잘못된 관념을 준다. 그 경우 이성은 이전에 얻어진 관념에 비추어 잘못된 관념을 정정한다. 그렇지만 관념 그 자체는 이성에 선행하여 감각에 의해 주어진다. 마찬가지로 도덕 감각이 혼란되어 보통은 시인하는 행위를 부인하는 일도 있다. 그 경우 이성은 과거의 사례와 상식을 보여주고 잘못된 판단을 정정한다. 그렇지만 덕과 악덕의 관념 그 자체는 이성에 선행하여 도덕 감각에 의해 주어지는 것이다.

2. 도덕 감정론의 전개 — 흄

이성과 정념

다음으로 흄은『인간 본성론』(1739~1740년)에서 덕과 악덕의 구별에 대해 논의하고 있다.

우선 흄은 '이성'과 '정념'의 관계에 대해 고찰한다.

우리는 어떤 대상이 고통과 쾌락을 가져다준다는 것을 알아차리게 되면, 그 대상에 대한 혐오나 욕구와 같은 정념을 지닌다. 그리고 그 정념으로부터 의지가 생긴다. 그때 이성은 그 대상의 원인과 결과에 대해 생각함으로써 의지를 이끈다. 그렇지만 의지를 산출하는 것은 정념이며, 이성만으로는 의지를 산출할 수 없다. 그런 까닭에 이성은 의지를 방해할 수도 없다. 정념과 대립하거나 정념을 저지하거나 할 수 있는 것은 반대의 정념뿐이다.

그리고 우리는 '이성과 정념의 싸움'에 대해 말할 때는 엄밀한 동시에 철학적으로 이야기하고 있는 것이 아니다. '이성은 정념의 노예이며 오직 그러해야 하는바, 정념을 섬기고 따르는 것 이외에 어떠한 역할도 결코 맡을 수 없다.' 정념이 이성에 반하는 일이 있다면, 정념이 현실에 존재하지 않는 사물을 상정하고 있든가 아니면 목적에 대해 불충분한 수단을 선택하고 있는 경우뿐이다. 하지만 그 경우 이성에 반하고 있는 것은 정확히 말하면 정념이 아니라 정념에 수반되는 잘못된 판단이다. 그리고 정념은 잘못을 알아차리게 되면 곧바로 전적으로 대립하는 것이 아니라 이성에 양보한다.

또한 이성은 정서를 낳지 않지만, 정념 중에서도 정서를 낳지 않는 것이 있다. 그리고 그러한 정념은 평온하고 마음을 혼란스럽게 하지 않을 때는 이성에 의한 결정으로 착각된다. 그러한 정념과 이성이 주는 느낌은 분명히 다른 것이 아니다. 그로 인해 양자는 같은 것으로 생각되어온 것이다. 나아가 정념에는 평온한 것과 격렬한 것이 있지만, 격렬한 정념만이 의지를 이끌고 평온한 정념은 영향력을 지니지 않는다고 생각되어왔다. 하지만 양자는 모두 의지에 작용하며, 때로는 평온한 정념이 격렬한 정념에 승리를 거둔다.

이처럼 흄은 의지를 낳는 것은 정념인바, 이성만으로는 의지를 낳을 수 없으며, 또한 이성은 정념의 노예이기에 이성과 정념이 대립하는 일은 있을 수 없다고 주장한다. 그리고 '이성과 정념의 싸움'을 평온한 정념과 격렬한 정념의 싸움으로서 설명하고 있다. 흄의 생각에는 인간을 근저에서 움직이는 것은 이성이 아니라 정념이며, 인간은 이성과 정념의 싸움이 아니라 다양한 정념의 싸움 속에 놓여 있다.

도덕적 구별

그리고 흄은 이와 같은 정념적인 인간관을 전제로 하여 덕과 악덕의 구별, 즉 '도덕적 구별'의 기원에 관해 고찰한다.

　마음에 나타나는 것은 모두 '지각'이며, 덕과 악덕을 구별하는 것도 지각이다. 그리고 지각은 '인상'과 '관념'으로 나누어진다. 인상이란 마음속에 처음으로 나타나는 생생한 지각이며, 관념이란 그것이 기억과 상상에서 재현된 것이다. 그리하여 도덕에 관해 다음의 물음이 생겨난다. '우리가 덕과 악덕을 구별하고, 어떤 행위를 비난해야 하거나 칭찬할 만하다고 표명하는 것은 관념에 의한 것인가 그렇지 않으면 인상에 의한 것인가?' 그리고 관념에 대해 생각하는 능력이 '이성'이며, 인상을 받아들이는 능력이 '감각'이다. 그런 까닭에 이 물음은 도덕적 구별이란 이성에 의한 것인가 그렇지 않으면 감각에 의한 것인가 하는 물음 이외에 아무것도 아니다.

　이 물음에 대해 자주 도덕적 구별은 이성에 의한다고 주장된다. 그러나 도덕은 정념이나 행위에 대해 영향력을 지닌다. 예를 들어 사람들은 어떤 행위가 정의롭지 못하다고 하여 그 행위를 단념하거나 다른 행위가 책무라고 하여 그 행위로 내몰거나 한다. 그런 까닭에 도덕이 이성에서 유래하는 일은 있을 수 없다. 왜냐하면 (이성과 정념의 관계에 관해) 이미 증명했듯이 이성만으로는 그러한 영향력을 지닐 수 없기 때문이다. '도덕은 정념을 불러일으키고, 행위를 산출하거나 방해하거나 한다. 이성 그 자체는 이 점에서는 전적으로 무력하다.' 그런 까닭에 도덕적 구별은 이성에 의한 것이 아니다.

그리하여 도덕적 구별이 이성에 의하지 않는다면, 그것은 감각에 의할 것이다. 그런 까닭에 '도덕은 좀 더 정확하게는 판단된다기보다 느껴지는 것이다.' 이 감정은 평온한 까닭에 관념과 혼동되기는 하지만, 특정한 종류의 쾌락과 고통이며, 감각에 의해 받아들여진다. '어떤 행위, 감정, 성격은 유덕하거나 악덕이거나 한다. 왜인가? 그것을 보면 특정한 종류의 쾌락과 불쾌가 생겨나기 때문이다. …… 덕의 감각을 지니는 것은 다름 아니라 어떤 성격을 바라보고 특정한 종류의 만족을 느끼는 것이다. 바로 그 감정이 우리의 칭찬과 찬미를 이룬다.' 요컨대 어떤 성격에서 특정한 쾌락을 느끼는 것이야말로 바로 그것을 유덕으로 느끼는 것이다.

공감

이처럼 흄은 도덕적 구별이 이성이 아니라 감각에 의한다고 주장한다('도덕 판단'이 아니라 '도덕적 구별'이라는 말이 사용되는 것도 그 때문이다). 그리고 허치슨과 마찬가지로 이 감각을 '도덕 감각'이라고 부른다. 하지만 흄은 더 나아가 도덕적 구별을 '공감'으로부터 설명하고 있다.

흄에 따르면, 공감이란 '관념을 인상으로 바꾸는' 것에 의해 '감정이나 정념의 전달'을 행하는 마음의 활동이다. 타인의 감정은 타인의 얼굴이나 대화에서 나타나는 외적인 표지를 통해 알려지며,

그러한 표지들이 감정의 관념을 전달한다. 이 관념은 곧바로 인상으로 바뀌어 활기를 얻고 감정 그 자체가 된다. 이러한 공감에 대해 흄은 다음과 같이 설명하고 있다. 예를 들어 타인의 격렬한 기침은 우리를 불안하게 한다. 또한 숨을 쉴 때 고약한 냄새가 난다고 말을 듣는다면, 맥이 풀릴 것이다. 우리는 상상에 의해 쉽게 입장을 바꾼다. 그리고 타인이 느끼는 대로 타인을 살핀다거나 타인에게 보이는 대로 자신을 바라본다거나 함으로써, 우리에게는 속하지 않고 공감만이 우리에게 관심을 지니도록 하는 감정에 들어선다.

그리고 흄은 이러한 공감이 '도덕적 구별의 주요한 원천'이라고 주장한다. 예를 들어 정의가 칭찬받는 것은 공적인 선을 가져오기 때문이지만, 공적인 선은 공감이 우리에게 관심을 지니도록 하지 않는 한 우리에게 있어 중요하지 않다. 우리가 정의를 칭찬하는 것은 정의로부터 이익을 받는 사람들에게 공감하기 때문이다. 또한 솜씨 좋게 일을 하는 사람을 보면, 나는 경의를 느낀다. 이 경우 솜씨 좋음이라는 성질은 그 사람의 행복에 도움이 되는 것이고, 그 사람의 행복은 내게는 관계가 없다. 그럼에도 불구하고 내가 경의를 느끼는 것은 그 사람의 행복에 공감하기 때문이다. 이처럼 공감은 도덕적 구별에서 불가결하다.

흄이 도덕적 구별을 공감으로부터 설명한 것은 '도덕 감각'이 허치슨과 흄에게서 다르다는 것을 보여준다. 허치슨은 덕과 악덕을 지각하는 능력이 있다고 생각하고, 그것을 도덕 감각이라고 불렀다. 그에 반해 흄은 그와 같은 특수한 능력을 상정하지 않고, 도덕적 구별이 공감의 작용에 기초한다고 생각했다. 흄의 도덕 감각이 나타내는 것은 실은 덕과 악덕에 대한 시인과 부인 등, 다양한 '도덕 감정'이다.

일반적 관점

니이가 흄은 도덕적 구별(도덕 감정)의 개관성 문제에 대해 고찰한다.

흄은 우선 다음과 같은 반론을 상정하고 있다. 공감은 변하기 쉽다. 그런 까닭에 도덕 감정도 마찬가지로 변할 것이다. 우리는 거리가 먼 사람보다 가까운 사람에게, 알지 못하는 사람보다 서로 아는 사람에게, 외국인보다 같은 나라 사람에게 공감한다. 그러나 공감의 다름에도 불구하고 같은 성격을 같은 방식으로 시인한다. 그것들은 똑같이 유덕하며, 그것들을 보는 사람의 존중을 똑같이 받는다. 그런 까닭에 그러한 존중은 공감에서 생기는 것이 아니다.

그리고 이와 같은 반론에 대해 흄은 다음과 같이 답하고 있다. 우리의 입장은 언제나 움직이고 있으며, 거리가 먼 사람이 조금 있으면 친한 지인이 되거나 한다. 게다가 모든 사람은 타인에 대해 특정한 위치에 있으며, 각각이 타인을 특정한 관점에서만 고찰하려고 한다면 우리는 분별을 지니고서 교제할 수도 없다.

그런 까닭에 끊임없는 모순을 막고 안정된 판단에 이르기 위해 우리는 '움직이지 않고 일반적인 관점'을 정하고, 고찰할 때는 자신의 현재 입장이 어떠하든 언제나 자신을 그 관점에 두는 것이다.

이처럼 흄은 공감이 변화하기 쉽다는 것을 인정한 다음, 일반적 관점을 취함으로써 도덕적 구별이 좀 더 안정된다고 주장한다. 처음부터 흄의 생각에 도덕적 구별은 일반적 관점을 전제로 하고 있다. '어떤 성격이 그것을 도덕적으로 선이나 악이라고 부르는 심정이나 감정을 생겨나게 하는 것은 그것이 우리의 특정한 이해관계와 관계없이 일반적으로 고찰되는 경우뿐이다.'

나아가 흄은 일반적 관점에서 이루어지는 도덕적 구별이 좀 더 항상적이고 보편적이라고 주장하고 있다. 개인의 쾌락과 이익은 다르다. 그런 까닭에 우리는 대상이 똑같이 보이는 '공통의 관점'을 선택하지 않으면, 감정과 판단을 일치시킬 수 없다. 그리고 성격에 관해 판단하는 경우, 똑같이 보이는 유일한 쾌락과 이익은 그 성격을 지니는 사람의 것 아니면 그 사람과 관계가 있는 사람의 것이다. 그러한 이익과 쾌락은 우리 자신의 것과 비교해 그다지 마음을 움직이지 않는다고 하더라도, 좀 더 항상적이고 보편적이다. 따라서 그것들만이 덕과 도덕의 기준으로서 인정되며, 도덕적 구별이 의거하는 특정한 감정을 낳는 것이다.

3. 도덕 감정론의 완성 ─ 스미스

공감

이어서 애덤 스미스는 『도덕 감정론』(1759년/제6판, 1790년)에서 도덕 감정의 본성과 기원에 대해 논의한다.

우선 스미스는 도덕 감정의 기원인 '공감'에 대해 설명하고 있다. 우리는 타인의 감정을 직접 알 수 없다. 그리하여 상상으로써 타인의 입장에 자기를 놓고 타인이 어떻게 느끼고 있는지를 생각함으로써 타인과 똑같은 감정을 지닌다. 그리고 그 감정을 타인의 감정과 비교해 양자가 일치할 때는 타인의 감정을 시인하고, 양자가 일치하지 않을 때는 타인의 감정을 부인한다. 공감이란 '상상에서의 입장 교환'에 의해 '동포 감정'을 지니는 것이며, 나아가 그 동포 감정이 원래의 감정과 일치하는 일이다. 그리고 이 공감에서 도덕 감정이 생겨난다.

이처럼 스미스는 흄과 마찬가지로 도덕 감정을 공감으로부터 설명하고 있다. 하지만 스미스의 공감은 흄의 공감과는 크게 다르다. 스미스 자신이 강조하는 바로는 '공감은 정념을 바라보는 것보다 오히려 그것들을 불러일으키는 입장을 바라보는 것에서 생겨난다.' 요컨대 상상에서의 입장 교환에 기초하는 것이며, 단지 감정과 정념을 전달하는 것이 아니다. 스미스의 공감은 흄의 공감보다 더 반성적인 작용이다(다만 상상에서의 입장 교환이라는 생각은 흄의 설명에서도 보인다).

그리고 스미스는 '적정성의 감각'과 '공적과 죄과의 감각'이라는 도덕 감정을 다루고, 그것들을 공감으로부터 설명하고 있다. 적정성propriety의 감각은 행위자의 감정에 대한 관찰자의 직접적인 공감에서 생겨난다. 관찰자는 행위자의 동기에 공감할 때는 행위를 적정한 것으로서 시인하고, 행위자의 동기에 공감하지 않을 때는 행위를 부적정한 것으로서 부인한다. 또한 공적과 죄과의 감각은 행위자의 감정에 대한 직접적인 공감 및 관계자의 감정에 대한 간접적인 공감에서 생겨난다. 관찰자는 행위자의 동기에 공감하고 수익자의 감사에 공감할 때는 행위를 보답하고 장려할 만한 것으로서 시인하고, 행위자의 동기에 공감하지 않고 피해자의 분개에 공감할 때는 행위를 처벌할 만한 것으로서 부인한다.

스미스는 도덕 감정과 관련해 흄의 설명을 비판한다. 흄에 따르면, 솜씨 좋게 일을 하는 사람에게 경의를 느끼는 것은 솜씨 좋음이라는 성질이 그 사람에게 가져다주는 행복에 공감하기 때문이었다. 요컨대 흄은 도덕 감정을 '효용'에 대한 공감에서 설명하는 것이다. 그러나 스미스에 따르면, 유용한 성질이 덕으로서 시인되는 것은 그것이 유용하기 때문이 아니라 적정하기 때문이다. 도덕 감정은 효용을 지각하는 데서 생기는 것이 아니다.

공평한 관찰자

앞에서 보았듯이 스미스는 공감이 상상에서의 입장 교환에 기초한다고 생각한다. 그러면 관찰자는 어디까지 입장 교환을 하는 것일까? 이 문제에 관해 스미스는 '어떤 사람의 모든 능력은 타인에게 있는 마찬가지 능력을 판단하는 척도이다'라고 말하고, 관찰자는 행위자의 감정과 자신의 동포 감정을 비교할 때는 행위자와 (능력은 교환하지 않고서) 상황만을 교환한다고 주장한다. 하지만 다른 한편으로 '나는 당신과 상황을 교환할 뿐 아니라 신체와 성격도 교환한다'라고 말하여 관찰자는 행위자와 (신체와 성격을 포함하여) 모든 것을 교환한다고 주장한다. 이처럼 스미스의 설명은 분명히 모순되고 있다.

또한 스미스는 공감에서 도덕 감정이 생겨난다고 생각한다. 하지만 공감은 변하기 쉽다. 그런 까닭에 도덕 감정도 마찬가지로 변할 것이다. 이 문제에 대해 흄은 일반적 관점을 취함으로써 도덕 감정이 좀 더 안정된다고 주장했다. 그와 마찬가지로 스미스는 '공평한 관찰자'가 됨으로써 도덕 감정이 좀 더 적절해진다고 주장한다.

그러면 공평한 관찰자란 어떠한 존재인가? 스미스는 다음과 같이 논의하고 있다. 우리의 이해관계와 타인의 이해관계가 대립할 때, 그것들을 적절히 비교하기 위해서는 우리는 자신의 위치를 변화시켜야만 한다. '우리는 스스로의 장소로부터도 타인의 장소로부터도 아니고, 또한 스스로의 눈도 타인의 눈도 아니라 제3자의 장소로부터, 제3자의 눈으로 그 이해관계들을 바라보아야만 한다. 그리고 그 제3자란 어느 쪽과도 특별한 관계를 지니지 않고 우리 사이에서 공평하게 판단하는 자이다.' 요컨대 공평한 관찰자란 '제3자', 즉 '이해관계와 관계없는 관찰자'이다. 스미스는 이와 같은 공평한 관찰자의 도덕 감정이 기준이 된다고 생각하고 있다.

또한 스미스는 공평한 관찰자로부터의 공감이 인간의 행위를 규제한다고 생각한다. 모든 사람은 타인보다 자신을 우선하지만, 동시에 타인으로부터 보면, 자신이 많은 사람 가운데 한 사람에 지나지 않는다는 것을 알아차린다. 그리하여 타인이 인정하는 방식으로 행위하려고 한다. 하지만 '그가 공평한 관찰자가 자신의 행동 원리[동기]에 들어오도록 행위하려고 하게 되면 — 그것은 그가 무엇보다도 바라는 것이지만 —, 그는 다른 모든 경우와 마찬가지로 이 경우에도 자기애의 오만의 코를 꺾고, 그것을 타인이 따라갈 수 있는 것으로 끌어내려야만 한다.' 그리하여 사람은 공평한 관찰자로부터의 공감을 추구하여 스스로 자기애를 억누르고 행위하게 되는 것이다.

양심

나아가 스미스는 자기에 관한 도덕 판단(도덕 감정)에 관해 설명한다. 감정주의의 생각에서 도덕 판단은 '관찰자' 즉 타자의 감정이다. 그러면 사람은 어떻게 해서 자기에 대해 도덕 판단을 하는 것인가? 스미스에 따르면, 사람이 자신을 시인하거나 부인하거나 하는 방식은 타인의 경우와 똑같다. '우리는 자신을 타인의 입장에 놓고, 말하자면 타인의 눈으로, 타인의 입장에서 자신의 행동을 바라보고 그것에 영향받은 감정이나 동기에 들어가 공감할 수 있거나 할 수 없다고 느낌에 따라 자신의 행동을 시인하거나 부인하거나 한다.' 이처럼 사람은 타인의 입장에서 자신을 바라봄으로써 자신에 관해 판단한다.

나아가 사람은 자신 속에 공평한 관찰자를 상정하고, 이 관찰자의 입장에서 자신을 바라봄으로써 자신에 관해 판단한다. 이 '상정된 공평한 관찰자'가 다름 아닌 '양심'이다. 사람은 양심에 상담함으로써만 자신에 관계되는 사항을 올바르게 볼 수 있으며, 자신과 타인의 이해관계를 올바르게 비교할 수 있다. 그리고 양심은 자기에 관한 판단뿐 아니라 자기에 대한 통제도 한다. 자기애에 대항할 수 있는 것은 인간애나 인애仁愛가 아니라 양심이다.

하지만 자기애로 인해 양심이 치우친 판단을 내리는 일도 있다. 그러나 그 경우에도 사람은 '일반적 규칙'에 따라 판단할 수 있다. 일반적 규칙은 개개의 행위에 관한 도덕 판단에 기초하여 형성된다. 사람은 이 규칙을 자기에 관한 판단의 기준으로 하여 자기애의 치우친 생각을 바로잡는다. 그리고 이 일반적 규칙에 대한 고려는 '의무의 감각'이라고 불린다. 의무의 감각은 인간에게 있어서 가장 중요한 것이며, 많은 사람이 자신의 행위를 이끌 수 있는 유일한 것이다.

　이처럼 스미스는 사람이 타인의 입장에 섬으로써, 더 나아가 자신 속에 공평한 관찰자를 상정함으로써, 또는 일반적 규칙에 따름으로써 자신에 관해 판단할 수 있다고 주장하고 있다. 스미스의 양심은 허치슨의 도덕 감각과 같은 실체적인 능력이 아니다. 그것은 흄과 마찬가지로 공감의 작용이다. 그리고 스미스는 허치슨과 흄의 도덕 감정론을 밀고 나아가 자기에 관한 도덕 판단에 관해 설명하고, 양심의 형성, 활동, 한계와 그 극복에 대해 논의한다. 그런 의미에서 스미스에게서 도덕 감정론은 완성을 보았다고 말할 수 있다.

도덕 감정의 부패

　하지만 스미스의 도덕 감정론은 인간의 도덕 감정을 비판 없이 찬양하거나 무조건 정당화하거나 하는 것이 아니다. 스미스는 도덕 감정 그 자체가 '부패'하는 것에 대해서도 논의하고 있다.

　스미스에 따르면, 일반적으로는 타인의 기쁨에 공감하는 성향보다 타인의 슬픔에 공감하는 성향 쪽이 강하다고 생각되지만, 현실적으로는 그 역이다. 타인의 기쁨은 우리의 마음을 그다지 끌어올리지 않지만, 타인의 슬픔은 우리의 마음을 크게 끌어내린다. 본래 '기쁨에 공감하는 것은 쾌다. …… 그러나 비탄에 따라나서는 것은 괴로우며, 우리는 언제나 마지못해 그것에 들어간다.'

그로 인해 우리는 타인의 기쁨보다 슬픔에 공감하기에 어려움을 느끼는 것이다.

그리고 이렇게 타인의 기쁨에 공감하는 성향이 타인의 슬픔에 공감하는 성향보다 강하기 때문에 유복한 사람이나 지위가 높은 사람에게 감탄하고, 가난한 사람이나 지위가 낮은 사람을 경멸하는 성향이 생겨난다. 우리는 유복한 사람이나 지위가 높은 사람이 행복하다고 생각하면, 그 사람들의 기쁨에 점점 더 공감하고 그들에게 감탄한다. 반대로 가난한 사람과 지위가 낮은 사람이 불행하다고 생각하면, 그 사람들의 슬픔에 점점 더 공감할 수 없고 그들을 경멸한다. 실제로 많은 사람은 타인에게 부를 과시하고, 가난을 숨기고자 하지만, 그것은 인간이 타인의 슬픔보다 기쁨에 공감하는 경향을 지니기 때문이다.

그에 더하여 스미스는 이렇게 주장한다. '유복한 사람들과 힘 있는 사람들에게 감탄하고 그들을 거의 숭배하며, 다른 한편 가난하고 지위가 낮은 사람들을 경멸하든가 적어도 무시하는 이러한 성향은 …… 우리 도덕 감정의 부패의 커다란, 그리고 가장 보편적인 원인이다.' 스미스의 생각에 '존경'은 본래 덕으로 향하는 것이지만, 유복한 사람과 지위가 높은 사람에게 감탄하는 성향으로 인해 부와 지위로도 향한다. 그리고 부와 지위에 대한 존경은 덕에 대한 존경과 다름에도 불구하고, 그것으로 오인된다. 나아가 유복한 사람과 지위가 높은 사람의 악덕과 어리석은 행위에 대한 경멸과 혐오는 부와 지위에 대한 존경에 의해 약해지든가 부정된다.

이리하여 도덕 감정은 본래의 방식으로 나타나지 않게 되든가 전혀 나타나지 않게 된다.

이처럼 스미스는 도덕 감정의 부패를 인간의 성향으로부터 설명하고, 도덕 감정 그 자체에 한계가 있다는 것도 지적한다.

4. 도덕 감정론의 가능성

도덕 감정론에 대한 비판

이상이 허치슨, 흄, 스미스의 도덕 감정론이다. 이 도덕 감정론에 대해 동시대의 이성주의자는 다양하게 비판한다.

예를 들어 존 발가이[John Balguy](1686~1748)는 허치슨의 도덕 감각론을 다음과 같이 비판하고 있다. 첫째, 도덕 감각은 변덕스럽게 변하기 쉽다. 둘째, 도덕 감각만이 덕을 시인한다면, 지성은 쓸모없게 된다. 셋째, 도덕 감각이 행위로부터 쾌락과 고통을 받아들이도록 규정한다면, 짐승도 덕을 시인할 수 있게 된다. 넷째, 도덕 감각이 강할수록 덕에 대한 시인이 강해지지만, 도덕 감각의 강함에 따라 덕이 변한다는 것은 덕의 가치를 떨어뜨리는 것이다. 그리고 다섯째, 도덕 감각이라는 생각은 이성을 덕에 관해 판단할 수 없는 것으로 만들고 그 품위를 깎아내리게 된다.

또한 리처드 프라이스[Richard Price](1723~1791)도 허치슨의 도덕 감각론을 비판한다. 허치슨은 도덕적인 관념을 행위를 쾌로 느끼게 하는 도덕 감각에서 끌어내고 있다. 그렇다면 덕은 취향의 사항이 되고, 올바름과 선도 쾌 감정에 돌려질 것이다. 프라이스 자신은 행위의 '아름다움과 추함'의 지각, 즉 행위가 가져다주는 특정한 쾌락과 고통의 지각이 존재한다는 것을 인정한다. 하지만 아름다움과 추함의 지각은 '덕과 악덕'이나 '옳음과 그름'의 지각에 수반하는 것인바, 그것들과 같은 것이 아니며, 본래 그것들은 지성에 의한 것이라고 주장한다.

나아가 토머스 리드Thomas Reid(1710~1796)는 흄과 스미스의 도덕 감정론을 비판한다. 감각은 그 대상에 관해 판단하는 역능이며, 도덕 감각은 '도덕에 관해 판단하는 역능'이다. 하지만 흄은 도덕 감각을 '판단하지 않고 느끼는 역능'으로 간주한다. 그것은 말의 잘못된 사용이다. 또한 흄과 스미스는 도덕적인 시인을 '느낌'에 놓고, 판단을 지니지 않는 느낌을 나타내는 데 '감정'이라는 말을 사용한다. 이것도 말의 잘못된 사용이다. 도덕적인 결정은 '도덕 감정'이라고 불려도 좋지만, 그것은 감정이라는 말이 '단순한 느낌'이 아니라 '느낌을 수반한 판단'을 나타내기 때문이다.

이성주의자의 비판 가운데서도 리드의 비판은 결정적인 것으로 여겨지며, 도덕 감정론의 후퇴를 가져오게 되었다. 나아가 리드가 '도덕의 제1원리'를 문제로 삼은 것과 벤담Jeremy Bentham(1748~1832)이 '공리성의 원리'을 주창한 것 등으로 인해 19세기의 영국에서 사상가들의 관심은 '도덕 판단의 기원'으로부터 '도덕의 원리'로

옮겨가며, 도덕 감정론은 종언을 맞이하게 되었다.

도덕 감정론의 현대적 의의

그러나 허치슨, 흄, 스미스의 도덕 감정론은 결코 과거의 것이 아니다.

예를 들어 현대의 윤리학에는 도덕 판단의 특성에 관해 고찰하는 '메타 윤리학'이라는 분야가 있다. 메타 윤리학에는 다양한 입장이 있지만, 그 가운데에는 도덕 판단을 감정 등의 표출로 파악하는 입장도 있으며, 도덕 감정론은 그러한 입장의 고전적인 논의로 생각된다. 또한 메타 윤리학에서는 도덕에서의 판단과 행위의 연결이 주제의 하나가 되어 있는데, 도덕 감정론은 도덕 판단이 도덕적 행위를 동기 짓는다는 주장의 전형으로 여겨진다. 특히 '도덕은 정념을 불러일으키고 행위를 산출하거나 방해하거나 한다'라는 흄의 생각은 도덕 판단과 감정의 밀접한 관계와 도덕 판단의 특성을 정확히 파악한 것으로서 현대에도 높이 평가되고 있다.

또한 현대의 윤리학에는 덕을 도덕의 원리로 삼는 '덕 윤리학'이라는 입장이 있다. 덕 윤리학은 행복을 도덕의 원리로 하는 '공리주의'와 의무를 도덕의 원리로 하는 '의무론'에 대항하는 제3의 입장으로서 주창되고 있다. 그리고 도덕 감정론은 덕을 고찰의 대상으로 하고 있다는 점에서 아리스토텔레스의 윤리학과 나란히

덕 윤리학의 핵심을 이루는 것으로 파악된다.

이처럼 허치슨, 흄, 스미스의 도덕 감정론은 현대의 윤리학에서 중시되고 있으며, 역사적인 의의뿐만 아니라 현대적인 의의도 지닌다.

나아가 도덕 감정론에는 좀 더 커다란 현대적 의의가 있다. 근대의 서양 철학에서는 '이성주의'가 주류였다. 하지만 이성주의는 인간의 존엄을 높이는 한편, 인간에 대한 견해를 좁히게 되었다. 나아가 현대에 들어서면 이성주의의 인간관에 이의를 제기하는 사고방식도 나타났다. 그것을 받아들여 이성주의에 대한 반성이 시작되고 오늘날에 이르고 있다. 그와 같은 상황에서 이성주의의 대극에 놓여 있고 근대 서양 철학의 지류였던 '감정주의'의 도덕 감정론은 커다란 가능성을 지닌다.

허치슨, 흄, 스미스의 도덕 감정론은 논의의 넓이와 깊이에서 다른 시대나 지역과 비교해서도 유례가 없는 것이다. 그것은 이성주의와 마찬가지로 극단적인 논의이다. 하지만 바로 그러한 까닭에 현대에 인간과 도덕에 관해 새롭게 고찰하는 실마리를 주고 있다.

☞ 좀 더 자세히 알기 위한 참고 문헌

— 빈센트 M. 호프Vincent McNabb Hope, 『허치슨, 흄, 스미스의 도덕 철학 ─
합의에 의한 덕ハチスン、ヒューム、スミスの道徳哲学 ─ 合意による德』, 오쿠타니 고이
치奥谷浩一・우치다 쓰카사内田司 옮김, 創風社, 1999년. 허치슨, 흄, 스미스의
도덕 철학을 비교하고, 도덕 감정론이 어떻게 발전했는지를, 나아가 흄과
스미스의 논의에 기초하여 공정, 권리, 책무, 덕, 도덕적 지식에 대해 고찰한다.

— 쓰게 히사노리柘植尚則, 『영국의 모럴리스트들イギリスのモラリストたち』, 研究
社, 2009년. 근대의 영국을 대표하는 12명의 모럴리스트를 다루며, 그
기본적인 생각을 소개한다. 제2부 「감정과 이성」에서 허치슨, 흄, 스미스
의 윤리 사상에 대해 각각 한 장을 할당하여 개설하고 있다.

— 이즈미야 슈자부로泉谷周三郎, 『흄ヒューム』, 研究社出版, 1996년. 흄의 생애를
더듬어가면서 사상의 전체상을 소개한다. 제2장에서 『인간 본성론』
의 주요한 논의를 간결하게 설명하고 있다.

— 다카 데쓰오高哲男, 『애덤 스미스 ─ 경쟁과 공감 그리고 자유로운 사회로
アダム・スミス ─ 競爭と共感、そして自由な社会へ』, 講談社選書メチエ, 2017년. 스미
스의 『국부론』과 『도덕 감정론』을 일관된 체계로 파악하고 그 요점을
알기 쉽게 해설하고 있다. 제2부에서 『도덕 감정론』 제1~5부의 주된
내용을 스미스 자신의 논의 흐름에 입각하여 소개한다.

— 가미노 게이치로神野慧一郎, 『우리는 왜 도덕적인가 ─ 흄의 통찰我々はなぜ
道徳的か ─ ヒュームの洞察』, 勁草書房, 2002년. 대뇌 생리학과 심리학의 식견에
토대하여 흄적인 관점에서 도덕 감정론의 문제에 관해 고찰한다(제5·6
장). 아울러 다양한 도덕설에서의 도덕 감정론의 자리매김에 대해 검토
한다(제8장).

칼럼 2

시공간을 둘러싼 논쟁

마쓰다 쓰요시松田 毅

 '시간이란 무엇인가?', '시간은 어떻게 있는 것인가?'는 시간의 철학의 기본 문제이다. 뉴턴(1643~1727)의『프린키피아』(1687년)가 집대성한 물리학의 혁명을 통해 두 물음은 상대론과 양자론 및 그 철학적 고찰로도 계승되었다.

 실제로 아인슈타인Albert Einstein(1879~1955)의 특수 상대론의 등장 이전, 고전 역학의 시간은 공간에서 독립한 변수였다. 뉴턴은 그것을 '절대 시간'이라 부르고 감각적 양과 구별하여 '외부의 무엇과도 관계없이 그것 스스로 흐르는' 한결같은 동질적인 것으로 생각했다. 이것은 물체 운동의 일의적인 측정을 보증하기 위해서였다. 시간을 정밀하게 측정하는 기준이 될 정도로 한결같은 운동은 존재하지 않을지도 모르고 어떠한 운동에도 가속과 감속이 있을지도 모른다고 하더라도, 절대 시간의 진행만큼은 아무런 변화도 받지 않고 언제나 똑같다고 생각한 것이다. 그러나 뉴턴이 그것을 '신의 감각 기관sensorium'이라고 부르고 '용기容器'와 같은 인상을 준 것도 하나의 원인이 되어 논쟁이 생겨났다. 이후 시간의 철학은 새로운 단계에 돌입한다.

 쟁점은 그런 종류의 시간을 정립하지 않고서도 물리학이 가능하지 않은가 하는 의문과 그렇다면 물리학의 시간이 어떻게 존재한다고 생각해야 하는가였다. 이것을 클라크Samuel Clarke(1675~1729)를 통해 뉴턴에게 들이댄 것이 라이프니츠Gottfried Wilhelm Leibniz(1646~1716)이며, 그 논쟁을 초월론 철학의 물음으로까지 심화한 것이 『순수 이성 비판』의 칸트이다.

라이프니츠가 구성해 보인 것은 가득 채워진 무수한 장소의 총체로서 절대 공간과 동일한 기능을 지니는 '공간'인데, 라이프니츠는 일반적으로 공간과 시간을 평행적인 것으로 간주한 까닭에, 똑같은 것이 시간에도 타당할 것이다. 따라서 구체적 운동은 그것이 무엇이든 구성된 공간에 사상寫像되고 거기에 운동 상호 간의 관계도 일의적으로 기술되게 되면, 절대 공간을 사물로서 정립할 필요는 없으며, 절대 시간도 마찬가지라고 생각된다. 요컨대 가능적인 '동시성의 질서'와 '계기의 질서'가 절대 공간과 절대 시간의 충분한 대체자로 되는 것이다. 역으로 이러한 한에서의 공간과 시간은 운동과 변화의 담지자가 지니는 차이의 '추상' 결과인 한에서, '불가식별자 동일의 원리'로부터 보면, 질적으로 무차별한 '관념적' 존재에 머문다.

칸트도 한마디로 말하면 관념적 존재로서의 시간을 초월론적으로 해석하고, 인식자로서의 인간 주관의 '감성적 직관'의 가능성 조건 제약, 요컨대 경험적 인식의 틀로서, 말하자면 초월론적 주관으로 '내재화'한 것이다.

근간의 라이프니츠 연구는 시간과 공간의 비대칭성에 대해서도 주목하고, 시간의 화살과 같은 방향성, '부분과 전체'의 관점으로부터의 '순간'과 시간의 '연속체 합성의 미궁', '윤회'와도 관계되는 '영원회귀'의 순환적 시간의 문제까지 검토하기 시작했으며, 잠시도 한눈을 팔 수 없는 상황이 이어지고 있다.

제3장

사회 계약이라는 논리

니시무라 세이슈西村正秀

1. 17~18세기 유럽에서의 사회 계약론

주권 국가의 진전과 사회 계약론

17세기를 거쳐 18세기에 돌입한 유럽을 인류의 문명사라는 관점에서 그릴 때, 가장 눈에 띄는 특징으로 들 수 있는 것은 '근대 주권 국가의 진전'이라는 정치 사회적 사태일 것이다. 주권 국가란 어떤 통치 기관이 다른 기관으로부터의 간섭을 받지 않고 영토 안을 통일적으로 다스리는 국가 체제이다. 이 국가 체제는 지금이야 전 세계적으로 볼 수 있지만, 그 발생은 16세기 유럽이었다. 16세기는 지금까지의 봉건 국가로부터 주권 국가로의 전환이 생겨난 시기이며, 17세기에 주권 국가들의 싸움은 16세기부터 각지에서 일어난 종교 전쟁과 복잡하게 뒤얽히면서 격화일로를 걸어갔다. 처음에는 많은 주권 국가가 절대 군주제를 취하고 있었지만, 17세기에는 영국에서, 18세기에는 프랑스에서 시민 혁명이 일어나며, 주권 국가의 체제는 절대 군주제로부터 입헌 군주제와 공화제로 변화해갔다. 또한 이 흐름은 유럽 이외의 지역에도 영향을 미쳐 18세기에는 영국의 식민지였던 아메리카의 독립 전쟁으로 이어졌다.

이 장에서 다루는 사회 계약론은 이러한 격동의 시대 유럽으로 인해 전개된 이론이다. 사회 계약론이란 정치적 정통성과 정치적 권위는 무엇에 기초하는가, 쉽게 표현하자면 왜 우리는 국가의 법률과 결정에 따라야만 하는가 하는 문제에 대해 '그것은 각 사람이 자신의 권리를 포기하여 그와 같은 통치 기관을 설립하는 것에 합의했기 때문'이라는 방식으로, 즉 계약이라는 방식으로 대답하는 정치 철학 이론이다. 사회 계약론의 제창자로는 토머스 홉스, 바뤼흐 데 스피노자, 존 로크, 장 자크 루소, 임마누엘 칸트 등이 있다.

사회 계약론은 그 발상 자체는 고대 그리스에서부터 존재하고, 현대에도 20세기 후반의 존 롤스John Rawls(1921~2002)에 의한 리바이벌을 계기로 하여 활발하게 논의되고 있다. 나아가 사회 계약론은 로크가 제안한 저항권이 아메리카 독립 전쟁에 영향을 준다거나 루소의 인민 주권적인 아이디어가 일본의 메이지 시대의 자유 민권 운동에 영향을 준다거나 하는 등 시대와 지역을 넘어서서 수용되었다. 하지만 사회 계약론이 17~18세기 유럽에서 꽃 피운 것은 그 나름의 이유가 있다. 16세기에 프로테스탄트의 출현은 종래의 가톨릭적인 세계의 위계질서 붕괴를 초래하고 있었다. 그와 같은 배경 아래 종교적 권위에 의존하지 않는 새로운 정치적 정통성의 이론으로서 사회 계약론이 요청된 것이다.

여기 제6권은 18세기 계몽주의에서의 이성 편중주의(이성을 과도하게 신뢰하여 인간성과 감정을 경시하는 입장)에 대한 반성을 주제로 하고 있지만, 사회 계약론은 다음과 같은 점에서 이 주제와 관계된다. 기본적으로 사회 계약론은 인간의 이성에 주도적 역할을 부여하고 있었다. 하지만 이성만이 이 이론에 활약했는가 하면, 반드시 그렇지는 않다. 특히 몇 개의 사회 계약론에서는 그리스도교가 다양한 방식으로 역할을 하고 있었다. 그러면 그것은 어떠한 역할이었던가? 또한 그 역할은 이성과 어떠한 관계를 지니고 있었던가? 이러한 물음들에 대한 대답은 이성 편중주의에 대한 반성이 유럽의 정치 철학에서 어떻게 시도되고 있었는지(또는 시도되고 있지 않았는지)를 찾는 데서 힌트가 될 것이다.

이 장에서는 다음과 같은 순서로 '사회 계약이라는 논리'의 내실을 살펴보고자 한다. 처음에 홉스와 스피노자의 이론을 개관한다. 홉스와 스피노자(그리고 다음에 나오는 로크)는 17세기의 철학자이지만, 다가올 계몽주의를 준비한 철학자이다. 홉스와 스피노자의 이론에서는 아직 이성에 대한 반성은 거의 보이지 않는다. 그들의 이론에서는 감정에 기초한 행위가 이성에 의해 억눌리는 모습이 확인될 수 있을 것이다. 다음으로 그리스도교와의 관계를 시아에 넣어 로크와 루소의 이론을 해설한다. 17세기의 로크와 18세기의 루소는 각자의 사회 계약론에서 그리스도교에 전적으로 다른 역할을 부여했다. 이러한 차이는 18세기 계몽주의의 이성 편중주의에 대한 반성을 반영한 것으로서 해석될 수 있을 것이다.

사회 계약론의 기본 구조와 기본 도구

각 철학자의 사회 계약론을 구체적으로 살펴보기 전에 준비운동으로서 사회 계약론의 기본 구조와 기본 도구를 확인해두고자 한다. 우선 사회 계약론의 기본 구조인데, 이것은 지극히 단순하다. '통치 기관을 설립하여 그 정통성과 권위를 정당화하는 것은 각 구성원의 합의'라는 것이 사회 계약론의 핵심적인 아이디어였다. 이 아이디어에서 설득력이 있기 위해 사용되는 것은 '만약 통치 기관이 없는 세계에서 인간이 생활한다면'이라는 사고 실험이다. 이와 같은 세계에서는 자신의 욕구를 채우는 인간의 이기적 성격이 가차 없이 발휘되어 다양한 다툼이 생겨난다고 예측할 수 있다. 하지만 이 세계에는 경찰도 법원도 없는 까닭에 다툼은 좋게 해결될 수 없다. 그리하여 사람들은 다소 거북한 생각을 하더라도 자신들을 법적 구속 아래 보호해주는 통치 기관을 합의에 따라 설립한다는 것이 사회 계약론의 기본 구조이다.

이 사고 실험은 17~18세기의 사회 계약론에서는 '자연 상태, 자연법, 자연권'이라는 도구를 사용하여 전개되는 경우가 많다. 그리하여 다음으로 이 도구들을 간결하게 설명해두고자 한다.

우선 '자연 상태'란 통치 기관이 존재하기 전의 세계를 말한다. 자연 상태는 사회 계약론의 사고 실험을 하는 데서 빠질 수 없는 설정이다. 자연 상태에서도 무언가의 규칙이 있는가, 자연 상태에서 생활하는 인간은 어떠한 본성을 지니는가, 자연 상태는 현실적으로 존재하는가 등에 관해서는 철학자마다 견해가 다르다.

다음으로 '자연법'인데, 이것은 자연 상태에서 인간에게 주어져 있는 도덕 규칙을 말한다. 자연법은 고대 그리스에서부터 제창되어 온 개념이며, ① 모든 사람에게 적용되고, ② 이성으로만 인식할 수 있는 특징을 지닌다. 자연법에는 사람들을 사회 계약으로 이끄는 규칙이 된다거나 실정법의 기초가 된다는 등, 철학자에 따라 다양한 역할이 주어져 있다. 마지막으로 '자연권'인데, 이것은 그 이름 그대로 자연 상태에서 주어져 있는 권리를 말한다. 어떠한 권리가 주어지는 것인지는 각각의 철학자에 따라 다르지만, 자연권을 포기하여 통치 기관을 설립한다는 것이 사회 계약의 표준적인 존재 방식이다.

2. 홉스와 스피노자

홉스의 사회 계약론

그러면 이제 각 철학자의 사회 계약론을 살펴보자. 이 절에서는 홉스와 스피노자의 사회 계약론을 간단히 소개하기로 한다.

우선 홉스에게서 시작하자. 홉스는 17세기 잉글랜드의 철학자이며, 주저 『리바이어던』(1651년)에서 사회 계약론을 제출했다. 1642년부터 9년간 이어진 잉글랜드 내전을 경험한 홉스는 사회의 안정을 확보하기 위해 절대 군주제를 옹호했다. 그 옹호에 사용한 것이 사회 계약론이다.

홉스의 이론에 특징적인 것은 인간을 지극히 이기적인 존재로서 그렸다는 점이다. 인간의 행위는 욕구와 혐오라는 두 종류의 감정에 의해 일어난다. '모든 사람의 의지에 의한 행위의 목적은 그 자신에 대한 무언가가 이익이다'(『리바이어던(1)』, 제14장, 220쪽)라는 문장이 보여주듯이 인간은 자기 보존과 욕구 충족을 목표로 하는 이기적인 존재자로서 특징지어졌다. 이와 같은 인간이 살아가는 자연 상태는 다름 아닌 전쟁 상태라는 것이 홉스의 짐작이다. 인간에게는 자기 보존과 욕구 충족을 위해 자신의 힘을 사용하는 자유가 자연권으로서 주어져 있다. 자연 상태에서 각 사람은 자연권을 행사하여 자기의 욕구를 채우기 위해 제한 없이 행위한다. 그렇다면 물건을 손에 넣기 위한 경쟁, 서로의 불신감, 자신의 우위성을 타인에게 보이고자 하는 행위가 생겨나며, '모든 사람의 모든 사람에 대한 전쟁'이라는 전쟁 상태가 생겨난다는 것이다.

그러면 이 전쟁 상태는 어떻게 하면 회피될 수 있을 것인가? 여기서 중요한 역할을 하는 것이 이성이다. 인간은 이성에 의해 전쟁 상태를 회피하기 위한 도덕 규칙, 즉 자연법을 인식할 수 있다. 홉스가 말하는 자연법은 '각 사람은 평화를 획득할 희망이 있는 한, 그것을 향해 노력해야 하며, 그것을 획득할 수 없을 때는 전쟁의 모든 원조와 이점을 추구하는 동시에 이용할 수 있다'(『리바이어던(1)』, 제14장, 217쪽)라는 제1의 자연법을 축으로 서로의 자유를 상호 제한할 것을 이야기하는 자연법과 합의를 지킬 것을 이야기하는 자연법 등, 모두 열아홉 개가 거론된다. 이러한 자연법들의 인식을 통해 인간은 자연권을 포기하여 통치 기관을 설립하는 사회 계약을 맺는 것이다.

하지만 왜 사회 계약으로 설립되는 통치 기관은 절대 군주제로 되는 것일까? 홉스에 따르면, 인간은 이기적인 까닭에 자신이 따돌림당하지 않기 위해서는 모든 사람이 같은 방식으로 자연권을 포기해야만 한다. 포기된 모든 사람의 자연권은 계약과는 관계없는 제삼자(주권자)에게 양도될 수 있다. 그 결과 이 제삼자는 법적 제약을 받지 않는 존재가 된다. 또한 입법권, 행정권, 사법권 등의 모든 권력은 권력이 분할되면 각각의 부문 사이에서 싸움이 생겨나는 까닭에, 분할되지 않고서 같은 주권자에게 부여되어야 한다고 생각된다. 나아가 자기 보존의 달성이 사회 계약의 목적인 까닭에 주권자가 그 목적을 수행하고 있는 한, 시민이 주권자에 저항하는 것은 허용될 수 없다. 이와 같은 이유에서 홉스는 절대 군주제를 정당화한 것이다.

스피노자의 사회 계약론

다음으로 스피노자의 사회 계약론으로 옮아가자. 스피노자는 17세기 네덜란드 공화국의 철학자이다. 스피노자는 이른바 대륙 합리주의 계보에 속하지만, 데카르트 철학에 유대 사상과 홉스 철학 등을 융합한 독자적인 사상 체계를 전개했다. 스피노자의 사회 계약론은 주로 『신학 정치론』(1670년) 제16장에서 서술되고 있는데, 거기서 사용되는 개념들은 『에티카』(1677년) 등의 다른 저작에서도 전개되고 있다. 스피노자는 홉스로부터 영향을 받았지만, 그가 옹호하는 정치 체제는 절대 군주제가 아니라 일종의 민주제이다. 이러한 차이는 스피노자의 자유 개념에 기인한다. 스피노자의 사회 계약론은 국가에서 개인의 자유가 어디까지 허용될 수 있는가 하는 문제에 대답하기 위한 도구였다. 그리하여 스피노자의 자유 개념의 확인에서 시작하고자 한다.

자연 상태에서의 자유를 인정하고 있던 홉스에 반해 스피노자는 자연 상태에서 인간은 진정한 의미에서는 자유가 아니라고 주장했다. 자연 상태에서의 인간의 행위 원리에 대해 스피노자는 홉스와 똑같이 자기 보존이라는 것을 상정하고 있다. 자연 상태에서 인간에게는 자신이 욕망하는 것을 무엇이든 해도 좋다는 자연권이 주어져 있다. 이 욕구는 이성적인 것이 아니라 외적 자극으로 일으켜진 감정에 의해 움직여진 것이다. 하지만 감정에 기인하는 행위는 자유가 아니다. 이것은 스피노자의 자유 개념에서 도출된다. 일반적으로 자유에는 '외적으로 구속되어 있지 않다'라는 소극적 특징짓기와 '자기 자신의 결정에만 따른다'라는 적극적 특징의 부여가 있다. 스피노자가 채택하는 것은 후자이다. 자유란 '스스로의 본성의 필연성에 의해서만 존재하고, 그것 자신의 본성에 의해서만 행위하고자 하는 것'이다(『에티카』, 제1부, 정의 7, 78쪽). 이와 같은 자기 결정에 의한 자유 개념을 채택했을 때, 외적 자극에 의해 결정된 감정에 기초하는 행위는 자유가 아니게 된다. 인간의 본성은 이성이며, '한마음으로 이성의 이끎에만 기초하여 살아가는 사람만이 자유이다.'(『신학 정치론(하)』, 제16장 제10절, 165쪽)

　이상의 자유 개념은 스피노자에게서의 사회 계약의 목적을 규정한다. 자기 보존의 욕구에 제한 없이 따라 각 사람이 행위하는 자연 상태에서 인간들은 전쟁 상태에 빠져 불안과 공포에 괴로워한다. 또한 자신에게 참으로 필요한 동시에 유익한 것을 가르쳐주는 것은 이성이지만, 전쟁 상태에서는 좀처럼 이성을 기를 수 없다. 이로부터 각 사람은 모든 힘과 권리를 양도하여 자신을 보호해주는 국가(통치 기관)를 만드는 사회 계약을 맺는다. 스피노자는 이와 같은 과정에서 설립되는 국가를 '민주제'라고 부른다. 스피노자의 민주제란 '할 수 있는 모든 것에 이르는 지고의 권리를 하나로 합쳐 소유하는 인간들의 통합 총체'이다(『신학 정치론(하)』, 제16장 제8절, 162쪽). 이것은 요컨대 시민 전원으로 구성되는 공동체를 주권자로 간주하는 것이다. 이 공동체는 자기 자신은 법적으로 제한되지 않고서 시민에게 법률에 따를 것을 요구한다. 이 점은 홉스에게서의 주권자와 비슷하지만, 그 역할을 짊어지는 것이 제삼자가 아니라 시민 전원으로 이루어진 공동체라는 점에서 인민 주권이 시사되고 있다. 민주제 국가의 목적은 이성을 길러 시민의 자유를 실현하는 것이다. 국가는 법률에 따라 시민을 구속하지만, 그 법률은 자기 보존에 도움이 되는 '이성의 법률'이며, 나아가 그 법률을 만든 것은 다름 아닌 공동체의 구성원인 시민 자신인 까닭에, 여기서 자기 결정의 자유가 성립한다. 스피노자에게서는 사회 계약으로 인간이 자유를 향유할 수 있게 되는 것이다.

지금까지 우리는 홉스와 스피노자의 사회 계약론을 살펴보았는데, 그들의 사회 계약론에서는 감정의 경시와 이성의 존중이 확인될 수 있었다. 모두 감정에 기초한 행위는 전쟁 상태를 낳는 것으로서 부정적으로 평가하며, 이성을 안정된 정치 사회의 실현을 가져오는 것으로서 긍정적으로 평가하고 있다. 이와 같은 이성 중시의 정치 철학 사상은 18세기에 들어 변용을 이루어간다. 다음 절에서는 그 변용을 로크와 루소의 대비를 통해 확인하고자 한다.

3. 로크와 루소

로크에게서의 자연 상태

로크와 루소는 활약한 시기가 17세기와 18세기로 나뉘지만,

둘 다 경건한 그리스도교도이며, 또한 이성에 일정한 신뢰를 두고 있었다. 이 절에서는 처음에 양자의 사회 계약론을 개관하고, 그 후에 각자가 그리스도교에 대해 어떠한 태도를 보이고 있었는지, 또한 그 태도의 다름이 이성 편중주의에 대한 비판과 어떠한 관계를 지니고 있는지를 확인하고자 한다.

우선 로크에게서 시작하자. 로크는 17세기 잉글랜드의 철학자이다. 로크는 인간의 지식과 신념의 원천을 경험에서 구하는 영국 경험주의를 제창한 것으로 유명하지만, 정치 철학에서도 그의 사회 계약론 등으로 높은 평가를 받고 있다. 그의 사회 계약론이 전개되는 것은 『통치론』(1689년)이다. 이 책은 로버트 필머Robert Filmer(1588년경~1653)가 『부권론』(1680년)에서 전개한 왕권신수설을 비판하는 제1부와 로크 자신의 사회 계약론이 그려지는 제2부로 구성된다. 이하에서는 『통치론』 제2부에 초점을 맞추어 로크의 사회 계약론을 살펴보고자 한다.

로크의 사회 계약론도 자연 상태에서의 인간의 생활이라는 사고 실험에서 시작된다. 로크에 따르면, 자연 상태란 다음과 같은 상태이다.

각 사람이 타인의 허가를 요구하거나 타인의 의지에 의존하거나 하는 일 없이 자연법의 범위 안에서 자신의 행위를 다스리고, 스스로가 적당하다고 생각하는 대로 자신의 소유물과 자신의 신체를 처리할 수 있는 완전히 자유로운 상태이다. (『통치론』, 제2권

제2장 제4절, 296쪽)

이 설명에서 우선 파악해두고자 하는 것은 '자연법'이다. 로크의 자연 상태에서 인간은 자유롭지만, 그것은 자연법이라는 규칙 아래에서의 자유이다. 그러면 자연법은 구체적으로는 어떠한 내용의 규칙일까? 로크는 다음과 같이 설명한다.

　　각 사람은 자기 자신을 보존해야 하며, 자기 마음대로 그 입장을 포기해서는 안 되지만, 그것과 똑같은 이유에서 자기 자신의 보전이 위협받지 않는 한, 가능한 한 인류의 다른 사람들도 보존해야 하며, 또한 침해하는 자에게 정당한 보복을 하는 경우를 제외하고는 타인의 생명 또는 그 생명 유지에 도움이 되는 것 즉 자유, 건강, 사지四肢나 재화를 빼앗거나 손상하거나 해서는 안 된다. (『통치론』, 제2권 제2장 제6절, 299쪽)

로크가 말하는 자연법은 '자신과 자신의 소유물을 보존하라'라는 명령과 '자신과 자신의 소유물을 희생하지 않는 범위에서 타인과 타인의 소유물도 보전하라'라는 명령이다. 이러한 자연법을 뒷받침하는 것은 신이 모든 인간을 평등하게 창조했다는 신학적 전제이다. 인간은 신의 소유물이며, 신은 인간을 생존·번영하도록 창조했기 때문에, 인간은 자기 자신만이 아니라 타인도 가능한 한에서 보전해야만 한다. 홉스와는 달리 로크는 신학적 전제에 기초하여 인간 본성의 이기적 측면만이 아니라 이타적 측면도 강조하는 것이다.

자연권과 소유권

다음으로 붙잡아야 하는 요점은 로크에게서의 자연권이다. 앞의『통치론』제2권 제2장 제4절로부터의 인용이 시사하고 있듯이, 로크는 자신의 생명, 자유, 건강, 신체, 재화(이것들은 통틀어 '소유물property'이라고 불린다)에 대한 권리가 자연권으로서 모든 인간에게 평등하게 분배되어 있다고 생각했다. 또한 그 이외에도 로크는 자연법의 집행권과 자연법을 깨뜨리는 자를 처벌하는 권리를 자연권으로 헤아리고 있다. 여기에서 로크의 이론을 두드러지게 하는 것은 그가 소유권을 자연권으로 열거하고 있다는 점이다. 로크는 각 사람이 자신을 보전해야 한다는 자연법에 기초하여 소유권을 그것에 도움이 되는 수단으로서 자연권에 포함한 것이다.

하지만 본래 소유는 어떠한 방식으로 성립하는 것일까? 로크의 소유권론은『통치론』제2부 제5장에서 전개된다. 자연에 존재하는 사물은 신이 인간에게 공유물로서 평등하게 준 것이다. 그와 같은 공유물의 사유는 다음의 절차에서 성립한다. 우선 인간은 누구나 자신의 신체에 대한 소유권을 지닌다. 나아가 자신의 신체를 사용한 노동에 관해서도 인간은 소유권을 지닌다. 이로부터 자연에 존재하는 물건에 자신의 노동을 덧붙인 경우, 그 물건에 대한 소유권이 그 사람에게 생겨난다. 예를 들어 어떤 사람이 야생의 나무로부터 사과를 땄다고 해보자. 그 경우 그 사람은 그 사과에 자신의 노동을 덧붙였기 때문에, 그 사과에 대한 소유권을 지니는 것이다.

이처럼 소유는 노동이 부가됨으로써 성립하는 것이지만, 여기서 노동을 덧붙이면 무엇이든 자신의 것으로 할 수 있는 것은 아니라는 점에 주의해야 한다. 로크는 소유의 성립 조건에 두 가지 제약을 붙이고 있다. 첫째, 소유는 향유할 수 있는 범위 안의 것이어야만 한다. 예를 들면 먹을 수 없어 썩어나갈 정도로 많은 사과를 따서는 안 된다. 둘째, 타인에게도 마찬가지의 것이 충분히 남아 있어야만 한다. 예를 들어 어떤 사람이 토지 일부를 둘러친 경우, 그것이 그 사람의 소유물이 되는 것은 다른 사람에게도 충분히 토지가 남아 있는 경우로 한정된다. 이러한 제약들은 '가능한 한 타인의 소유물도 보전하라'라는 자연법에 입각한 것이다.

사회 계약과 주권자에 대한 제약

지금까지 살펴본 것을 정리하자면, 로크가 생각하는 자연 상태는 홉스와 스피노자의 그것과는 달리 사회생활이 어느 정도 실현된 상태라고 말할 수 있다. 그러면 왜 인간은 자연 상태를 벗어나 사회 계약에 이르는 것일까? 로크는 자연 상태가 반드시 전쟁 상태로 된다고는 말하지 않지만, 그럼에도 불구하고 다른 사람의 소유물을 폭력으로 빼앗고자 하는 자가 나올 가능성은 부정할 수 없다. 또한 그와 같은 자가 나왔을 때, 자연 상태에서는 다툼을 해결할 법률이나 재판관이 존재하지 않는 까닭에, 자신과 자신의 소유물을 보전할 수 없다. 이와 같은 위험을 피하기 위해서는 각 사람의 자연권을 어느 정도 양도하여 소유권을 보호해주는 통치 기관을 설립하는 쪽이 좋다는 것이다.

그러면 통치 기관은 어떠한 정치 체제를 취하는 것일까? 또한 주권자와 시민은 어떠한 관계에 서는 것일까? 우선 통치 기관의 정치 체제에 관해 로크는 민주제와 과두제와 군주제(와 그것들의 혼합 체제)를 들고 있다. 사회 계약으로 사람들은 정치 공동체를 결성하지만, 이 공동체가 어떠한 정치 체제를 취할 것인지를 결정하는 것은 다수결의 원리라고 한다. 그런 까닭에 여기서 거론된 정치 체제 가운데 어느 것이 선택되는 것인지는 미리 결정되어 있지 않다. 다음으로 주권자와 시민의 관계에 관해서는 주권자를 선택하는 것도 시민의 다수결이며, 그런 의미에서 시민 쪽이 주권자보다 힘이 위다 ― 절대 군주제는 부정된다. 이것은 시민이 정치의 책임 주체가 되는 인민 주권을 의미한다. 시민은 자신들 가운데서 주권자를 선택하여 자신들의 소유권을 보호할 것을 믿고 맡기는 것이다.

하지만 시민 쪽이 주권자보다 힘이 위라고 하더라도, 주권자가 폭주하지 않는다고는 할 수 없다. 그와 같은 사태를 막기 위해 로크는 주권자에 제약을 덧붙이고 있다. 하나는 권력 분립이다. 주권자가 지니는 권력에는 예를 들어 입법권과 행정권이 있지만, 로크에 따르면 이러한 권력들은 동일 인물과 동일 부문에 주어지지 않는 것이 바람직하다. 그 이유는 만약 권력욕에 내몰린 인물이 양쪽의 권리를 손에 쥐었을 때, 자신에게 형편이 좋은 법률을 설정하여 그것을 집행할 위험이 있기 때문이다. 또 하나는 주권자에 대한 저항권이다. 주권자는 각 사람의 소유물을 보전하여 자연 상태에서의 사회보다 더 좋은 사회를 만들 의무를 짊어진다. 그런 까닭에 주권자가 시민의 소유권을 보전하지 않고 시민이 믿고 맡긴 것을 배반했다고 판단될 때 최종 수단으로서 시민은 그 입법부와 행정부를 해체할 수 있는 것이다.

루소에게서의 자연 상태

다음으로 루소의 사회 계약론을 개관해보자. 루소는 18세기에 제네바 공화국에서 태어난 철학자이자 철학, 언어론, 교육론, 문학, 음악 등 많은 분야에서 업적을 남긴 계몽주의 시대의 재인이다. 루소의 사회 계약론이 전개되어 있는 것은 『사회 계약론』(1762년)이다. 또한 자연 상태와 인간 본성에 관해서는 『인간 불평등 기원론』(1755년)과 『에밀』(1762년)에 상세한 기술이 있다. 이하에서는 『사회 계약론』과 『인간 불평등 기원론』을 중심으로 그의 사회 계약론을 개관하고자 한다.

우선 루소가 생각하는 자연 상태부터 살펴보자. 『인간 불평등 기원론』에서는 인간이 자연 상태로부터 불편한 상태로 타락해 가는 과정이 원시 시대부터 근대 사회로의 역사적 발걸음으로서 그려져 있다— 물론 이것은 현실의 역사가 아니라 가설로서 제출된 것이다. 루소에게 근대 사회란 사람들 사이에 불평등이 진행해간 도달점이다. 루소는 근대 사회가 성립하기 전의 상태를 몇 개의 단계로 구분한다. 이 가운데 엄밀한 의미에서 자연 상태에 해당하는 것은 제1단계의 원시 상태이다. 원시 상태에서 인간은 언어도 생활 기술도 주거도 지니지 않으며, 고독하게 숲속을 헤매는 자유로운 존재자이다. 인간의 행위 원리는 자기애와 연민이라는 감정이며, 전자는 자기 보존으로, 후자는 자기 보존 욕구의 완화로 행위를 향하게 한다. 루소는 이러한 감정들을 '자연의 덕'으로서 긍정적으로 평가한다. 원시 상태에서 인간은 평등하고 선과 악도 지니지 않으며, 사회성은 결여하지만 타인과 다툼도 일으키지 않는다.

하지만 인구가 증가하면 사람들은 타인과의 교류가 늘어나고 이성이 발달하기 시작하여 공동 작업을 하는 단계로 이행한다. 이윽고 공동체가 형성되지만, 여기에서는 각 사람이 서로를 평가하고 자존심이라는 감정을 지니기 시작한다. 그리고 인간은 농업과 야금을 하고 토지를 분배하여 재화를 사유하기 시작한다. 사유는 불평등을 초래하고 인간들의 다툼을 격화시킨다. 그것을 회피하기 위해 통치 기관이 사회 계약으로 만들어지지만, 이것은 부자가 빈자를 속여 사유와 불평등을 법률로 고정하는 계약이다. 이러한 사회는 최종적으로는 전제주의가 되고, 사람들은 지배자에 복종할 뿐인 노예 상태에 빠진다.

이처럼 루소는 근대 사회를 사유에 기인하는 부패의 극점으로 간주했지만, 그렇다고 해서 사회생활을 버리고 자연 상태로 회귀하라고 말하는 것은 아니다. 오히려 루소는 어떠한 사회라면 인간은 노예 상태에 빠지지 않을 수 있는지, 즉 자유를 잃지 않을 수 있는지를 보여주고자 했다. 이와 같은 정치 체제의 대안을 보여주는 이론이 그의 사회 계약론이다.

자유·사회 계약·일반 의지

루소가 사회 계약에서 사수하고자 한 것은 인간의 자유이다. 루소의 자유 개념은 스피노자와 마찬가지로 자기 결정의 자유이다. 『사회 계약론』 제1편에서 루소는 자유를 '자기 자신에게만 복종하는 것'으로서 특징짓고 있다. 또한 루소에게서 자유는 도덕의 필요조건으로서도 기능하고 있다(『사회 계약론』, 제1편 제4장). 자기 보존과 도덕성에 필요 불가결한 것으로서 각 사람에게 자연적으로 주어져 있는 것이 자유인 것이다.

이와 같은 자유를 잃지 않고 자기와 그 소유물을 보호하는 통치 기관을 설립하는 방법이 사회 계약이다. 하지만 자신의 권리를 포기하여 국가의 명령에 따르는 것은 자기 결정의 자유와 양립할 수 없는 것이 아닐까? 이 어려운 문제는 각 사람이 자신과 자신의 권리 전체를 공동체에 양도하는 동시에 자신이 그 공동체의 일원이 됨으로써 해결된다. 이러한 사회 계약은 다음과 같이 정식화된다.

우리 가운데 누구나 자신의 신체와 모든 힘을 공동으로 하여 일반 의지의 최고 지휘 아래 둔다. 그리하여 우리는 정치체를 이루는 한, 각 구성원을 전체의 불가분한 부분으로서 받아들인다. (『사회 계약론』, 제1편 제6장, 242쪽)

이것은 기본적으로는 스피노자와 똑같은 발상이다. 각 사람이 자신의 권리 전체를 양도하여 정치체로서의 공동체를 구성한다는 것은 다름 아니라 그 구성원 모두가 하나의 인격으로서 주권자가 된다는 것이다. 이러한 공적 인격으로서의 공동체는 각 구성원이 지니는 개별적 이해관계와는 관계없이 공적인 이익을 지향하는 '일반 의지'에 기초하여 법률을 제정한다(일반 의지에 대해 각 구성원이 개별적으로 지니는 의지는 '특수 의지'라고 불린다). 그 법률에 따르는 것은 공동체의 구성원 입장에서 보면 자신의 명령에 자신이 따르는 자기 결정일 뿐이다. 이와 같은 루소의 제안과 관련해서는 일반 의지가 공적인 이익을 지향하는 것을 어떻게 보증할 것인가 하는 문제가 있지만 — 루소는 입법자가 이 문제를 모두 해결한다고 주장했는데, 이 주장에 설득력이 없다는 것은 많은 논자가 지적하고 있다 —, 그야 어쨌든 루소는 스피노자적인 민주제를 끄집어내 자유와 정치적 권위의 양립을 이루고자 한 것이다.

그리스도교에 대한 태도와 이성에 대한 눈길

지금까지 우리는 로크와 루소의 사회 계약론을 살펴보았다. 그들의 이론은 모두 인민 주권을 주창하는 것이고 시민 혁명의 지주로서 사용되었지만, 자유 개념과 옹호하는 정치 체제 등의 차이를 지니고 있었다. 마지막으로 로크와 루소가 그리스도교에 대해 어떠한 태도를 보였는지를 확인하고, 그것이 이성 편중주의에 대한 반성과 어떻게 관계하고 있었는지를 고찰하고자 한다.

우선 로크부터 살펴보자. 로크의 경우 그리스도교는 사회 계약론의 이론적 도구로서의 역할을 담당하고 있었다. 로크의 이론에서는 사회 계약으로 설립되는 통치 기관의 목적은 소유권의 보전이었다. 그 근저에 놓여 있는 것은 소유권의 보전을 명령하는 자연법이다. 그런데 이 자연법은 신학에 근거 지어진 것이었다. 로크는 1660년대에 쓰인 『자연법에 관한 시론』 제1시론에서 자연법은 '자연의 빛[이성]에 의해 인식 가능한 신의 의지의 명령'이라고 분명히 말하고 있다. 이로부터 로크의 사회 계약론은 신학적인 자연법 이론을 확장한 것으로서 해석될 수 있다. 실제로 로크의 정치 철학과 그리스도교 신앙이 분리될 수 없는 것이었다는 점은 많은 로크 연구자가 지적하고 있다. 로크는 『통치론』 제1부에서 필머의 왕권신수설을 부정했지만, 이것도 필머의 이론이 신학으로서 잘못이라는 점을 비판한 것이지 신학 그 자체를 비판한 것은 아니다(가토 다카시加藤節, 『존 로크—신과 인간 사이ジョン・ロック—

神と人間との間』, 岩波新書, 2018년, 83~87쪽). 더욱이 로크의 사회 계약론이 신학적 전제에 의존하고 있었다는 것은 이성의 신분을 깎아내리는 것이 전혀 아니다. 그것은 자연법의 인식에 이성이 필요로 되고 있었다는 점으로부터도 분명하다. 로크의 사회 계약론은 신학적 요소와 이성 활동의 공동 작품이며, 이성 편중주의에 대한 반성과는 인연이 없었다.

다음으로 루소를 살펴보자. 루소의 사회 계약론에서 그리스도교는 이론적 도구의 역할을 짊어지고 있지 않다. 오히려 루소의 사회 계약론과 그리스도교의 관계는 정책으로서의 종교라는 차원에서 확인된다. 『사회 계약론』 제4편 제8장에서 루소는 종교가 국가에서 수행할 수 있는 역할을 주제로 논의한다. 루소에 따르면 국가는 의무와 법률과 정의에 대한 사랑을 시민에게 길러주는 기능을 지니는 종교를 '시민 종교'로서 채택한다. 이 시민 종교는 시민 전원에게 받아들여질 수 있어야만 하며, ① 다양한 종교의 신자가 공통으로 인정하는 교의로 구성되고, ② 관용적인 것이라는 두 개의 성질을 갖추고 있다. 이와 같은 기준이 설정되었을 때, 그리스도교 신앙이 허용되는 것은 그 그리스도교의 종류가 시민 종교의 교의를 받아들이는 동시에 다른 종교에 관용적인 것인 경우로 한정되게 된다. 이와 같은 그리스도교에 대한 제한된 태도는 다음과 같은 점에서 이성 편중주의에 대한 반성과 관계된다. 계몽주의 시대에 살아간 루소는 이성을 경시하지 않았지만, 그 한계는 인식하고 있었다. 예를 들어 그는 『에밀』 제4권에서 인간이 선을 향하고 악을 피하기 위해서는 이성만으로는 충분하지 않으며, 도덕 감정의 일종인 양심이 필요하다고 주장하고 있다. 이처럼 이성 편중주의를 취하지 않고 감정에 일정한 평가를 주고 있던 루소에게 있어 정치 철학에 종교의 자리가 인정되는 것은 그것이 의무와 법률과 정의에 대한 사랑이라는 감정을 함양하는 경우였다. 사회 계약론에서의 그의 그리스도교에 대한 태도도 그와 같은 감정에 대한 평가에 따른 것이었다고 할 수 있을 것이다.

로크와 루소는 넓은 눈으로 보면 같은 계몽주의 계보에 속했지만, 사회 계약론에서 그리스도교에 대해 취한 태도에는 커다란 차이가 놓여 있었다. 또한 그들 사이에는 이성에 대한 눈길에도 다름이 있고, 그 다름은 그리스도교에 대한 태도에 일부 반영되어 있었다. 계몽주의 준비기에 해당하는 로크와 이성의 한계가 의식되고 있던 계몽주의 시대의 루소 사이에는 사회 계약이라는 논리에서도 거리가 있는 것이다.[※]

• •

[※] 이 장에서는 다음의 일본어 역을 참조했다(단 필자가 번역을 변경한 부분도 있다). 인용에서 제시한 쪽수는 그 일본어 역의 쪽수다. 홉스, 『리바이어던(リヴァイサン, 1~4)』, 미즈타 히로시(水田洋) 옮김, 岩波文庫, 1982~1992년; 스피노자, 『신학 정치론(神学·政治論, 上·下)』, 요시다 가즈히코(吉田量彦) 옮김, 光文社, 2014년; 스피노자, 『에티카(エティカ)』, 『세계의 명저 25. 스피노자 라이프니츠』수록, 구도 기사쿠(工藤喜作)·사이토 히로시(齋藤博) 옮김, 中央公論社, 1969년; 로크, 『완역 통치론(完譯 統治二論)』, 가토 다카시(加藤節) 옮김, 岩波文庫, 2010년; 루소, 『사회 계약론(社会契約論)』, 『세계의 명저 30. 루소』수록, 이노우에 고지(井上幸治) 옮김, 中央公論社, 1966년.

☞ 좀 더 자세히 알기 위한 참고 문헌

— 우치이 소시치內井惣七, 『자유의 법칙. 이해관계의 논리自由の法則 利害の論理』, ミネルヴァ書房, 1988년. 홉스, 로크, 루소, 칸트의 사회 계약론이 지니는 구조와 문제점이 치밀한 동시에 명쾌한 방식으로 논의되고 있다. 또한 사회 계약론이 공리주의와 어떻게 접속되는지도 고찰된다.

— D. 바우처, P. 켈리David Boucher, Paul Kelly 편, 『사회 계약론의 계보 — 홉스에서 롤스까지社会契約論の系譜 — ホッブズからロールズまで』, 이지마 쇼조飯島昇藏·사토 세이시佐藤正志 외 옮김, ナカニシヤ出版, 1997년. 홉스에서 현대에 이르기까지의 사회 계약론을 다루며, 사회 계약론의 전개와 논점들을 검토한 논문집으로 전문적인 내용이다.

— 가토 다카시加藤節, 『존 로크 — 신과 인간 사이ジョン·ロック — 神と人間との間』, 岩波新書, 2018년. 사회 계약론을 포함한 로크의 철학과 그의 종교 사상이 어떠한 관계에 서 있는지가 알기 쉽게 설명되어 있다.

— 구와세 쇼지로桑瀬章二郎 편, 『루소를 공부하는 사람을 위하여ルソーを学ぶ人のために』, 世界思想社, 2010년. 루소 사상의 전체상을 자세히 소개하고 있으며, 그의 사회 계약론을 친절하고도 신중하게 해설한 논문(요시오카 도모야吉岡知哉, 「정치 제도와 정치 — 『사회 계약론』을 둘러싸고政治制度と政治 — 『社会契約論』をめぐって」)도 수록되어 있다.

— 마쓰나가 스미오松永澄夫 편, 『철학의 역사 6. 지식·경험·계몽【18세기】哲学の歴史6 知識·經驗·啓蒙【18世紀】』, 中央公論新社, 2007년. 로크와 루소의 철학이 개설되며, 그들 사상의 전체상을 보기에 편리하다.

칼럼 3

유물론과 관념론

도다 다케후미戸田剛文

유물론과 관념론은 서양 철학의 대단히 커다란 문제로서 오랫동안 씨름해온 문제의 하나이며, 특히 근대 이후 점점 더 그 중요성은 높아져 갔다. 유물론이란 세계에 존재하는 것은 모두 물질적인 것이라고 하는 사고방식이며, 관념론이란 세계에 존재하는 모든 것은 모종의 방식으로 심적인 것이라고 하는 사고방식이라고 말할 수 있다. 세계에 존재하는 모든 것이 심적인 것이라고 하는 사고방식은 동양과 일본 등에서도 보이는 애니미즘적인 것으로서 파악할 수도 있을지 모르지만, 서양 철학에서의 관념론은 인식론적인 것인바, 세계는 모두 어떤 주관, 예를 들어 나 또는 신의 마음속에 존재하는 것이라고 하는 주장이다.

유물론은 자연 과학적 세계관을 기반으로 하여 거기로 세계에 존재하는 것을 환원하고자 하는 철학자들의 환영을 받았다. 이른바 철학의 자연주의 입장을 취하는 철학자에는 유물론적인 세계관을 채택하는 철학자가 많다. 다른 한편 관념론은 예를 들어 근대의 철학자 버클리George Berkeley(1685~1754) 등이 그 대표자로서 거론되지만, 버클리의 주장은 당시의 과학적인 세계관을 기반으로 하는 철학에 대한 비판으로서 태어났다.

유물론은 과학적인 세계관을 기반으로 한다는 점에서 매력적인 점도 많지만, 우리 마음의 존재나 자유 의지와 같은 문제 또는 색

등의 주관적인 현상에 관계되는 우리의 일상적인 신념 체계와 대립하는 부분도 많으며, 이 대립을 어떻게 해서 해소할 것인가 하는 많은 문제를 철학에 제공해준다. 또한 다른 한편으로 버클리와 같은 관념론은 현대에는 그대로의 형태로는 유지하기가 어렵겠지만, 우리의 신념과는 독립하여 세계가 존재한다는 것에 의문을 던지는 현대의 많은 논의 — 예를 들면 세계의 실재도 일종의 가설이라고 하는 입장과 관찰의 이론 의존성 등의 논의 — 에 의해 형태를 바꾸어 계속해서 살아가고 있다고 말할 수 있을지도 모른다.

또한 양자의 어느 쪽인가 한편만이 올바르다고 생각해야만 하는 것도 아니다. 요컨대 이 구도 자체에 의문을 던질 수도 있다. 예를 들어 P. F. 스트로슨Peter Frederick Strawson(1919~2006)은 환원주의적인 자연주의에 맞서 비환원주의적인 자연주의를 주장하지만, 그것들은 과학주의적인 관점도 주관적이고 심적인 존재를 인정하는 일상적인 관점도 우리의 본성(자연)에 기초하는 것인바, 어느 쪽 관점에 대해서도 정당성을 인정하고자 한다. 프래그머티즘도 이와 같은 입장에 가깝다. 이와 같은 점을 생각하면, 기존의 이분법을 처음부터 받아들이는 것이 아니라 좀 더 복잡하고 풍부한 세계의 존재 방식을 근본적으로 다시 한번 생각해보는 것이 필요해질 것이다.

제4장

계몽에서 혁명으로

오지 겐타 王寺賢太

1. 들어가며 ─ '세계철학사' 속의 계몽과 혁명

'대서양 혁명'인가 '정치적 자율'인가?

일반적으로 '계몽에서 혁명으로'의 과정으로서 총괄되는 18세기 프랑스의 정치사상은 근대 공화주의의 선구로서나 공포 정치의 원천으로서 오랫동안 근대 정치 질서의 정통성을 묻는 논쟁의 대상이 되어왔다. 19·20세기를 통해 프랑스 혁명이 구체제 타도와 신체제 수립을 지향하는 뒤이어지는 혁명 운동의 모델이 되기도 했던 만큼, 그 논쟁은 한층 더 격렬해졌다.

소련·동유럽의 사회주의권이 붕괴한 지 오래인 현재, 자본주의의 지구화에 휘덮인 세계 속에서 18세기 프랑스 정치사상은 새롭게 서유럽 근세로부터 근대로의 전환의 획을 긋는 '대서양 혁명'의 일환으로서 다시 파악되고 있다. 서유럽 근세는 한편으로는 종교개혁과 종교 전쟁을 통해 로마 가톨릭교회와 신성 로마 제국 아래에서의 그리스도교 권역의 종교적·정치적 통일 대신에 주권 국가 분립 체제가 확립된 시대이며, 다른 한편으로는 신대륙 발견 이래로 서유럽 열강이 아메리카 대륙을 중심으로 식민지 제국을 설립하고, 아프리카 서안과의 흑인 노예 무역을 포함하여 상업적 이해관계의 추구에 매진해간 시대이기도 했다. 아메리카 합중국 독립으로부터 아이티 혁명을 거쳐 남아메리카 나라들의 독립에 이르는 '대서양 혁명'의 전망 안에 프랑스 혁명을 자리매김하는 것은 그것을 서유럽 근세의 제1차 식민지 제국의 종결과 근대 주권 국가·국민 국가 분립 체제의 세계적 확대의 단서로서 다시 생각하는 것이기도 하다.

대서양 혁명은 7년 전쟁(1756~1763년) 이래의 세계적 규모의 정치 경제적 변동의 귀결이었다. 16세기 이래의 제국의 상좌를 둘러싼 합스부르크가·프랑스 왕가 사이의 경합을 대신해 영국과 프랑스의 대립을 국제 관계의 주축에 놓은 '외교 혁명'에 의해 불붙은 이 전쟁은 곧바로 아시아·아프리카·아메리카에서 상업·식민지 이해관계를 다투는 영국과 프랑스 사이의 충돌을 초래했다. 거기서 압도적 승리를 거둔 영국은 다음 세기 이후의 제국주의 시대를 향해 첫걸음을 내딛게 되지만, 다만 전쟁 직후 영국과 프랑스 양국은 어느 쪽이든 장기간에 걸친 세계적 규모의 전쟁을 계속한 끝에 심각한 재정난에 직면하지 않을 수 없었다. 양국에서 거의 동시에 경제 자유주의가 발흥한 것이나 식민지 과세를 둘러싼 영국 국내의 분쟁이 합중국 독립 선언에 결부된 것, 나아가서는 프랑스에서 '계몽에서 혁명으로'에 이르는 정치사상의 조류들이 나타난 것도 이 시기의 일이다.

다만 이러한 대서양 혁명의 전망하에서 강조점은 합중국 독립 이후 대의제에 기초하는 근대 국민 국가의 무더기 성립과 국제 시스템의 형성에 놓인다. 그리하여 세계는 새롭게 중상주의 시대의 국제 통상 네트워크에 의해 통일된 이상, '계몽에서 혁명으로'의 프랑스 정치사상은 결국 전 지구적 시장 위에 할거하는 국민 국가 분립 체제를 정당화하는 이데올로기로 여겨지는 것이다. '대서양 혁명'을 기치로 내거는 현재 유행하는 전 지구적 사상사의 시도는 현재까지는 '역사의 종언'(프랜시스 후쿠야마) 이후 중국·러시아·터키 등 비서구 대국들의 발흥에 직면한 합중국 이하 옛 서방측 나라들에서의 자본주의와 자유 민주주의 결혼의 호교론에 머무는 것으로 보인다.

그렇다면 '세계철학사'의 틀 안에서 '계몽에서 혁명으로'의 프랑스 정치사상을 다시 생각하기 위해서는 오히려 이러한 조류들에 고유한 이론적 과제와 후대의 국민 국가 체제의 지구화를 허용한 그 보편성으로 되돌아가야만 한다. 계몽 시대의 '철학자들Philoso-phes'은 각각 독자적인 인간학에서 출발하거나 그로부터 이륙하여 자신이 속한 정치 공동체의 움직임과 존재해야 할 모습에 대해 생각했다. 그들은 또한 서유럽의 역사에서 신분이나 관직에 의해서가 아니라 오로지 자신의 이론적 담론으로 정치에 관계하기 시작한 최초의 사람들이기도 했다. 그 이론적 담론에 초점을 맞추게 되면, 그들의 정치적 과제는 '자율'을 어떻게 구상하고 실현할 것인가 하는 물음으로 집약될 수 있을 것이다. 하나의 정치 공동체는 어떻게 자기 자신에게 법을 부여하고 자기 자신을 규율할 수 있을 것인가? 18세기 프랑스의 철학자·혁명가들이 공유한 이 과제는 18세기 말의 쾨니히스베르크에서 칸트가 주창한 '계몽'의 이념 ― '자기 자신에게 책임이 있는 미성년 상태로부터 나오는 것' ― 과도 확실히 공명하고 있다. 그리고 이 정치적 자율의 실현은 시대적·지역적 한정을 넘어서서 대서양 혁명 후의 세계에서 살아가는 우리에게도 아직 과거의 것으로 되지 않은 어려운 문제일 것이다.

이와 같은 관점에서 여기서는 18세기 중반부터 혁명기까지의 프랑스 정치사상의 조류들을 되돌아보고자 한다. 반세기도 채 안 되는 짧은 기간이지만, 이 사이에 철학자와 혁명가들이 당면한 과제는 몽테스키외의 전제 비판으로부터 7년 전쟁 발발 후의 루소, 케네, 디드로 등에 의한 새로운 정치적 정통성의 모색을 거쳐 콩도르세나 로베스피에르가 직면한 공화정 수립까지 어지럽게 변화한다. 그것들 모두를 정치적 자율의 물음에 대한 응답으로서 읽을 때, '계몽에서 혁명으로'의 이행은 일탈과 반전이 겹쳐지는 대단히 역설적인 과정으로서 나타날 것이다.

2. 몽테스키외의 전제 비판

'법의 정신'과 '일반 정신'의 상관관계

프랑스 역사에서 '18세기'의 시작은 통상적으로 1715년의 루이 14세의 오랜 치세의 종결에서 찾아진다. 루이 14세는 내정과 군사의 중앙 집권화와 중상주의 체제를 확립함으로써 서유럽 절대 군주정의 절정기를 상징하는 군주이지만, 그의 치세는 프로테스탄트 박해, 잇따르는 대외 정복 전쟁과 그에 수반되는 심각한 재정난 등, 많은 부정적인 유산을 가져왔다. 18세기 전반의 프랑스 정치사상은 이 태양왕의 '전제' — 일인자의 자의적 통치 — 에 대한 비판을 모티프로 하여 전개된다. 그것은 '주권' 즉 '군주권'이 국내외에 대해 지니는 절대적 권력의 비판을 함의하는 것이기도 하다.

'법이란 가장 넓은 의미에서 사물의 본성에서 파생되는 필연적 관계이다' — 『법의 정신』(1748년) 서두의 이 구절로부터 몽테스키외Montesquieu(1689~1755)는 법을 신이나 군주의 명령으로서 파악하는 서유럽 근세의 법학·철학에서의 통념을 물리치고, 오히려 신과 군주조차 구속하는 법칙에 초점을 맞춘다. 이러한 법에 따라 자기와 타자에 관계하는 것이야말로 다름 아닌 '통치'(정체·정부)이지만, 인간에게서 이 '통치'는 특수한 자기 관계의 양상을 드러낸다. 전지전능한 신이나 초인간적인 지성을 갖춘 천사와도 그리고 본능에 따르는 동물과도 달리 유한한 지성의 소유자에 지나지 않는 인간은 인식에서 잘못하고 행위에서 법을 어길 수 있는 까닭에, 자기 자신에게 법을 부여하고 자기를 통치해야만 하기 때문이다. 그때 인간적 통치는 신이 창조한 자연 질서로부터 일탈하여 스스로 다스리고, 그 자율적 질서로부터도 끊임없이 일탈하면서 질서를 다시 만들어가는 역사성을 잉태한 자기 관계적 과정으로서 나타난다.

이러한 인간의 법의 고유성을 확인하기 위해 몽테스키외는 더 나아가 자연 상태의 가설에 호소한다. 사회 성립 이전의 고립된 상태에 있는 인간은 자신의 '약함'만을 느끼고, 다른 인간을 앞에 두고 '두려움'을 느껴 도망치는 일은 있지만, 다른 인간을 공격하는 일은 없다. 자연 상태를 전쟁 상태로 간주한 홉스의 가설은 사회 성립 후의 인간의 상태를 사회 성립 이전에 투영하고 있는데 지나지 않는 것이다. 그렇지만 인간들에게는 반성 능력이 갖추어져 있는 까닭에, 그들은 서로 피한다는 것을 깨닫는 가운데 곧바로 상호 간에 접근하여 관계를 맺을 것이다. 더 나아가 종의 보존 필요와 언어 능력의 도움을 얻어 사회가 성립한다. 전쟁 상태에서 출발하여 개인들 사이의 관계를 질서 짓기 위해 개개인으로부터 자연권을 양도받는 초월적인 주권자가 필요하다는 것을 설파한 홉스에 반해, 몽테스키외는 이리하여 상호적인 동시에 수평적인 사회관계에서 출발하여 통치의 움직임을 이해하고자 하는 것이다.

사회 상태에서 통치가 필요해지는 것은 사회 속에서 약함의 감각을 잃어버린 인간들이 복수의 사회 사이에서뿐만 아니라 강자와 약자가 생겨나는 개개의 사회 속에서도 전쟁을 시작하기 때문이다. 그로부터 실정법(만민법·국제법·민법)의 필요가 생겨난다. 몽테스키외가 '법의 정신'이라고 부르는 것은 이러한 일련의 실정법이 바로 그 실정법을 중층적으로 규정하는 조건들과 맺는 관계들의 총체를 말하는 것이었다. 그 조건의 맨 앞에서는 군주정·공화정·전제라는 세 가지 '정체'의 '본성'(권력 조직의 형태)과 '원리'(각 정체에 고유한 에토스)가 거론된다. 거기서 군주정의 '명예'와 공화정의 '덕'과 나란히 '두려움'이 전제의 원리가 되는 것은 이 정체가 자연 상태와 똑같은 노골적인 상태에서 개개인을 정치권력의 행사에 노출한다는 것을 의미한다. 나아가 다른 조건으로서는 각 정체의 자유의 정도·풍토·습속·부·인구·종교와 더불어 법률 상호 간의 관계와 법체계의 역사적 변천도 거론된다. 이러한 모든 조건과 실정법의 관계를 해명함으로써 몽테스키외는 군주의 자의적 권력 행사를 어떻게 제한할 수 있는지를 묻고자 하는 것이다.

　　이러한 구상이 정치적 자율의 과제와 무관하지 않다는 것을 보여주는 것이 『법의 정신』의 '일반 정신'론이다. 오늘날 식으로 말하면 각 국민의 '국민성'에 상응하는 이 '일반 정신'에 대해 몽테스키외는 '국민의 정신이 정치의 원리들에 반하지 않을 때, 그것에 따라야 하는 것은 입법자 쪽이다'라고 말하고 있다. 국민이

'우리를 있는 그대로 두길 바란다'라고 말할 때, 그것에 거슬러 입법하는 것은 허용되지 않는다는 것이다. 아무리 신중하고 부정적으로 작용할 뿐이라고 하더라도, 여기서 일반 정신이 입법에서의 궁극적인 기준으로 된다는 점에 변함은 없다. 주목해야 하는 것은 이러한 일반 정신을 형성하는 조건들이 거의 '법의 정신'을 구성하는 조건들과 서로 겹친다는 점이다. '풍토·종교·법률·과거 사물의 예·습속·생활양식. 이것들로부터 그 결과로서 일반 정신이 형성된다.' 실정법도 일반 정신도 각각에서 매듭지어지는 관계들의 총체에 중층적으로 규정된다. 그렇다면 이 양자의 관계에서는 사회 속에 둘러쳐진 관계들이 자기 자신으로 되돌아가 자기 자신에게 법을 부여한다는 자율의 특권적 회로가 간파될 것이다.

이러한 사회학적이라고도 말할 수 있는 몽테스키외의 관점에서 보면, 정치적 자율은 역사적으로 형성되어온 프랑스 근세의 군주정 질서 — 신분제 사회와 중간 단체(교회·고등법원 [왕국의 재판소])의 존재 또는 확대되고 있는 부의 생산·유통의 공간 — 와는 모순되지 않는다. 실제로 유명한 '삼권 분립'의 아이디어도 국가 기구 안에서의 권력 분립에 머물지 않고 국내 신분들의 상호 관계에 의해 전제를 회피할 것을 지향하고 있었다. 그러나 7년 전쟁 후의 정치 경제적 질서의 동요 속에서 역사를 통해 군주정 질서와 정치적 자율을 화해시키는 이 입장은 서서히 이의 제기에 노출되어간다. 프랑스 왕국이 해외 거류지·식민지의 상실과 재정 난뿐만 아니라 예수회의 국외 추방(1762~1763년)과 고등법원의

강제 개조(1770~1774년) 등, 국가 체제상의 동요에도 휩싸이게
된 이 시기에 철학자들은 일제히 기성 질서를 넘어선 정치의
존재해야 할 모습에 대한 탐구로 향했기 때문이다.

3. 새로운 정치적 정통성의 모색

루소 — '인민 주권'이라는 형용 모순

『법의 정신』의 고찰을 역사적으로 존재한 정체政體들의 기능
분석에 머무는 것으로 간주하고, 모든 기성 질서와는 별개로 새로
운 정치적 정통성을 긴급히 모색하기 시작한 것이 루소였다. 이미
루소는 『인간 불평등 기원론』(1755년)에서 홉스도 몽테스키외도
자신의 정치적 이상을 긍정하기 위한 논거를 자연 상태에 투영하는
데 지나지 않는다고 단정하고, 인간과 자연이 나누어지지 않은
'순수한 자연 상태'로까지 거슬러 올라가 거기서 '완성 가능성'
이외에는 어떠한 고유의 능력도 지니지 않는 동물로서의 인간을
발견했다.

게다가 사회의 성립은 이러한 완성 가능성의 연속적 발현이
아니라 사계절과 지표면의 변화, 야금과 농업의 발견과 같은 일련
의 우연적인 사건에 의해 인간이 '탈자연화'되는 단속적인 비약의
결과로서 이해되어야만 한다. 농업의 발전과 함께 토지 점유가

지표면을 다 뒤덮은 시점에서 전쟁 상태가 생겨나고 전쟁 상태를 극복하기 위해 통치 계약이 맺어지지만, 이 계약은 부자들이 자신의 점유물을 지키기 위해 가난한 자들에게 제안하고 체결된 것에 지나지 않는다. 루소에게 소유권은 자연권이기는커녕 인위적 산물이며, 통치가 빈부의 불평등을 제도화하고 영속화하는 것 이외에 아무것도 아닌 이상, 이러한 불평등의 격화는 최종적으로 전제에 봉착할 수밖에 없는 것이다.

이리하여 『인간 불평등 기원론』과 더불어 모든 기성의 정치 질서에 불신을 던진 루소가 정면에서 '정통한 행정의 기초'에 관해 묻고자 한 것이 『사회 계약론』(1762년)이었다. 그리하여 루소는 정통한 법적 질서의 근거를 구하여 구성원 모두의 의지에 기초하여 하나의 '정치체'를 구성하는 사회 계약으로 거슬러 올라간다. 역사의 불길한 인과 관련을 끊어내기 위해 사회를 일단 개인들의 차원으로까지 해체하고, 그 개인들로부터 정치체 구성 그 자체를 다시 생각하는 것이다. 이 사회 계약에 의해 '우리 각 사람은 자신의 인격과 능력 전체를 공동의 것으로서 일반 의지의 최고 지휘 아래 놓고, 그것과 더불어 우리는 집단으로 각 구성원을 전체의 불가분한 한 부분으로서 받아들인다.' 각 사람은 자신이 참여하는 정치체에 자기의 인격과 능력 전체를 '전면적으로 양도'하고, 정치체의 '일반 의지'에 따르는 것과 교환하여 정치체의 구성원이 되며, 정치체로부터 인격과 권리들을 인정받는다. 이러한 일반 의지의 표명이 법률이며, 일반 의지의 주체가 정치체의 구성원 총체로서의 '주권자 인민'이다.

　루소가 여기서 몽테스키외적인 '관계로서의 법' 대신에 홉스적인 '명령으로서의 법' 개념을 다시 채택하고, '통치'를 대신하여 새롭게 '주권'의 절대성을 요구한다는 점에 주의하자. 루소적 '통치'는 군주정이든 공화정이든 주권자의 명령(일반 의지의 표명으로서의 법률)에 따르며, 그 개별적 적용을 짊어질 뿐인 존재이다. 다만 이 주권은 단순한 홉스의 재탕도 아니다. 그것은 인민에게 양도 불가능한 방식으로 속하기 때문이며, 나아가 '인민 주권'이란 인민이 인민에게 명령을 내리고 각 구성원이 스스로 인민의 일부로서 내린 그 명령에 솔선하여 따르는 '이중의 관계' 속에서 주권자(군주)와 신하(인민)의 지배-종속 관계를 해소하고 주권의 알맹이를 빼버리는 형용 모순적인 개념이기 때문이다. 일반 의지가 절대적이고 오류 불가능한 것도 이 '이중의 관계' 내부에서의 일이다. 사실 인민에 의한 주권의 직접 행사를 이야기하는 루소가 염두에 두고 있던 것은 군주정을 필두로 하는 근세 주권 국가보다도 고대 그리스로부터 고향 제네바에 이르는 도시 공화국 전통이었다.

　정치체의 존재 근간에 개인들의 계약에 의한 정치체의 구성 그 자체를 놓고, 인민의 인민에 대한 '명령' 즉 '복종'에 정치적 정통성의 근거를 발견하는 루소의 논의야말로 프랑스 계몽이 제기한 가장 첨예한 정치적 자율의 이념이었다. 그리하여 '전면적 양도' 개념에는 자본주의 지구화의 단서로 경제적 유통에 대한 정치적 자율의 우위가 일찍이 함의되어 있다. 그러나 『사회 계약론』은 동시에 일련의 원리적 난제를 제기하는 책이기도 하다. 본래 구성원의 순간적인 의지에 기초한 정통한 정치체를 어떻게 실현하고 지속시킬 수 있는 것일까? 신의 이름으로 말하고 일반 의지의 표명을 돕는 '입법자'와 습속·의견의 유지·형성에 공헌하는 '공민 종교'(시민 종교)를 둘러싼 루소의 논의는 그 실현의 어려움을 엿볼 수 있게 하는 것이 아닐까? 설사 이 어려움이 극복되었다고 하더라도, 통치의 주체는 일반 의지=법률의 일반성을 어떻게 해서 정통한 방식으로 개별적으로 적용할 수 있는 것일까? 『사회 계약론』은 도래해야 할 혁명에 대한 충동을 부여함과 동시에 이러한 일련의 물음과 함께 정치적 자율 실현의 어려움을 생각하게 하는 책이기도 했다.

케네 ── '합법적 전제'라는 역설

한편 루소와는 역으로 자연권론에 기초하여 정통한 정치경제 질서의 구상을 그린 것이 케네François Quesnay(1694~1774)이다. 그가 말하는 '피지오크라시physiocracy'(자연 지배)란 개개인이 향락의 최대화를 도모하는 권리로서 정의되는 '자연권'에서 출발하여, 각 사람이 이성적으로 행동하고 자기와 타자의 권리를 동등하게 존중하는 한에서 이 자연권의 확장은 '자연법'에 입각한 부의 생산을 최대화하는 '자연적·명증적 질서' ── 자연에 내재하는 '명증적'인 이신론적 질서 ─ 에 필연적으로 귀착한다고 주장하는 이론이었다.

케네가 생각하는 자연권은 인격(자기)·동산·토지라는 3종의 대상에 의해 크게 구별되는 소유권에 귀착한다. 이 가운데 토지 소유로부터는 불가피하게 불평등이 생기지만, 토지 소유 없이 유일한 부의 원천인 농업의 발전은 바랄 수 없는 이상, 이 불평등은 용인해야만 한다(「자연권에 대한 고찰」). 국민을 '토지 소유자'·'생산자'(농민)··'비생산자'(상공업자)의 세 개의 '계급'으로 구분하고, 농업 생산을 모델로 자본의 재생산 사이클을 해명하는 『경제표』(1759년)의 분석은 이러한 자연권론의 연장선상에서 군주정의 신분 질서를 부의 생산·유통의 관점에서 '합리적'으로 재편하고자 하는 것이었다. 토지 과세로의 일원화와 경제 자유주의의 요구도 그로부터 파생한다.

다만 케네에게서 이러한 자연권의 옹호는 전혀 전제와 모순되지 않는다. 자연권의 합리적 전개야말로 군주를 정점으로 국민 계급들이 구성하는 이상적인 정치경제 질서에 이르는 것이라면, 자연법에 입각하여 이 질서를 실현·유지하는 군주의 권력은 결코 제한되어서는 안 되기 때문이다. 여기서 피지오크라트의 '합법적 전제'(르메르시에 드 라 리비에르)라는 이상이 성립한다. 아무래도 역설적인 이상이지만, 이 역설 역시 개인의 자연권의 합리적 전개로부터 도출되는 경제의 자생적·자율적 질서를 무매개로 정치적 계층 질서와 합치시키고 그에 의해 정치적 자율을 실현하고자 하는 이론적 시도에서 파생하는 것이었다.

케네는 더 나아가 이러한 '합법적 전제'의 이상향을 중국에서 발견하고, 7년 전쟁 후의 프랑스 왕국에서 정치경제 체제의 발본적 개혁을 제기할 때의 모범으로 삼았다. 종교·법률·습속·작법을 통일하고, 황제의 가부장적 권위 아래 만민을 총동원하여 농업 생산의 증산에 힘쓰는 이 제국을 몽테스키외는 '공公'(폴리스)과 '사私'(오이코스)의 구별을 알지 못하는 전제의 화신으로서 꺼렸지만, 그 전제야말로 케네에게는 유교의 자연법 숭배하에서 일군만민 一君万民 체제를 갖추고 과거科擧에 의해 신분제에 의하지 않는 메리토크라시meritocracy(실력주의)를 실현하며 농업 생산의 최대화를 실현하는 이상적 체제로 생각되었다(「중국의 전제」).

디드로 ─ '문명화'와 그 한계

1770년대의 디드로(1713~1784)는 일련의 러시아론이나 서유럽 나라들의 상업적·식민지주의적 확대의 귀추를 논의하는 레날 Raynal, 『두 인도의 역사』(1770년 초판, 74년 제2판, 80년 제3판)에 기고한 단편에서 세계 각지의 정치 상황에 언론의 방식으로 다양하게 개입했다. 그 출발점에는 각 정치 공동체의 조건들에 따라 전제를 회피하고자 하는 몽테스키외적인 태도가 놓여 있다. 실제로 디드로는 몽테스키외에게로 되돌아가 케네가 이상화한 중국의 전제를 모든 '자유의 싹'을 압살하는 것으로서 날카롭게 비판했다

(『두 인도의 역사』, 제3판).

　디드로의 다양한 정치적 제언은 로크식의 자연권론과 궤를 같이하여 자연적 자유·민사적 자유·정치적 자유를 구분하고, 대상에 따라 각종 자유의 옹호를 주장한 것으로서 이해될 수 있다. 흑인 노예제 비판에서는 자연적 자유, 중상주의 비판에서는 민사적 자유, 합중국 독립 옹호에서는 정치적 자유를 근거로 하여 피지배자의 폭력적 봉기마저도 긍정된다. 자연적 자유는 인격·자기의 소유권에서, 민사적 자유는 재산의 소유권에 기초한다고 하는 이상, 여기서도 정통한 정치 질서의 근거는 소유권의 존중에 놓여 있다. 그렇지만 디드로는 자연권의 합리적 전개로부터 조화로운 정치경제 질서를 연역하는 케네식의 목적론을 물리치고, 민사 차원(경제적 생산·유통 및 공론)과 정치 차원(정부)을 전자에서 생겨나는 불평등과 분쟁을 전자의 위탁을 받은 후자가 법을 설립함으로써 시정하는 것과 같은 방식으로 분절한다. 디드로는 이미 신분제 질서가 아니라 경제적 생산·유통과 공론의 자율성에 의지하여 통치자 권력의 제한과 제어, 나아가서는 탈취마저도 생각하는 것이다. 여기에는 헤겔적인 '시민 사회'와 '국가'의 구분이 일찍이 형태를 갖추고 있다고 말할 수도 있을 것이다.

　디드로는 더 나아가 '문명화'라는 이름 아래 자연적 자유·민사적 자유·정치적 자유를 장기적인 역사적 과정을 통해 단계적으로 실현하는 정치적 프로젝트를 구상했다. 러시아의 농노 해방책과 아시아에서의 식민지 건설안 속에서 제출된 이 프로젝트는 서유럽으로부터의 식민자에게 토지를 분배하고, 그들의 농업 생산을 장려하여 식민지의 경제 발전을 촉진하며, 그 자생적 발전·확대를 통해 러시아 농노와 아시아 선주민을 식민자와 마찬가지의 경제적 주체로 전환할 것을 도모하는 것이었다. 디드로는 소유·노동·교환을 담당하는 이 경제적 주체의 구성이야말로 몇 세기에 걸쳐 러시아에서는 농노 신분으로부터, 아시아에서는 야생과 야만의 상태로부터, 그리고 최종적으로는 서유럽 식민지 제국에 대한 종속으로부터 '해방'을 가져오고, 현지인을 자율적 정치 공동체 속에서 공론과 의회를 통해 정치적 자유를 행사할 수 있는 '시민'으로 만든다고 생각했다.

이 문명화 프로젝트는 그 자체가 중세 말기 이후로 주권 국가들과 국제 통상의 평행적인 발전이 농노 해방과 제3 신분의 지위 향상을 가져오고 신분제 의회의 성립에 이른, 서유럽에서의 문명화의 역사적 순환을 인위적으로 반복하게 하고자 하는 것이기도 했다. 자본주의와 국민 국가 분립 체제의 지구화를 도모하는, 아무래도 서유럽 중심주의적인 프로젝트……? 그렇지만 그것은 '유럽의 확대' 끝에 소유권을 알지 못하는 자족적인 공동체의 존립 조건이 지구상에서 소멸했다고 하는 인식 위에서 선택된 것이며(『부갱빌 항해기 보론』), 디드로가 합중국 독립에 희망을 건 것도 거기서 농업을 기반으로 하는 경제적 자립과 정치적 자유를 공존하게 하는 고대적인 소공화국 연방의 회귀를 보았기 때문이었다는 점을 잊어서는 안 된다. 역으로 서유럽의 군주정하에서 개인들이 상업적 이해관계의 추구에 매진하고, 정치 공동체로서의 통합을 상실한 국민들에서 디드로가 보았던 것은 종말의 절박함이었다. '국민은 피바다 속에서밖에 재생하지 않는다', '국민이 퇴폐할 때, 그것을 다시 세우는 것은 …… 긴 혁명의 연속 과업인 것으로 생각된다.'(『두 인도의 역사』, 제3판) 그 디드로에게 역사는 결코 문명화=해방을 향한 진보의 과정일 수 없었다.

4. 혁명과 정치적 자율 실현의 어려움

18세기 말 정치적 격동의 소용돌이에서

1776년 이후 영국에 대한 보복을 노려 합중국 독립 전쟁(1776~1783년)에 참전한 프랑스 왕국은 재정을 더욱더 악화시킨 끝에 1789년의 삼부회 소집을 계기로 혁명의 시대에 돌입한다. 왕국 재정 재건은 봉건적 특권들의 폐지를 빼놓고서 있을 수 없었기 때문에, 곧바로 국가 체제에 대한 재심과 결부되었다. 「인간과 시민의 권리 선언」으로부터 입헌군주정, 공화정 수립을 거쳐 1793년의 국왕 처형과 공포 정치, 다음 해의 테르미도르의 쿠데타까지 그 후의 혁명기의 정치적 격동이 당파들 사이의 권력 투쟁과 가까운 이웃 나라들과의 혁명전쟁을 수반하면서 가속적으로 진행된 것은 잘 알려진 그대로이다.

프랑스 혁명은 처음부터 보편적 인권에 의해 정치적 정통성을 근거 짓고, 나라의 기본법을 성문 헌법으로서 확정하고자 하는, 정치적임과 동시에 철학적인 영향 범위를 갖추고 있었다. 그러나 그리하여 계몽기의 정치적 자율의 이상이 내포하고 있던 어려움이나 역설은 국내외의 동란 한가운데서 왕국의 공화국으로의 전환이라는 당면한 과제를 앞에 두고 강행 돌파되며, 예상할 수 없는 암전을 초래하게 되기도 한다.

콩도르세 — '대표제 민주정'과 '인류의 무한한 완성 가능성'

콩도르세Nicolas de Condorcet(1743~1794)는 원래는 달랑베르Jean Le Rond d'Alembert(1717~1783)와 가까운 수학자·철학자로, 7년 전쟁 후 튀르고Anne-Robert-Jacques Turgot(1727~1781) 밑에서 정치 경제 개혁에 몰두한 후, 지롱드파의 정치가가 된 '계몽에서 혁명으로'의 연속성을 상징하는 인물이다. 그는 이 점에서는 케네와 궤를 같이하며, 혁명 이전부터 일관되게 신분제 질서를 비판의 표적으로 하고, 개인의 자연권 존중에서 출발하여 주권 국가 내부의 통일과 균일화를 추구하고 있었다. 혁명 당초에 주권(입법)과 통치(행정)의 루소적인 구분에 따라 국민 주권과 군주정적인 통치를 공존시키는 입헌군주정을 받들고 있던 콩도르세는 루이 16세의 발렌느 도피 후, 공화정 지지로 전환한다. 그러나 거기서 추구된 것도 근세 주권 국가를 대신하는 정치 모델이라기보다 오히려 입법·행정의 쌍방에 대표제·합의제를 도입하여 실현해야 할 주권 국가의 새로운 체제였다.

실제로 콩도르세는 1793년에 발표한『프랑스 헌법 초안』에서 국내에 1년 이상 거주한 21세 이상의 남자에 대한 선거권과 각 지역에 설치되는 제1차 의회 및 이 제1차 의회의 선거에 의해 선출되는 입법 의회·집행 평의회로 이루어지는 '대표제 민주정'을 요구하고 있다 — 사법과 관련해서는 배심제의 도입이 기둥이었다. 합중국의 연방제를 선행하는 예로서 참조하는 이 구상에서는 제1차 의회에 상위의 입법 의회·집행 평의회에 대한 다양한 이의 제기 권리가 인정되며, 그에 더하여 헌법으로부터 개별 법률까지를 정기적으로 재검토하고 개정하는 것이 예상되었다. 거기에서는 자주 발생하는 민중 봉기를 제도적으로 짜 넣고, 유동화하는 정치 정세에 근거하여 지속적 제도를 수립하고자 하는 의도가 엿보일 것이다. 그 이상으로 중요한 것은 루소적인 '일반 의지'의 자의성을 경계하고 확률론도 근거로 하여 '최대 다수의 집합적 이성'에서 정통한 법의 근거를 찾은 콩도르세에게(「정치권력의 본성에 대하여」) 이 '대표제 민주정'이야말로 '집합적 이성'의 표명에 가장 적합한 정치적 자율의 제도 구상이었다는 점이다.

그렇다면 이러한 정치적 구상은『인간 정신의 진보의 역사』로 직접 이어진다. 공포 정치 아래에서 도망 중에 탈고된 이 유작에서 콩도르세는 루소와는 반대로 인간 본성(오감·쾌와 고통의 정·완성 가능성)에서 출발하여 인간적 능력의 연속적인 전개를 인류사적인 차원에서 그려낸다. 거기에서는 수렵 채집·목축·농업이라는 3단계를 거쳐 고대·중세·근세라는 서유럽의 역사를 통람하고 — 그 종국에는 프랑스 혁명이 놓인다 —, 최종적으로 '인류의 무한한 완성 가능성'에 기초하여 미래로 향한 인류의 무한한 진보 전망이 열린다. 이 진보의 원동력은 진리의 오류에 대한 싸움에 놓여 있으며, 그 싸움은 자연 과학으로부터 도덕·예술까지의 학문들과 그것에 대응하는 기술·산업의 발전을 수반한다. 그뿐만 아니라 콩도르세에게서 오류는 무지에서 유래하며, 사제와 권력자의 지배 유지를 위해 미신과 오류로서 영속화되는 것이기 때문에, 진리의 축적·유포는 그대로 지배자의 권위를 허물어뜨리고 예속 아래 있는 인간들에게 자연권의 보편성을 가르치며 그들을 해방하는 과정이기도 하다.

이리하여 진리·부·권리에서의 개체 사이의 불평등을 점차 시정해가는 인류사의 과정이야말로 콩도르세가 무한한 진보를 꿈꾼 '문명화'이며, 개별 사회에서 사적 이해관계와 공적 이해관계의 조화를 꾀하고 이 과정을 가속하는 것이야말로 바로 그가 바랐던 '사회적 기술'의 책무이다. 아무래도 관념론적이고 기술 만능주의적인 진보 사관이기는 하다. 그렇지만 거기에는 산업 자본주의 시대의 도래에 앞서 사회 총체의 자율적·자기 관계적 운동으로서의 역사라는 현대적 개념이 그려지고 있다는 점도 확실할 것이다.

로베스피에르 — '공포 정치'의 논리와 '최고 존재의 제전'

공포 정치 아래에서의 정치적 패배 속에서 콩도르세가 정치적 자율의 사상을 인류의 무한한 진보에 투영한 데 반해, 로베스피에르 Maximilien de Robespierre(1758~1794)는 공포 정치 그 자체에서 정치적 자율 이상의 실현을 본— 볼 것을 강요받은— 혁명가였다. '공포 정치'(테러)란 1793년 초의 루이 16세 처형 이후 반혁명의 이웃 나라들과의 전쟁, 대립 당파들과의 내전·항쟁, 경제 공황하에서의 민중의 식량난이라는 삼중고에 직면하여 국민 공회의 헤게모니를 장악한 산악파가 '구국위원회'의 주도 아래 제1공화국 헌법 발효를 정지시킨 채 '혁명적 통치'를 선언하고, 즉단 즉결의 '혁명 재판'에 의해 정적을 대량 숙청한 사태를 가리킨다. 로베스피에르에 의한 이 공포 정치의 정당화는 그것이 계몽 철학의 충실한 독자에 의해 자각적으로 선택된 그 반전이었다는 것을 밝혀주고 있다.

1794년 2월 5일의 연설 「국민 공회를 이끌어야 할 정치 도덕의 원리들」에서 로베스피에르는 우선 몽테스키외적인 용어에 따라 공화국이 취해야 할 정체의 '본성'을 민주정에서 찾고, 인민에 의한 주권의 행사(입법)를 국민 공회(인민의 대표)에 맡기는 것은 자명한 전제라고 한 다음, 법의 집행(행정)에 관해서도 인민의 대표에 맡기는 것을 정당화한다. 이 점에서 콩도르세와 로베스피에르는 큰 차이가 없으며, 혁명 재판을 가능하게 한 집행과 사법의 융합도 주권의 불가분성에 기초하여 삼권 분립을 배제하는 제1공화정의 원칙에 따르고 있었다.

놀라운 것은 다음과 같은 민주정의 '원리'에 대한 고찰이다. '평화 시의 민중 정체의 원동력이 덕이라면, 혁명 시의 그것은 덕과 동시에 **공포**이다. 덕이 없으면 공포는 불길하다. 공포가 없으면 덕은 무력하다. 공포란 다름 아니라 신속하고 엄격하며 단호한 정의=사법이다.' 몽테스키외가 공화국의 원리로 삼은 '덕'(조국과 법에 대한 사랑)에 로베스피에르는 '공포'를 결부시켜 『법의 정신』이 전제의 원리로 삼은 '두려움'을 비상시 민주정의 정치적 수단으로서 반전시킴으로써 혁명 재판을 정당화하는 것이다.

확실히 『법의 정신』에서는 '사'(오이코스)를 '공'(폴리스)에 매몰시키는 스파르타의 민주정과 '공'(제국 총체, 만민)을 '사'(군주)에 완전히 종속시키는 중국의 전제가 어느 것이든 권력의 직접적 행사를 특징으로 하는 것으로서 기피되고 있었다. 로베스피에르가 추구하는 민주정과 전제의 일치는 '덕'의 **멸사봉공적인** 에토스를 매개로 하여 공과 사를 일치시키고, '혁명적 통치'에서의 권력의 직접적 행사를 추구하는 것이었다. 그러나 그 권력 행사가 대표제를 매개로 하여 주권과 통치를 간단히 결부시켜 행정권과 사법권을 융합시키는 국가 기구 속에서 이루어질 때, 그 정치적 자율의 회로는 실권을 장악하는 '대표자' 이외를 모든 잠재적·현재적인 '적'으로 만드는 두려운 정치 공간을 초래한 것이었다.

의심할 여지 없이 로베스피에르는 공화국의 위기적 상황 속에서 정치적 자율의 이상 실현을 누구보다도 진지하게 추구하고 그 어려움에 누구보다도 직면한 혁명가였다. 따라서 그는 루소『사회계약론』의 공민 종교론을 토대로 하여 '최고 존재의 제전'을 제언하기도 했다 — 마치 정치적 자율의 회로는 그것만으로는 자족할 수 없으며, 그 외부에 초월적이고 종교적인 권위의 뒷받침이 필요하다는 듯이 말이다. 다만 그때에도 그가 회구하고 있던 것은 바로 그 루소가『달랑베르에게 보낸 편지』에서 그려 보인 축제의 이미지, 인민이 인민 자신에 대해 무매개로 현전하는 공화국의 이미지를 선취하여 실현하는 것이었다(「종교적·도덕적 관념과 공화정 원리들의 관계 및 국민의 제전에 관한 보고」). 그렇지만 루소 자신이 말했듯이 그 축제는 '무'의 상연, '무'의 대리 표상을 중심으로 조직되어야 하는 것이었다. 대표를 무화하는 그러한 이상의 정치적 자율 회로로부터는 우선 로베스피에르 이하 '구국위원회' 구성원들 자신이 맨 먼저 배제되어야만 했다.

5. 나가며

'정치적 자율' — 남겨진 물음

'계몽에서 혁명으로'의 시대, 프랑스의 철학자·혁명가들이 그려낸 각각의 정치적 자율의 이상은 충분히 자각적인 일탈과 전도 끝에 몽테스키외의 전제 비판으로부터 로베스피에르의 공포 정치까지 커다란 호를 그리며 반전한다. 이러한 산업 자본주의와 국민 국가 발흥기의 에피소드가 자본주의 지구화의 땅 위에서 대의제 민주주의를 받드는 국민 국가 속에서 살아가는 우리에 대해서도 아직 완전히 과거의 것이 되지 않았으며, 이론적·실천적인 다양한 문제를 들이대는 것이라는 점은 분명할 것이다.

한편, 정치적 자율의 이상과 주권 국가의 결합이 제기하는 일련의 문제가 있다. 권리 주체로서의 개인들이 살고 있고 대표제와 법률로써 이어지는 주권과 통치의 원환 속에서 생각되는 한에서, 정치적 자율이 불가피하게 도출될 수밖에 없는 전제적 일탈의 이모저모를 루소와 로베스피에르의 선례는 이론적·실천적으로 분명히 보여준다. 또한 이 글에서 언급할 수 없었지만, 정치적 자율이 주권 국가 내부에서 체제화되었을 때 필연적으로 다른 주권 국가와의 관계, 국제간의 전쟁과 평화가 문제로서 떠오르는 것도 18세기의 철학자들이 잘 이해하고 있는 것이었다.

다른 한편, 같은 18세기 프랑스의 에피소드는 전제적 일탈에 개인들의 권리를 대치하고 정치권력의 한정을 꾀하는 자유주의적인 선택이 최종적으로 소유권의 옹호에 입각하고 소유권의 '자유로운' 발전을 허용하는 자본주의 사회의 재생산 과정의 선양으로 귀착될 수밖에 없다는 것도 가르쳐준다. 이러한 자유주의적인 선택이 통치를 그 일부분으로서 짜 넣는 사회 전체의 자율적 운동의 옹호라는 체제를 취한다고 하더라도, 그것이 '공포 정치'에 못지않은 독재로 반전할 수 있다는 것은 이미 피지오크라시physiocracy의 '합법적 전제'의 이상이 시사하는 것이기도 할 것이다.

이러한 여러 험로를 헤쳐나가면서 여전히 새롭게 정치적 자율의 이상을 내걸 수 있을까? 내걸 수 있다면 그것은 어떠한 정치 공동체를 무대로 하고 어떠한 주체에 의해 담보되어야 할까? 본래 자본주의의 지구화가 석권하고 있는 세계 속에서 우리는 시장과는 다른 어떠한 정치 공동체를 구상하고 구성할 수 있을까? 자본주의와 자유 민주주의의 결혼을 축하하는 것이 '세계철학'의 과제일 수 없다면, 우리는 19~20세기의 혁명 운동의 퇴조 이후 새롭게 그 물음을 제기해야 할지도 모른다. '계몽에서 혁명으로'의 프랑스 정치사상은 그 보편성 요구와 자신의 이상이 지닌 한계를 가리켜 보일 용기에 의해 우리에게 아직도 많은 시사와 교훈을 던져준다.

☞ 좀 더 자세히 알기 위한 참고 문헌

— G. W. F. 헤겔, 『정신현상학精神現象学』, 하세가와 히로시長谷川宏 옮김, 作品社, 1998년. 서유럽 정치사를 기반으로 의식 경험의 심화·확대 과정을 그려내는 「D. 정신」 후반에서는 계몽주의로부터 공포 정치로의 변증법적 암전이 생생하게 그려진다.

— 칼 슈미트Carl Schmit, 『독재獨裁』, 다나카 히로시田中浩·하라다 다케오原田武雄 옮김, 未來社, 1991년. 18세기 프랑스 정치사상으로부터 20세기의 볼셰비키와 나치스에 이르는, 민주주의와 독재의 떼려야 뗄 수 없는 불즉불리不卽不離의 관계를 설명한다.

— 안토니오 네그리Antonio Negri, 『구성적 권력構成的權力』, 사이토 요시노리齊藤悅則·스기무라 마사아키杉村昌昭 옮김, 松籟社, 1999년. 마키아벨리 이래로 근세 영국·아메리카·프랑스를 거쳐 20세기 러시아에 이르는 '혁명 중심'의 정치사상사.

— 도미나가 시게키富永茂樹 편, 『계몽의 운명啓蒙の運命』, 名古屋大学出版会, 2011년. '계몽에서 혁명으로'의 프랑스 정치사상사를 가장 큰 초점으로 하여 현대에 미친 '계몽'의 지적 유산이 지닌 모습들을 검증하는 교토대학 인문과학연구소의 공동 연구 성과 논집.

제5장

계몽과 종교

야마구치 마사히로山口雅廣

1. 뉴턴의 자연 신학

계몽사상과 뉴턴의 자연 철학

'계몽사상'은 영국과 프랑스 그리고 독일을 중심으로 하는 서유럽 18세기에 융성을 맞이한 사상운동이다. 계몽사상가들을 개별적으로 살펴보면, 사상에서의 상당히 명확한 차이도 있다. 그러나 일반적으로 말하면, 인류의 진보를 희망하고 이성과 경험에 깊은 신뢰를 보내는 것이 그들에게서 보이는 대단히 분명한 특징이다.

이 특징을 단적으로 보여주는 한 가지 예가 계몽사상의 집대성으로 지목되는 『백과전서』의 어떤 중요 항목 서두의 아래와 같은 기술이다.

절충주의자란 다음과 같은 철학자를 말한다. 즉 편견, 전통, 오래됨, 보편적 합의, 권위, 요컨대 한마디로 말해 많은 정신을 억누르는 모든 것을 짓밟음으로써 자기 스스로 생각하는 것과 가장 명백한 일반적 원리로 돌아가 검토하고 논의하는 것과 또한 자신의 체험과 이성의 증언에 기초하는 것 이외에는 인정하지 않는 것 등을 감행하는 자를 말하는 것이다. (『디드로 저작집 2ディドロ著作集 2』, 오모토 히로시大友浩 옮김, 法政大学出版局)

그런데 이상과 같은 비판적 정신을 특색으로 하는 계몽사상을 북돋우고 그 융성에 가장 크게 이바지한 것은 서유럽 17세기에 크게 활약하고 '과학 혁명'을 불러일으킨 자연 철학자들이다. 그 대표자는 뉴턴Isaac Newton(1642~1727)이다. 그는 자연 현상을 수학적으로 해명하고자 하는 의도 아래 다른 자연 철학자들의 연구 성과도 토대로 하는 가운데 이성과 실험·관측에 기초하여 고대·중세에는 없는 전혀 새로운 세계상의 구축에 이바지하는 몇 개의 위대한 발견을 이루었다.

첫째, 뉴턴은 역학 분야에서 지상 물체의 운동뿐만 아니라 천체의 운동도 관성의 법칙을 비롯한 운동의 세 가지 법칙과 만유인력의 법칙을 가지고서 통일적으로 이해 가능하다는 것을 멋지게 증명했다. 그것은 빌린 것이 아니다. 둘째, 뉴턴은 수학 분야에서 위와 같은 법칙들에 따라 계산하는 것에 필요한 미적분법을, 라이프니츠 Gottfried Wilhelm Leibniz(1646~1716)와 선취권을 다투긴 했지만, 그와는 독립하여 고안했다. 셋째, 뉴턴은 광학 분야에서 태양광(백색광)이 사실은 빨간색과 보라색을 양극단으로 하는 일곱 색깔 빛의 혼합이며, 그것의 다양한 빛은 각각에 고유한 굴절률을 지닌다는 것을 실증했다.

뉴턴의 자연 철학은 이상과 같이 문명을 발전시키는 진정한 지식과 이런 종류의 지식에 도달하게 하는 열쇠를 찾은 것이었다. 이리하여 그의 철학은 계몽사상을 주도하는 볼테르 Voltaire(1694~1778)로부터 '일대 걸작'(『철학 서간 철학사전哲学書簡哲学辞典』, 나카가와 마코토中川信 옮김, 中公クラシックス)이라고 격찬받으며, 그를 매개로 하여 널리 프랑스의 계몽사상가들에게 중대한 지적 충격을 주게 되었다.

뉴턴과 자연 신학

그러나 주의가 필요한 것은 뉴턴 개인의 사유가 오늘날 일반적으로 생각되고 있는 정도로 세속적·비종교적이지 않고 오히려 종교적·신비적이었다는 점이다. 그는 사적으로는 고대·중세 이래의 연금술과 그리스도교 성서의 예언에 강한 관심을 지녔고 각각의 연구에 열심히 몰두했다.

정말이지 연금술사들의 저작들은 상징과 비유를 사용하여 기술되고 있으며, 그 기술이 무엇을 의미하는지 정확히 알기는 어렵다. 그러나 뉴턴에 따르면 비금속을 귀금속으로 바꾸는 연금 작업은 물론이고, 광물이 식물과 마찬가지로 정기에 의해 성장하는 과정과 같은 자연의 다른 비밀도 전해주는 것으로 이해할 수 있었다. 마찬가지로 「다니엘서」와 「요한계시록」을 중심으로 보이는 표상과 상징을 많이 사용하여 기술되는 사항은 그대로는 이해하기 어렵다. 그러나 그에 따르면 이미 벌써 현실의 것이 된 역사상의 과정들 외에 이후에 성취되게 될 최후의 심판과 같은 미래의 사건을 미리 알려주는 것으로서 해석할 수 있었다.

이상과 같이 뉴턴의 사상에는 계몽사상으로 통하는 측면과 단순하게는 그 측면으로 환원되지 않는, 종교적·신비적 사상으로 통하는 측면이 있다. 그리하여 '계몽과 종교'를 주제로 하는 이 장에서는 그 이해를 다소나마 심화하기 위해 우선은 이상과 같이 그 양면에 걸쳐 있는 그의 사상에 주목하고자 한다. 구체적으로는 보통 『프린키피아』라고 불리는 『자연 철학의 수학적 원리』와 『광학』이라는 그의 두 권의 주저에 포함된 이른바 '자연 신학'에 빛을 비추어 계몽사상의 융성을 이끌게 된 그의 세계 이해 내부에 내포된 기본적인 종교적·신학적 성격을 살펴보기로 한다.

자연 신학 그 자체는 고대 그리스로까지 거슬러 올라가는 전통적인 사상이며, 그 기본적 발상은 다음과 같은 것이다. 본래 인간은 직접적으로는 신으로부터의 계시에 의해서가 아니라 스스로의 자연적 이성에 의해서만 신에 관한 앎을 얻을 수 있다. 실제로 자연계로 눈을 돌려 그 모습을 이성적으로 관찰하거나 반성하거나 하면, 거기에는 인간의 힘으로는 도저히 이룰 수 없는 놀랄 만한 질서, 요컨대 계획성을 다양한 차원에서 발견할 수 있다. 천체의 규칙적인 운행과 계절의 주기적인 변화는 고전적인 그 예이다. 인간은 자연계에서의 이러한 놀라운 경험에서 출발하여 세계의 설계자를 이성적으로 탐구할 때, 인간의 앎을 넘어선 이 설계자, 요컨대 신의 존재와 그 속성이나 능력에 대한 이해로 이끌리게 된다. 이 가운데 신의 존재 이해로 이끄는 추론은 '계획성에 의한(또는 목적론적인) 논증'으로 불린다.

뉴턴 자신도 이상과 같은 발상에 따라 신의 존재를 긍정하고 『프린키피아』에서 다음과 같이 말한다. '태양과 행성과 혜성으로 이루어진 장려하기 한이 없는 이 체계는 지성적이고 힘이 강한 존재의 계획과 지배에 의해 생겨난 것이 아니라면 달리 있을 수 없습니다.'(『세계의 명저 26 뉴턴世界の名著 26 ニュートン』, 가와베 로쿠오河辺六男 옮김, 中央公論社, 인용자가 일부 수정)

물론 뉴턴이 승인하는 이러한 총명하고 강력한 신은 고대·중세의 자연 신학에는 없는 역학 법칙들의 제정자이기도 하다. 따라서 뉴턴의 사상에는 자연계에 관한 전혀 새로운 앎과 견해를 받아들이기는 하지만, 그럼에도 기본적으로는 전통적인 자연 신학과 일치하는 측면이 있는 것은 확실하다.

이신론과의 가까움과 멂

여기서 문제가 일어난다. 이상과 같은 자연 신학은 '이신론理神論'이라고 불리는 17세기 영국에 출현한 어떤 사상적 입장에 대해 이론상의 친화성을 보인다. 그러면 이제 막 전자의 측면이 있다는 것을 확인한 뉴턴의 사상에는 그와 시대적으로도 지역적으로도 겹치는 후자의 측면도 있는 것일까?

이신론은 다양한 종교적 명제 가운데 자연적 이성이 가능하다고 인정한 범위 내의 명제만을 진리로 삼는다. 따라서 이신론자들에 따르면, 그리스도교의 가르침 가운데 삼위일체와 같은, 전통적으로는 자연적 이성을 넘어서고 계시에 의해서만 알려질 수 있다고 하는 사항은 배척된다. 그러나 세계의 창조자로서 신이 존재한다는 것은 이 신이 하나인 한에서, 합리적·자연적 근거들에 기초하여 진리이다.

그런데 뉴턴은 신의 존재를 긍정하는 위와 같은 명제를 이미 언급했듯이 자연 신학적 발상에 따라 이신론자들과 더불어 이성적으로 시인할 수 있다. 그에 더하여 역시 뉴턴은 그들과 함께 그 명제의 근거들이 취해지는 자연계를 당시 과학 혁명의 진전에 따라 주류의 자연 철학으로 되고 있던 '기계론 철학'에 근거하여 이해한다. 이 철학에 따르면, 자연계의 물체는 어느 것이든 형태와 크기와 같은 성질들을 소유하는 무수한 입자로 이루어지며, 그 운동은 수식으로 표현될 수 있는 자연법칙에 의해 지배된다. 요컨대 자연 전체는 대단히 정교한 기구를 갖추고서 그것에 따라 움직이는 하나의 거대한 기계라는 것이다. 나아가 뉴턴은 은밀하게 이기는 하지만, 이신론자들과 마찬가지로 삼위일체의 교의를 믿지 않았다. 따라서 언뜻 보아 뉴턴의 사상은 이신론으로 크게 기울어진 것으로 보인다.

그러나 그렇다고 해서 뉴턴을 무조건 이신론자라고 부를 수는 없다. 첫째, 그의 사상에는 이신론과는 근본적으로 달리 이성을 넘어서는 것을 명시적으로 긍정하고 그에 따르는 점이 있다. 사실 이미 앞에서 언급했듯이 그는 그리스도교의 종말론을 견지하고 최후의 심판과 죽은 자의 부활을 흔들림 없이 믿고 있었다.

둘째, 뉴턴은 기계론 철학에서는 엄밀하게 배제되고 이신론에서는 그에 근거하기는 하더라도 그 정도가 적은 '목적인'도 자연의 설명 원리로서 인정하고자 한다. 뉴턴이 보기에는 기계식 시계가 태엽과 수많은 톱니바퀴로 어느 정도 복잡 정밀하게 조립되고 규칙적으로 움직이고 있는지가 알려진다고 하더라도, 그것만으로는 왜 이 시계가 시간을 알리는지는 다 설명할 수 없다. 마찬가지로 자연 현상에는 기계론적 원리들에 의해서는 설명하기에 충분하지 않은 측면이 있다. 이 측면을 설명하기 위해서는 목적인이라는 비–기계론적인 원리도 필요해진다. 물론 지금 이 경우에도 신이 그 설정자로서 세계의 가장 깊은 곳에서 움직이고 있다. 따라서 뉴턴은 『광학』에서 다음과 같이 말한다.

　　자연 철학의 주요한 임무는 가설을 날조하지 않고서 현상으로부터 논의를 개시하고, 다음으로 결과들로부터 원인들을 도출하며, 마침내는 확실히 기계적이지 않은 참된 제1원인에 도달하는 데 있다. 그리고 또한 세계의 기구를 해명할 뿐만 아니라 주로 다음과 같은 의문을 해결하는 데 있다. (⋯) '자연이 하는 일에 쓸데없는 것은 없다'라는 것은 무엇으로 인한 것인가? 이 세계에서 보이는 모든 질서와 아름다움은 무엇으로 인해서인가? 혜성은 무엇을 목적으로 하여 존재하는 것인가? (⋯) 어째서 동물의 신체는 이 정도로 기교를 집중하여 설계된 것일까? 그 부분들 각각의 목적은 무엇이었던가? (시마오 나가야스島尾永康 옮김, 岩波文庫, 인용자가 일부 수정)

뉴턴이 앞에서 말했듯이 연금술을 진지하게 연구했던 것도 위와 같이 천체의 운동과 동물의 신체 기능을 '무엇을 위해'와 관련하여 설명하는 목적인 이외의, 자연을 설명하는 데 필요한 비–기계론적 원리를 찾는 것이었다.

2. 뉴턴과 라이프니츠

자연 신학과 계몽사상

위에서는 계몽사상의 아버지라고도 해야 할 역할을 한 뉴턴을 다루어 그의 자연 신학적인 사상에 주목해왔다. 그런데 이 사상에 새삼스럽게 빛을 비추는 것에는 넓은 의미에서 '계몽과 종교'라는 주제를 다시 생각하는 계기로서 의의가 있다.

계몽사상은 이성과 경험에 기초한다. 따라서 이 입장에서 보면, 그리스도교와 같은 신으로부터의 계시에 근거하는 종교는 분쇄되어야 할 적으로 보일지도 모른다. 사실 그리스도교와 그것의 모태인 유대교는 볼테르에게서 격렬한 비판을 받고 있었다.

그러나 계몽사상가들 모두가 종교와 신앙에 대해 대단히 적대적인 태도를 보이고 그 폐기를 강하게 지향했는가 하면, 반드시 그렇지는 않다. 계몽사상의 출현은 오히려 이성과 신앙 사이에 날카로운 긴장 관계가 있다는 것을 인식하게 하고, 양자 사이에 다리를 놓는 새로운 철학적 탐구의 길을 여는 것으로도 이어졌다. 뉴턴의 사상은 계몽사상적인 측면과 간단하게는 그렇게 말할 수 없는 측면을 포함하는 것으로서 이 탐구의 적절한 출발점이 될 가능성을 감추고 있다.

뉴턴의 이른바 자연 신학을 새삼스럽게 논의하는 이유는 그것만이 아니다. 또 하나가 있다. 자연 신학은 일반적으로는 철학사 기술에서 바로 정면에서 다루어지는 일이 적은 개념이다. 그러나 실제로 이 신학은 계몽의 시대를 살아간 대표적인 철학자들에게 상당한 무게가 있는 사상적 과제로서 의식되고 있었다. 여기서 말하는 철학자들이란 라이프니츠와 흄 그리고 칸트이다.

철학사의 맥락에서 이 세 사람의 입장은 보통 각각 순서대로 합리론과 경험론 그리고 초월론적 관념론으로서 정리된다. 이 정리는 근대 철학이 그 중심에 세계에 대한 객관적이고 확실한 지식은 어떻게 해서 얻어지는가 하는 인식론상의 문제를 설정한다는 것을 배경으로 이루어진다. 타당하다고 할 수 있을 것이다. 그렇지만 이 인식론적 도식과는 다른 도식을 사용하여 그들의 철학적 입장의 관계를 부각하는 것도 가능하다. 그리고 그 방법으로서 시도될 가치가 있는 것이 그들이 자연 신학에 대해 표명하는 지적 태도를 비교하는 일이다.

이하에서는 우선 뉴턴과 라이프니츠 사이에서의 신개념을 둘러싼 이론적 대립을 확인하고자 한다. 그 후 자연 신학은 그들에게서 뿐만 아니라 흄과 칸트에게까지 강력한 문제의식을 낳고 있었다는 것을 명확히 하려고 한다.

뉴턴의 주의주의적 신 이해

뉴턴과 라이프니츠가 미적분법 발견의 선취권을 둘러싸고 관계를 악화시키고 있었다는 점은 이미 언급한 대로이다. 거기서 영국 황태자비가 라이프니츠에게서 받은 뉴턴의 자연 신학적인 신개념에 대한 비판을 담은 편지를 뉴턴과 친교가 있던 클라크^{Samuel} ^{Clarke}(1675~1729)에게 보여주었던바, 클라크가 뉴턴의 이론적 대변자가 되어 편지를 통해 라이프니츠에게 반론을 제기했다(1715년). 이리하여 클라크와 라이프니츠 사이에서 편지의 교환이 시작되고,

라이프니츠가 죽음을 맞이하기까지 이 신개념을 둘러싼 논쟁이 전개되었다.

거기서 뉴턴 측과 라이프니츠 측 사이의 대립은 대충 파악하기에 신에 관한 '주의주의'와 '주지주의'의 대립으로서 이해된다. 한층 더 통속적으로 표현하자면, '근로일의 신'과 '안식일의 신'의 대비로서 표현된다. 뉴턴 측은 무언가 간과할 수 없는 부조화가 창조 후의 세계에 생겨난다면, 신은 스스로의 의지에 따라 그 세계의 체계를 개량(재형성)할 수 있다는 것을 강조한다. 그러나 라이프니츠 측에서 보면, 신적 의지의 개입을 긍정하는 이상과 같은 주장을 용인하는 일은 도저히 있을 수 없다. 신은 세계를 창조할 때 장래를 내다보고 그와 같은 부조화가 생겨나지 않도록 충분한 지적 배려를 했을 것이기 때문이다. 양자 사이의 이러한 이론적 대립을 조금 더 자세히 살펴보자.

뉴턴이 이상과 같은 '리폼설'을 제시하는 것은 『광학』에서이다 (아래에서 이 책으로부터의 인용은 『과학의 명저 6. 뉴턴科学の名著 6. ニュートン』, 다나카 이치로田中一郎 옮김, 朝日出版社에 따른다. 일부 수정한 곳도 있다). 그는 이 학설을 제시하는 데서 물체의 운동에서 발견되는 감쇠 문제와 행성 운동에서 발견되는 불규칙성의 문제를 제기한다.

우선 물체에 관해 말하자면, 그 운동은 획득되더라도 언제나 감쇠하는 경향에 있다는 것, 그리고 그 감쇠의 이유가 유체의 점착성과 그 입자의 마찰에 있다는 것이 알려져 있다. 따라서 물체가 운동을 유지하기 위해서는 물체에 내재하는 원인과는 다른 '능동적 원리에 의해 운동을 보존하고 보충할 필요가 있다.'

마찬가지로 행성에 관해 말하자면, 그 운동에는 증가 경향에 있는 조그마한 불규칙성이 있다는 것이 알려져 있다. 그리고 그 불규칙성의 이유는 혜성과 행성의 상호 작용에서 찾아진다. 따라서 역시 행성 체계가 규칙성을 유지하기 위해서는 '이 체계는 개량이 필요하다.'

뉴턴이 이상과 같이 물체에도 행성에도 운동과 관련된 문제가 있다는 것을 지적한 다음, 최종적으로 그 대답으로서 주장하는 것이 신에 의한 운동의 보존·보충과 행성 체계의 개량이다. 그는 다음과 같이 말한다.

> 강력한, 영원히 살아가는 능동자(…)는 이르는 곳마다 존재하고, 우리가 우리의 의지로써 우리 자신의 신체 부분들을 움직이는 것보다 좀 더 잘 그의 의지로써 그의 광대무변한 균일한 감각 기관 내부에 놓여 있는 물체들을 움직이며, 그렇게 함으로써 우주의 부분들을 형성하고 개량할 수 있다.

뉴턴에게 우주는 마치 신의 감각 기관과 같은 것이며, 그 내부 공간에 물체들을 싸안음으로써 신과 물체들을 결합한다. 이리하여 세계에 편재하는 뉴턴의 신은 자연법칙을 제정한다거나 목적을 정한다거나 함으로써 세계에 관여하는 조화의 설계자인 것은 말할 것도 없고, 거기서 더 나아가 세계의 질서를 유지하기 위해 세계에 대해 의지적으로 작용하는, 세계의 구체적인 조정자이다.

라이프니츠의 주지주의적 신 이해

다른 한편 라이프니츠의 신이 주지주의적인 신으로서 이해되는 것은 그의 독특한 형이상학 때문이다. 사실 그가 『모나돌로지』와 같은 형이상학적 저작에서 제시하는 신에 의한 세계 창조의 설명은 그때 신의 지성이 수행하는 역할을 중시하는 것인데, 기본적으로는 다음과 같이 정리된다.

본래 신은 세계를 창조하기에 앞서 자신의 지성 속에 존재 가능한 모든 개개의 것이 다양하게 조합되어 성립하는 무수한 '가능적 세계'를 관념으로서 소유한다. 그런데 이 무수하게 있는 가능적 세계의 어느 것에도 현실적으로 존재할 것을 요구하는 권리가 있다. 동시에 이 권리의 강함은 각각의 가능적 세계에 내포되는 완전성의 정도에 따라 결정된다. 그리고 신은 그 무수하게 있는 가능적 세계 가운데 어느 것에 현실 존재에 대한 요구권이 가장 강하게 있는 것인지를 알면, 그 가능적 세계만을 최선의 세계로 선택하고 '현실적 세계'로 옮기게 된다.

이상과 같은 '최선 선택의 원리(최선율)'가 라이프니츠가 승인하는, 세계와 신의 관계를 설명하는 형이상학적 원리이다. 라이프니츠에 따르면, 이 최선 세계에서의 자연 현상은 역학의 법칙들에

의해 기계론적으로 이해된다. 그러나 목적인을 사용하여 목적론적으로 기술하는 것도 가능하다. 이리하여 그는 기계론 철학과 목적론을 종합함으로써 우리가 실제로 살아가는 세계의 모습을 밝히고자 시도하게 된다. 목적론의 견지에서 이루어지는 그의 이러한 종합 시도를 시사하는 것으로 『형이상학 서설』의 다음과 같은 문장이 있다. '신은 언제나 가장 좋은 것, 가장 완전한 것을 지향하므로 모든 현실 존재의 원리 및 자연법칙의 원리는 바로 목적인에서 구해야만 한다.'(시미즈 도미오清水富雄·이이즈카 가쓰히사飯塚勝久 옮김, 中公クラシックス)

뉴턴도 이미 보았듯이 자연 현상의 기계론적 설명에 만족하지 않으며, 그것의 한층 더한 설명 원리로서 목적인을 도입하고자 했다. 따라서 세계 이해에 관해 뉴턴과 라이프니츠 사이에는 적어도 지향에서 일치하는 점이 있는 셈이다.

그렇지만 라이프니츠의 신이 뉴턴이 말하는 강력한 영원의 능동자에 대폭적인 제한을 덧붙이지 않으면 얻어지지 않는, 어떤 의미에서는 그 대극에 자리하는 신이라는 점에 대해서는 의심할 수 없다.

라이프니츠에 따르면, 이미 언급했듯이, 세계 창조에 앞서 신의 지성 속에는 무수한 가능적 세계가 있고, 각각에는 정도가 다른 완전성이 갖추어져 있다. 그런데 이 완전성의 높이를 비교할 때의 기준이 되는 것이 무엇인가 하면, 그것은 가능적 세계가 각자에서 지니는 현상적인 다양성과 그 다양성을 생기게 하는 방도의 단순성이다. 그리고 모든 가능적 세계 속에서 가장 완전한 가능적 세계란 현상에서 최대의 다양한 변화를 보여줌과 동시에 그것의 가장 풍부한 변화가 가장 단순한 방도에 의해 산출되는 그와 같은 일종의 경제성도 고려한 질서 있는 세계이다. 어떤 가능적 세계의 완전성이 최고인 것인지는 세계 창조에 앞서 신의 지성에 의해 미리 계산·비교되고 결정되어 있다.

따라서 신이 세계의 창조에 즈음하여 선택할 여지는 사실은 극단적으로 적다. 정말이지 신은 세계가 현실에 존재하는 것을 선택할 수도 있고 선택하지 않을 수도 있다. 그러나 신의 선택이 미치는 것은 바로 이 한 가지 점에 한정된다. 만약 신이 세계의 현실 존재를 실제로 선택하는 것이라면, 세계는 곧바로 최선의 세계로서 드러나게 된다. 최선에 대한 이상과 같은 관점이야말로 「라이프니츠의 첫 번째 편지」에서 라이프니츠가 뉴턴의 자연 신학에 포함된 '개량설'을 아래와 같이 통렬하게 비평하는 까닭이다.

뉴턴 씨와 그 일파는 신의 작품에 관해서도 아무래도 잘못된 견해를 지니고 있습니다. 그들에 따르면 신은 때때로 자신의 시계를 감을 필요가 있습니다. 그렇지 않으면 시계가 멈춰 버린다고 말입니다. 신은 시계에 영구 운동을 하게 할 만큼의 전망을 지니고 있지 않았던 것으로 되어버립니다. 그들에 따르면, 신의 이 기계는 대단히 불완전한 것으로, 시계사가 자신의 작품에 하듯이 신은

때때로 이상한 협력으로써 이 기계를 손질하거나 수리하거나 해야만 한다는 것입니다. 자신이 만든 기계를 수정하거나 바로잡거나 해야만 하는 일이 자주 일어나면 그럴수록 나쁜 기술자이겠지요. (『라이프니츠 저작집 제I기 9ライプニッツ著作集 第I期 9』, 요네야마 마사루米山優·사사키 요시아키佐々木能章 옮김, 工作舍)

3. 흄과 칸트

과제로서의 자연 신학

라이프니츠와 뉴턴은 이처럼 대조적인 신개념을 보여준다. 그렇지만 라이프니츠도 어떤 의미에서는 뉴턴과 자연 신학적 발상을 공유하고, 계획성에 의한 논증을 긍정하고 있다는 것을 확인할 수 있다. 즉, 우리가 살아가는 자연계에 지극히 뛰어난 질서가 발견되는 것은 신이라는 대단히 탁월한 설계자에 의해 이 세계가 만들어졌기 때문이라고 생각하는 점에서 양자는 다르지 않은 것이다. 다만 뉴턴의 경우와 비교해 라이프니츠의 경우에는 자연계의 탐구를 통해 신에 다가가고자 하는 자연 신학적 모티프가 약해져 있다. 그 한편으로 그리스도교로부터 계시를 박탈하고 이 종교를 오직 자연적 이성에만 기초 짓고자 하는 이신론적인 모티프가 강해져 있다는 점을 지적하지 않으면 안 된다.

그런데 서유럽 18세기가 지나감에 따라 영국과 독일 및 프랑스를 중심으로 이상과 같은 모티프의 변화 경향은 한층 더 뚜렷해지며, 마침내는 전통적인 신 관념을 지키고자 하지 않는 기계론적 유물론의 전개마저 인정받게 된다. 그러나 이미 대천재 모습이 분명했던 뉴턴과 라이프니츠에 의해서도 자연 신학적 사상이 무언가의 형태로 긍정되고 있었다는 사실은 그들에 이어서 계몽의 시대를 살아간 철학자들에게 자연 신학을 노골적으로 무시하는 것도 비난하는 것도 허락하지 않았다. 오히려 그것은 자연 신학을 이론적 타당성이 검토될 필요가 있는 과제로서 의식하게 하는 것이었다. 흄과 칸트는 18세기를 대표하는 계몽사상가들이지만, 그들이 자연 신학에 대해 보여준 지적 태도는 바로 이와 같은 것이었다.

흄의 철학사에서의 저명한 작업은 원인과 결과의 관계를 상세히 검토함으로써 인과 관계가 사태 그 자체에 내재하는 객관적인 것이 아니라 인상과 습관에서 유래하는 주관적인 신념에 지나지 않는다는 것을 해명한 일이다. 인과성에 관한 이 비판적 해명은 자연법칙을 객관적인 것으로 하는 뉴턴적인 자연 철학의 기초를 위태롭게 했다. 그뿐만이 아니다. 이 해명은 자연법칙의 설정자라는 자연 신학적인 신개념을 무효로 하는 주장으로 이어지고, 종래의 신학적·형이상학적 사변에 대해 철저한 타격을 주는 것이기도 했다.

또한 칸트는 흄에 의한 이상과 같은 인과성 비판이 라이프니츠를 선구자의 한 사람으로 하는 종래의 전통적 형이상학의 기반을 위태롭게 하는 것을 충격과 함께 받아들이고, 그 비판에 응답하는 형태로 이 형이상학을 음미하며, 마침내는 반형이상학적인 입장을 표명하는 데로 향해 나아간 것으로 유명하다. 이 형이상학은 혼·세계·신이라는 개념들을 주제로 하며, 이 개념들을 다양하게 규정한다. 그러나 칸트에 따르면 자연 신학적인 방식으로 증명되었다고 하는 신의 존재를 포함하는, 거기서 주장되는 사항을 이미 진실한 지식이라고 할 수는 없다. 결국 거기서 주장되는 명제와 상반되는 다른 명제가 동등한 근거에 기초하여 성립한다. 요컨대 '안티노미' (이율배반)가 생기는 것이다.

흄과 칸트는 각각 이와 같은 비판적 논의를 대단히 정교하고도 치밀하게 행하고 있다. 그러나 지금 그것을 자세히 분석할 수 없음은 물론이다. 그런데 그들 각각의 논의에서는 모종의 양의성 또는 불확실함이 아른거린다. 마지막으로 이 점을 논의하려고 한다. 이에 의해 뉴턴의 사상에서 인정되는 것과 같은 자연 신학은 오늘날 일반적으로 생각되는 것 이상으로 멀리까지 그림자를 드리우고 있을 가능성이 있다는 점을 지적하고자 한다. 흄과 칸트는 결코 이성에 의한 종교적 미망의 타파를 소리 높이 노래하고자 한 것이 아니다. 오히려 이성이 모든 것을 불신이라는 불길에 던져 넣어 버릴지도 모른다는 불안을 품으면서 자연 신학을 대상으로 하는 경우에서도 이성의 힘을 행사하고 그 힘이 미치는 한계를 확인하고자 했다. 흄부터 살펴보기로 하자.

흄에 의한 자연 신학 비판

서유럽 18세기의 계몽사상가들은 그리스도교를 다양한 각도에서 비판했다. 흄 자신이 가한 그 비판 역시 마찬가지로 다각적이다.

첫째로 『종교의 자연사』에서 그가 시도하는 것은 일신교에 의한 불관용과 박해를 다신교의 관용과 대비하여 보이는 것이다. 둘째로 『기적론』에서 그가 검토하는 것은 기적이 일어났다는 것을 보고하는 증언의 신빙성이다. 셋째로 『자연 종교를 둘러싼 대화』에서 그가 주로 음미하는 것은 지금 묻고자 하는 신의 존재 증명으로서의 계획성에 의한 논증의 타당성이다(이하에서는 이 책을 『대화』로 줄여 쓴다. 이 책으로부터의 인용은 이누즈카 하지메犬塚元 옮김, 岩波文庫에 따른다). 그러면 자연 신학, 즉 서명에 포함된 용어를 사용하자면 '자연 종교'의 기본적인 이러한 사고방식에 대해 그는 어떠한 문제를 지적하는 것인가?

『대화』는 문자 그대로 대화 형식의 저작이다. 대화자는 세 사람이 등장한다. 경험에 기반하는 계획성에 의한 논증을 옹호하는 클레안테스, 경험에 기반하지 않는, 이것과는 종류가 다른 신의 존재 증명을 옹호하는 데메아, 이 양자의 주장을 비판하는 회의론자 필로이다.

『대화』에서 데메아가 주장하는 종류의 신의 존재 증명이 주제화되는 장면은 적다. 그 타당성도 낮게 평가된다.

데메아에 따르면, '존재하는 것은 모두 그 존재의 원인과 이유를 가질 것이며, 어떠한 것도 스스로를 낳는다거나 스스로의 존재의 원인이었다거나 하는 일은 절대로 불가능'하다. 따라서 원인과 결과의 계열을 거슬러 올라가면, 외적 원인에 의하지 않고 '필연적 으로 존재하는 존재자', 요컨대 신에 다다를 것이다. 그러나 이러한 것을 골자로 하는 데메아의 증명은 곧바로 클레안테스로부터 다음과 같은 반론을 받으며, 필로에 의해서도 배척된다. '사실에 관계되는 것을 무언가의 아 프리오리한 [즉 경험에 기반하지 않는] 논증으로써 증명하고자 하는 주장은 명백히 불합리하다.'

　『대화』에서의 논의 다수는 클레안테스가 주장하는 계획성에 의한 논증의 검토에 할당된다. 필로뿐만 아니라 메데아도 그에 대한 비판자가 된다. 그러나 지금은 필로와 클레안테스 사이의 대화에 주목하여 몇 가지 중요한 논점을 다루고, 논의의 진행을 정리해보고자 한다.

　우선 클레안테스가 경험에 기초하여 우주를 하나의 거대한 기계로 간주하고, 인간이 설계하여 만들어낸 기계와의 '유비anal-ogy'로부터 기계로서의 우주의 설계자, 즉 신의 존재와 인간 지성과 의 신의 유사성을 증명한다. 그러나 필로는 이 증명을 비판한다. 그에 따르면 그 추론은 유비에 근거한 추론의 원칙을 지키지 않고 깨뜨리고 있다. 이런 종류의 추론이 성립하는 데는 서로 비교되는 사례들이 정확히 유사한 것이 중요하다. 그러나 이 경우 의 사례는 우주 전체와 흔히 볼 수 있는 주위의 인공물로서의 기계이며, 양자의 차이는 너무나도 크다. 따라서 그 증명은 무효이다.

그러자 클레안테스가 반론한다. 그는 이번에는 유비에 의한 추론의 규칙을 전제하지 않는 '불규칙한 논증'에 의해 우주가 신의 계획에서 유래한다는 것을 확증하고자 한다. 필로는 '조금은 곤혹스럽고 혼란스러운' 모습을 보이지만, 이 주장 그 자체에 대해서는 다시 반론하지 않는다.

그 후 필로는 다른 각도에서 새롭게 계획성에 의한 논증을 비판한다. 그는 이 논증과는 다른, 그러나 그 논증과 적어도 같은 정도의 개연성이 있는, 우주의 발생을 설명하는 복수의 대체안을 제시한다. 요컨대 필로에 따르면, 클레안테스의 주장에는 그것을 유일한 진실이라고 판단하기에 충분한 근거가 없다. 이리하여 필로는 '여기에서 우리에게 남은 이치에 합당한 단 하나의 방책은 판단의 완전한 정지입니다'라고 말하며 승리를 선언한다.

『대화』에서의 논의는 이상과 같이 표면상으로는 회의론적 주장이 압도적으로 우위인 것으로 보인다. 그러나 『대화』는 그가 일방적인 승리를 거두고 끝나는 것이 아니다.

첫째, 『대화』가 마지막에 다가가면, 클레안테스에게 양보하는 듯한 필로의 말이 나타나게 된다. 사실 필로는 최종적으로는 마치 마음을 바꿨다는 듯이 약한 의미에서의 계획성에 의한 논증을 용인하고, 다음과 같이 말한다. '우주 질서의 원인(또는 복수의 원인)은 아마도 인간의 지성과 모종의 형태로 멀찌감치 유비를 이룬다.'

둘째, 『대화』가 종결되는 데서는 세 사람의 대화에 입회하여 이 대화를 기록한 인물 팜필루스가 다음과 같은 판정을 내린다. '정직하게 고백하자면, 전체를 진지하게 다시 바라보게 되면, 필로의 원리는 데메아의 원리보다 개연성이 높지만, 클레안테스의 원리 쪽이 훨씬 더 진리에 가깝습니다 — 나로서는 그렇게 생각할 수밖에 없습니다.' 요컨대 『대화』의 최종적인 결론은 누구의 주장도 절대 확실한 진리에는 도달하지 못했지만, 다른 누구의 주장보다 한층 더 확실한 진리인 것은 경험에 기반하는 자연 신학적인 주장이라는 것이다.

그리고 만약 팜필루스의 이러한 판정이 자연 신학을 둘러싼 흄의 생각을 솔직하게 표현한 것이라고 한다면, 계획성에 의한 논증에 대한 그의 평가는 양의적이라고 말하지 않을 수 없다. 흄은 회의론적 논의의 강력함을 전면적으로 신뢰하면서, 그럼에도 불구하고 여전히 약한 의미에서의 계획성에 의한 논증을 인정할 여지를 남긴 것이다.

칸트에 의한 자연 신학 비판

칸트로 눈을 옮겨보자. 이미 언급했듯이 칸트는 인과성을 둘러싼 흄의 비판을 계기로 하여 그 자신도 전통적 형이상학을 비판적으로 음미하고 반형이상학적 입장으로 향했다. 『순수 이성 비판』은 바로 칸트에 의한 이 비판적 검토 그 자체이다(이하 이 책의 인용은 이시카와 후미야스石川文康 옮김, 筑摩書房에 따른다). 실제로 서명에서 보이는 '순수'라고 형용되는 이성은 모든 경험과는 독립적으로 혼·세계·신과 같은 형이상학적 존재를 인식할 수 있다고 하는 능력을 의미한다.

그렇지만 칸트는 단지 형이상학을 부정하고자 한 것이 아니다. 그는 형이상학의 재건을 목표로 하고 있었다. 그는 최종적으로는 형이상학을 도덕적 세계관으로서 다시 세우게 되었다. 칸트에 의한 형이상학의 이러한 재해석을 단적으로 언표하는 것은 '나는 믿는다는 것에 여지를 얻기 위해 안다는 것을 파기해야만 했다'라는 그의 말이다. 신은 존재하는가 아닌가, 혼은 불사인가 아닌가와 같은 형이상학적인 물음에 대한 대답을 종래와 같이 이론적인 학문적 지식으로서 얻는 길은 단념해야만 한다. 그러나 그렇게 하면 그 대신에 신의 존재라든가 혼의 불사와 같은 형이상학적 명제를 새롭게 도덕적 신앙에 의해 긍정하는 길이 열리게 된다고 칸트는 생각한다.

칸트는 이렇게 흄적인 회의론의 입장에 머무르지 않고 형이상학의 재건으로 나아간다. 그렇지만 지금 여기서 다루고자 하는 것은 그가 전통적 형이상학을 비판할 때 자연 신학적인 방식에서의 신의 존재 증명을 음미한 것이다. 이런 종류의 신의 존재 증명에 대한 그의 논의는 흄 이상으로 일관되게 비판적인 것으로 보인다. 그러나 실제로 그렇다고 하더라도 문제가 되는 것은 그의 그 논의의 내실이 과연 이 증명의 급소를 찌르고 있는가 하는 점이다.

마지막으로 이 점을 살펴보기로 하자.

그런데 칸트는 종래의 신의 존재 증명을 정리하여 세 종류밖에 없다고 한 다음, 각각을 비판하고, 그 가운데 어느 것도 성립할 수 없다는 것을 차례차례 밝혀 나간다.

칸트가 첫 번째로 검토하는 것은 '존재론적 증명'이다. 철학사에서 이 종류의 신의 존재 증명을 명확하게 하는 데는 데카르트René Descartes(1596~1650)가 크게 공헌했다. 그에 따르면, '신의 관념이 보여주는 "최고로 완전한 존재자"라는 신의 본성에는 언제나 "존재한다"라는 것이 불가분하게 속해 있으며, 따라서 신은 존재한다.'(고바야시 미치오小林道夫, 『데카르트 입문デカルト入門』, ちくま新書) 칸트가 존재론적 증명을 설명하여 다음과 같이 말하는 까닭이다. '모든 경험을 도외시하여 [가장 실재적인 존재자라는 신의] 단순한 개념으로부터 전적으로 선험적으로 최고 원인의 현실 존재를 추리한다.'

그러나 칸트가 보기에 존재론적 증명은 무효이다. 여기에는 결정적인 문제가 놓여 있다. 사실 무언가 어떤 것의 개념과 그 어떤 것의 현실 존재는 전혀 다르다. 예를 들어 삼각형의 개념에는 내각의 합은 두 직각과 같다는 것이 불가분하게 결부된다. 그렇지만 삼각형의 이렇게 규정되는 개념은 삼각형이 현실적으로 존재한다는 것과는 다르다. 따라서 신의 개념으로부터는 신의 현실 존재를 끌어낼 수 없다.

칸트가 둘째로 음미하는 것은 '우주론적 증명'이다. 이 종류의 신의 존재 증명은 존재론적 증명과 달리 무언가가 우연히 실재한다는 불특정한 경험적 사실로부터 출발하여 원인과 결과의 계열을 거슬러 올라가 '절대적으로 필연적인 존재자'가 실재한다는 것을 추리한다. 그런데 더욱더 추리를 거듭하면 이 필연적 존재자로서 생각될 수 있는 것은 '가장 실재적인 존재자', 요컨대 신이다. 따라서 신은 실재한다.

그러나 칸트에 따르면 이상과 같은 우주론적 증명도 성립할 수 없다. 실제로 설령 전반부의 추리를 인정한다고 하더라도, 후반부의 추리 전개는 존재론적 증명과 마찬가지로 개념과 실재를 부당하게 혼동하고 있다.

칸트가 이상과 같은 두 종류의 증명에 관한 논의를 전제하면서 마지막으로 비판하는 것이 '자연 신학적 증명'이다. 이 세 번째 증명은 지금까지 보아온 계획성에 의한 논증에 해당한다. 다른 두 종류의 증명과는 달리 현전하는 세계 속에서 다양성과 질서, 그에 더하여 사물이 각각 목적에 맞는 존재 방식을 가지고 있다는 합목적성이 발견되는 것과 같은 특정한 경험적 사실로부터 출발하여 '하나의 숭고하고 현명한 원인', 요컨대 신의 실재를 추리한다.

그러나 이러한 자연 신학적 증명 역시 칸트에 따르면 불가능하다. 자연 신학적 증명이 신의 존재를 증명하고자 한다면, 우주론적 증명을 가지고서 보완될 필요가 있다. 그러나 우주론적 증명은 본래 존재론적 증명이 지니는 근본적인 문제를 공유하는 것이었다.

왜 자연 신학적 증명은 우주론적 증명을 필요로 한다고 칸트는 보는 것일까? 그것은 자연 신학적 증명으로부터 추리될 수 있는 것이 기껏해야 '세계 건축사'이지 '세계 창조자'가 아니기 때문이다. 자연 신학적 증명은 세계의 소재가 되는 것을 목적에 따라 사용하고, 세계를 일정한 형식이 있는 것으로 정리하는 건축사의 존재를 증명할지도 모른다. 그러나 그와 같은 소재도 만들어내는 창조자의 존재를 증명하는 것은 아니다. 이 존재를 증명하기 위해서는 자연 신학적 증명을 내던지고 우주론적 증명처럼 세계의 형식뿐만 아니라 소재도 우연적인 실재라고 보고서 그로부터 이 원인으로서의 신의 존재를 추리할 수밖에 없다.

자연 신학적 증명에 대한 칸트의 비판은 이상과 같은 것이며, 그것 자체로서는 이치가 통하고 있다. 그러나 그럼에도 불구하고 여전히 문제로서 남는 것은 그 비판이 반드시 과녁을 맞히고 있는 것으로는 보이지 않는다는 점이다. 왜냐하면 계획성에 의한 논증이 목표로 하는 것이 본래 칸트가 문제시하는 것과 같은 건축사 이상의 창조자로서의 신의 존재라는 것은 그렇게 분명한 것이 아니기 때문이다.

계획성에 의한 논증은 어디까지나 세계 속에 놀랄 만한 질서가 발견된다는 것에서 출발하는, 경험에 기반한 종류의 신의 존재 증명이다. 여기서는 자연계의 존재가 근본적인 전제 조건을 이룬다. 세계가 소재도 아무것도 없는 곳에서, 요컨대 무로부터 창조되었다는 것의 가능성이 적극적으로 세워져 있는 것은 아니다.

만약 경험 가능한 자연계의 존재를 대전제로 하여 무로부터의

창조에서 보이는 것과 같은 신의 초자연적인 활동을 긍정하고자
한다면, 그 경우에는 자연에 내재적인 질서로부터 일탈하는 기적
과 같은 초자연적 현상을 끄집어내게 될 것이다. 그러나 계획성에
의한 논증은 본래 기적에서 보이는 것과 같은 질서의 침해를
거부하는 논의이다. 무로부터의 창조는 말할 것도 없고 질서의
침해도 의지할 수 있는 초자연적인 힘의 소유자로 향하고자 하는
논의가 아니다.

계획성에 의한 논증이 증명하려고 목표로 하는 것은 절대적인
의미에서의 창조자로서의 신이 아니라 세계의 탁월한 설계자로서
의 신이다. 눈앞에 어디까지라도 펼쳐진 거대한 세계와 집이나
기계와 같은 주위의 흔한 인공물 사이에 유비를 인정하고 설계자로
서의 신이 있다고 믿는 것은 전혀 불합리하지 않다는 것을 보이고자
하는 것이다. 흄이 최종적으로는 용인하고자 한 클레안테스의
주장에는 물론이고 칸트가 신랄하게 비판한 자연 신학적 증명에도
이와 같은 생각이 포함되어 있다. 따라서 칸트에 의한 자연 신학적
증명에 대한 비판은 그것 자체로서는 견고한 논리에 의해 구성되어
있다고 할지라도, 이런 종류의 증명이 존재를 추론하려는 신의
성격을 반드시 정확하게 파악하지 못한 채 문제시하고 있을 가능성
이 있다. 그리고 만약 실제로 그렇다고 한다면, 그의 그 비판은
완전히 결정적인 것은 아니라고 생각될 수 있다.

☞ 좀 더 자세히 알기 위한 참고 문헌

— 아시나 사다미치蘆名定道, 『자연 신학 재고 — 근대 세계와 그리스도교自然
神学再考 — 近代世界とキリスト教』, 晃洋書房, 2007년. 뉴턴의 자연 철학 및 자연
신학에 대해서는 제2부 제3장, 「근대 그리스도교 세계와 뉴턴 — 뉴턴
신학과 그 영향」에서의 그에 관한 역사적 연구가 참고로 된다.

— 이토 구니타케伊藤邦武, 『우연의 우주偶然の宇宙』, 岩波書店, 2002년. 흄, 『자연
종교를 둘러싼 대화』에 대해서는 제1부 제3장, 「우주의 조화와 신에
의한 디자인」에서의 그에 관한 상세한 분석이 참고가 된다.

— 사카이 기요시酒井潔·사사키 요시아키佐々木能章 편, 『라이프니츠를 공부
하는 사람을 위하여ライプニッツを学ぶ人のために』, 世界思想社, 2009년. 사카이
기요시·사사키 요시아키·나가쓰나 게이스케長綱啓典 편, 『라이프니츠
독본ライプニッツ讀本』, 法政大学出版局, 2012년. 라이프니츠의 형이상학에
관해서는 앞의 책 제1부 제4장의 사카이 기요시, 「존재와 이유의 틈에서」
를, 또한 그와 뉴턴의 사상에서의 관계에 관해서는 뒤의 책 제Ⅱ부의
마쓰야마 쥬이치松山壽一, 「뉴턴과 라이프니츠」를 각각 참조할 수 있을
것이다.

— 노다 마타오野田又夫, 『서양 근세의 사상가들西洋近世の思想家たち』, 岩波書店,
1974년. 『순수 이성 비판』을 포함한 칸트 철학 전체의 역사적 해석에
대해서는 제Ⅰ부 4, 「칸트의 생애와 사상」을 참조할 수 있다.

제6장

식민지 독립사상

니시카와 히데카즈^{西川秀和}

1. 18세기 아메리카에서의 계몽주의 수용

선진적인 독립 선언은 후진 지역에서 태어났다

우리는 다음과 같은 진실을 자명한 것이라고 믿는다. 즉, 모든 인간은 태어나면서 평등하며, 그 창조주에 의해 생명과 자유 및 행복의 추구를 포함한 양도할 수 없는 권리를 부여받았다. 이러한 권리를 확보하기 위해 사람들 사이에서 정부가 수립되고, 그 정당한 권력은 통치되는 자들의 동의에서 유래한다.

이것은 아메리카 독립 선언에서 가장 유명한 문장이다. 그리고 식민지 독립사상을 가장 단적으로 보여주는 문장이다. 기초자인 토머스 제퍼슨Thomas Jefferson(1743~1826)은 어떠한 생각으로 이 문장을 썼을까? 제퍼슨 자신의 설명에 따르면, 독립 선언은 독립을 정당화할 뿐 아니라 당시 아메리카인의 '공통 인식common sense'을 보여주기 위해 쓰였다고 한다.

덧붙이자면, 독립 선언의 기초에는 제퍼슨 외에 네 사람이 관여하고 있다. 그 네 사람 가운데는 벤저민 프랭클린Benjamin Franklin (1706~1790)도 포함된다. 다만 프랭클린은 제퍼슨의 손으로 이루어진 초고에 조금 손을 보았을 뿐이다.

이 문장에서 가장 주목해야 하는 점은 '모든 인간'이라는 말이다. 단지 아메리카인이라는 하나의 지역 주민만이 아니라 전 인류를 대상으로 한 보편적인 원리로서 자연권과 인민 주권이 제시되고 있다. 그것은 제퍼슨에 따르면 '아메리카인 정신의 표명'을 아리스토텔레스와 키케로, 로크, 알제논 시드니Algernon Sydney(1622~1683)와 같은 인물들의 사상으로 양념한 것이었다.

보편적인 원리가 제시됨으로써 아메리카의 독립운동은 단순한 본국 대 식민지의 싸움이 아니라 인간의 권리를 추구하는 투쟁으로 승화했다. 그것은 동시에 계몽주의 이념을 실천으로 옮기는 싸움이기도 했다. 만약 독립 선언이 단지 독립이라는 정치 목적을 주장할 뿐인 문서였다면 세계적인 중요 문서일 수 없었을 것이다. 본래라면 단지 독립을 정당화하는 논리를 제시하는 것으로 충분할 문서에 자연권과 인민 주권이라는 보편적인 원리가 담겼다는 점에 주목해야만 한다.

아메리카 독립 무렵(1776년 전후)

다만 그러한 보편적인 원리를 제창하고자 하는 도전을 고대부터
현대에 이르기까지의 세계철학사라는 커다란 조류로부터 바라보
면 어떠할까? '보편적인'이라는 말은 어디까지나 유럽과 미국을
중심으로 한 관점이 아닐까 하는 비판이 당연하다. 다만 독립
선언의 근저에는 그러한 비판을 전혀 개의치 않고 인간이라면
누구나 공통의 이념을 이해할 수 있다는 낙관주의가 놓여 있다.

그러한 낙관주의가 있었긴 하지만, 보편적인 원리가 아메리카에서 제창된 것은 놀랄 만한 일이었다. 18세기에 아메리카는 유럽에서 바라보면 벽지였다. 본국 영국에서 아메리카로 가기 위해서는 대서양을 건너야만 하는데, 가장 짧아도 2주간을 필요로 했다. 영국 본국의 사람들 가운데는 아메리카의 주민이 자신들과 같은 언어를 쓴다는 말을 듣고서 놀라는 자도 있었다고 한다.

사실 아메리카는 유럽과 비교하면 문화적으로 뒤처진 후진 지역이었다. 프랭클린과 제퍼슨이 등장하기까지 아메리카에는 국제적인 지명도를 얻은 저술가는 거의 없었다.

그와 같은 후진 지역에서 선진적인 문서가 발표된 것은 흥미로운 현상이다. 다만 아메리카인 자신은 후진성을 인정하면서도 자신들이 유럽의 구폐로부터 해방된 특별한 존재라고 믿고 있었다. 즉, 아메리카인은 자신들을 특별한 존재라고 간주하면서도 보편적인 원리를 제창했다.

아메리카의 지식인들과 유럽의 계몽주의

18세기 아메리카의 지식인들은 주로 해외에서 수입되는 서적을 통해 유럽의 계몽주의를 배우고 있었다. 그들에게 계몽주의란 과거보다 현재, 현재보다 미래가 좋아진다는 신념이었다. 그것은 그들이 살아가고 있는 시대를 커다란 역사의 흐름에 자리매김하는 강렬한 자아의식의 발로였다. 또한 계몽주의란 그리스도교의 엄격한 교의에서 해방되어 이성으로 자연과 인간에 대해 이해하고자 하는 지적 태도였다.

다만 계몽주의라고 똑같이 말하더라도 그 발전은 나라와 지역에 따라 달랐다. 18세기 아메리카의 지식인들은 서적을 통해 주로 영국의 계몽주의와 프랑스의 계몽주의로부터 영향을 받았다.

우선 영국의 계몽주의는 18세기 아메리카의 지식인에게 균형과 질서를 중시하는 온건한 계몽주의였다. 독립운동이 격화하기 전, 제퍼슨과 프랭클린은 영국의 정치 제도에 일정한 평가를 주고 있었다. 그들의 관점에 따르면, 영국의 정치 제도는 신민의 자유를 보장할 수 있도록 국내의 계층들이 균형을 잘 유지하도록 설계되어 있었다.

다른 한편 프랑스에서는 절대 왕권과 교회의 엄격한 교리가 사회 개혁을 막고 있다는 불신감이 강해지고 있었다. 다만 프랑스의 지식인들은 프랑스 인민 일반을 계몽하기는 어렵다고 생각하고 있었다. 그러한 지식인들 가운데는 무신론과 극단적인 유물론으로 경도되는 자도 있었다.

제퍼슨과 프랭클린은 영국의 계몽주의와 프랑스의 계몽주의 양쪽으로부터 영향을 받고 있었다. 예를 들어 제퍼슨은 베이컨, 뉴턴, 로크를 계몽주의의 '세 사람의 가장 위대한 인물의 삼위일체'로서 거론한다. 제퍼슨에 따르면, 세 사람은 자연 과학과 도덕 철학의 기초를 만들었다고 한다. 또한 몽테스키외와 볼테르의 저작에도 친숙했다는 것을 기록에서 알 수 있다.

다만 프랭클린과 제퍼슨은 유럽의 계몽주의를 일방적으로 받아들인 것은 아니다. 유럽의 계몽주의를 받아들인 다음 그들 나름의 독자적인 해석을 덧붙여 새로운 숨결을 불어넣었다. 즉, 주로 영국의 계몽주의와 프랑스의 계몽주의가 그들의 정신 속에서 융합되어 아메리카의 독자적인 계몽주의가 형성되었다고 말할 수 있다. 그뿐만이 아니다. 아메리카에서 꽃피운 계몽주의는 유럽으로 역수입되어 계몽주의 전체에 새로운 가능성을 열었다.

즉, 여기서 말하는 '식민지 독립사상'은 단지 독립을 정당화하는 정치 이론만을 대상으로 하는 것이 아니다. 좀 더 넓은 사상적 조류를 가리킨다. 독립 선언에서 제시된 보편적인 원리가 어떠한 사상적 조류 속에서 태어나 프랑스 혁명에 영향을 주었는지 프랭클린과 제퍼슨의 사상을 축으로 하여 해명하고자 한다.

2. 프랭클린의 실용주의

13가지 덕목

아메리카 건국기에 활약한 사람들을 건국의 아버지들이라고 부른다. 건국의 아버지들이라고 이야기하게 될 때 '반드시'라고 해도 좋을 정도로 등장하는 것이 프랭클린이다. 다만 프랭클린은 대단히 유명하면서도 다른 저명한 건국의 아버지들과 비교하면

명확히 한마디로 정리되는 업적이 없다.

그럼에도 불구하고 프랭클린은 왜 중요한 인물인가? 그것은 프랭클린의 삶의 방식 그 자체에 놓여 있다. 『프랭클린 자서전』에는 가난한 직공의 집에서 태어난 프랭클린이 어떻게 해서 스스로 수련에 힘써 부를 쌓았는지 반생이 그려져 있다. 그러한 반생을 보면, 계몽주의가 프랭클린의 행동에 강한 영향을 주고 있다는 것을 알 수 있다.

『프랭클린 자서전』에서 가장 잘 알려진 것이 '13가지 덕목'이다. 즉 '절제', '침묵', '규율', '결단', '절약', '근면', '성실', '정의', '중용', '청결', '평정', '순결', '겸양'이다.

프랭클린은 이러한 덕목에 각각 계율을 덧붙였다. 예를 들어 절제라면, '물릴 정도로 먹지 말라. 취하기까지 마시지 말라'라는 계율이다. 계율은 구체적으로 행동의 지침을 제시한 것이다.

프랭클린은 덕목을 주장하는 것에만 머무르지 않고, 그것을 실제로 몸에 익히는 방법을 고안했다. 우선 각각의 덕목을 지켰는지 아닌지를 확인하기 위한 표를 작성한다. 만약 술을 마셔 취해버리면, 절제의 덕목을 깨뜨린 것이 된다. 그러한 경우, 표에 도장을 찍어 덕목을 지키지 못한 증거로 삼는다. 나아가 한 주마다 특별히 주의해서 지켜야 할 덕목을 결정한다. 이처럼 덕목을 지키는 것을 습관화하여 매일 계속하면, 어느 것이건 아무런 도장도 찍히지 않는 날이 온다. 그렇게 되면 13가지 덕목이 몸에 붙게 된다(프랭클린, 136~151쪽 참조).

프랭클린의 입장에서는 아무리 훌륭한 덕목을 부르짖더라도 그것이 실천되지 않으면 무의미했다. 덕목을 몸에 익히는 실천이야 말로 프랭클린에게 의의가 있는 것이었다. 즉, 이성은 실천을 수반하지 않으면 안 된다는 신념이 있었다. 그러한 신념은 자연권과 인민 주권이라는 보편적 원리를 현실의 것으로 만들고자 하는 독립운동에서도 나타나 있다.

사회 개혁

프랭클린의 활동은 개인적인 활동에 머물지 않는다. 사회 개혁도 실천하고 있다. 우선 프랭클린은 클럽을 창설했다. 클럽은 윤리와 정치, 자연 과학에 대해 회원들이 정기적으로 서로 이야기를 나누는 조직이다. 그 목적은 논의라는 실천을 통해 진리를 추구하는 것이었다(프랭클린, 98~115쪽 참조).

이 클럽에서의 활동이 바탕이 되어 필라델피아 도서관 협회가 설립되었다. 50명이 각각 40실링을 처음에 출자하고, 이후 1년에 10실링을 내는 구조로 장서를 충실하게 하는 짜임새이다. 도서관 종사자의 자택 한 방에서 시작된 자그마한 도서관은 순조롭게 확대되었다. 프랭클린은 다음과 같이 도서관의 의의를 말하고 있다.

도서관은 아메리카인의 대화 전반을 개선하고, 보통의 상인과 농부를 다른 나라의 신사들과 같은 정도의 지적인 자로 만들며,

아마도 식민지 전체의 권리를 지키는 데 도움이 될 것이다.

당시의 아메리카에서는 드문 일이지만, 도서관의 회원 중에는 여성도 포함되어 있었다. 또한 앞에서 이야기한 클럽 회원의 면면도 실로 폭넓었다. 측량사, 구두장이, 소목장이, 상인 등 다양한 직업의 회원이 있었다. 배울 기회만 있으면 누구나 충분한 지식을 얻을 수 있다는 프랭클린의 사고방식이 짙게 반영되어 있다.

클럽과 도서관에 더하여 프랭클린은 소방조합도 시작했다. 처음에 프랭클린은 화재가 왜 일어나는지 그 원인과 예방책을 고안하는 논문을 썼다. 그것이 바탕이 되어 예방책을 실행에 옮기기 위한 조합이 설립되었다(프랭클린, 167~168쪽 참조).

또한 프랭클린은 수많은 발명으로 알려져 있다. 가장 유명한 사례는 난방 효율이 좋고 연료를 절약할 수 있는 난로의 발명이다. 전매특허를 주겠다는 제안이 있었지만, 프랭클린은 거절했다. 발명을 독점하기보다 사회에 보급하는 쪽이 공공의 이익이 된다고 생각했기 때문이다(프랭클린, 187~188쪽 참조).

이와 같은 사회 개혁의 근저에는 실용성과 개선을 중시하는 정신이 놓여 있다. 사실 프랭클린이 가장 좋아한 말의 하나는 '실용적'이라는 말이었다. 프랭클린에게 이성이란 사물을 이해하기 위해 사용되는 것이 아니라 인간의 상황을 개선하기 위해 실용적으로 사용되어야 하는 것이었다. 그러한 지적 태도야말로 프랭클린에게 계몽이었다.

볼테르와 프랭클린의 포옹

독립 선언이 발표된 후 프랭클린은 다른 나라를 자기편으로 끌어들이는 외교 교섭을 추진하기 위해 프랑스로 건너갔다. 특별히 프랭클린이 뽑히게 된 것은 프랭클린이야말로 계몽주의 이념을 실천에 옮기는 싸움인 독립운동을 대표하는 인물이었기 때문이다. 그것을 상징하는 사건이 파리에 있는 왕립과학아카데미에서 일어났다.

두 사람의 철학자는 모두 무엇을 요구하고 원하는지 모르는 듯했다. 다만 그들은 서로의 손을 잡았다. '당신은 프랑스식으로 서로 껴안지 않으면 안 돼요'라는 목소리가 울리기까지 소란은 이어졌다. 철학과 떠들썩함이라는 커다란 무대 위에서 이 두 사람의 연로한 배우는 팔로 서로 끌어안고 서로의 뺨에 키스했다. 이리하여 겨우 떠들썩함이 잦아들었다. 반드시 왕국 전체에 그리고 유럽 전체에 외치는 소리가 곧 퍼질 것이다. '솔론과 소포클레스가 서로 껴안는 것을 볼 수 있다는 것은 얼마나 멋진 일인가'라고 말이다.

'두 사람의 철학자'란 볼테르와 프랭클린을 말한다. 이 사건은 계몽주의에 있어 기념해야 할 날이 되었다. 이 기념해야 할 날에는 어떠한 의의가 있는 것일까? 조금 시간을 거슬러 올라가 살펴보자.

스스로 노력하여 재산을 이룩한 프랭클린은 일찌감치 사업에서 손을 떼고 남은 인생을 공무와 학술에 바치기로 했다. 프랭클린에게 공직에 나서는 것은 사회에 공헌하기 위한 가장 좋은 방법이었다. 또한 학술의 추구는 인류에게 유용한 것을 만들어내는 것이었다.

프랭클린의 이름을 세계에 알린 것이 번개를 전기로 증명한 실험이다. 독자적으로 연구를 개시한 프랭클린은 전기를 무언가 유용한 목적으로 이용할 수 없는지 시행착오를 거듭했다. 그 과정에서 프랭클린은 전기에 관한 기본적인 원리를 발견할 뿐 아니라 폭풍 속에서 연을 날려 실험함으로써 번개가 전기적 현상이라는 것을 증명했다. 그 결과 피뢰침이 발명되었다.

프랭클린의 발견과 발명은 눈 깜짝할 사이에 칭찬의 폭풍을 불러일으켰다. 칸트는 하늘에서 불을 훔쳐 인류에게 준 프로메테우스에게 비겨 프랭클린을 '현대의 프로메테우스'라고 불렀다. 각 대학은 거의 정규적인 학업을 닦은 적이 없는 프랭클린에게 다투어 명예 학위를 수여했다. 영국 왕립협회는 프랭클린을 회원으로 초대했다(우드, 77~88쪽 참조).

프랭클린의 발명과 발견은 이성이 보편적이라는 것을 보여주는 획기적인 사건이었다. 즉, 아메리카라는 변경의 땅에서 태어나 자란 프랭클린이 번개가 신의 노여움이라는 그리스도교적인 고정관념에 사로잡히지 않고 스스로 실험을 통해 번개가 전기라는 것을 증명한 것이다. 프랭클린은 누구나 이성을 지닐 수 있다는 것을 체현하는 존재가 되었다. 그는 인류 전체에 계몽주의가 파급될 가능성을 보여주었다.

프랭클린의 등장은 유럽의 계몽주의에는 바로 복음이었다. 유럽의 계몽주의는 쉽사리 해결할 수 없는 난문에 부딪혀 있었기 때문이다. 그 난문이란 설사 사회 개혁을 방해하고 있는 구체제가 배제되어 계몽주의가 승리한다고 하더라도 인간의 상황이 개선된다고는 할 수 없는 것이 아닐까 하는 물음이다. 계몽주의에 이의를 제기하는 사람들은 만약 구체제가 붕괴하면 혼란이 생겨나 문명의 땅인 유럽은 미개의 땅으로 돌아간다고 주장했다.

계몽주의를 신봉하는 프랑스의 지식인들에게 프랭클린은 계몽주의에 대한 반론을 무너뜨리는 존재였다. 구체제의 속박이 느슨한 후진 지역 출신인 프랭클린이 독학으로 유럽의 누구도 성취할 수 없는 과학적 위업을 달성했다. 나아가 프랭클린은 유럽의 일류 지식인들과 대등하게 대화할 수 있는 해박한 지식과 교양을 지니고 있었다. 이러한 것을 토대로 하면, 프랭클린의 존재 자체가 제기된 어려운 문제에 대한 명백한 대답이었다. 즉 구체제에 의한 방해가 없어지면, 계몽주의 아래에서 사회는 더 좋게 개선될 가능성이 있다는 것이다(베일린, 82~83쪽 참조).

볼테르와 프랭클린의 포옹은 유럽의 계몽주의가 아메리카의 계몽주의에 의해 보완된 것을 상징하는 사건이었다. 이성은 보편적으로 존재할 뿐만 아니라 인간의 상태를 개선할 수 있는 것이라고 하는 확신이 강해졌다. 프랭클린은 식민지 독립사상이 인간의 상황을 개선하기 위한 것이라고 유럽 속에 알려지게 하는 광고탑 역할을 했다고 말할 수 있다.

3. 제퍼슨의 자유주의

이성과 신앙

같은 건국의 아버지들 가운데 한 사람이라고 하더라도 제퍼슨은 프랭클린보다 한 세대 연하이다. 또한 프랭클린이 주로 과학 분야에서 계몽주의를 체현하는 존재가 되었던 반면, 제퍼슨은 '혁명의 펜'이라고 불리듯이 정치적 문서로 계몽주의를 상징하는 존재가 되었다. 제퍼슨은 어떠한 사상을 배경으로 자연권과 인민 주권 등의 원리를 독립 선언에 담았던 것일까?

독립 선언에 따르면, 자연권은 '창조주'에 의해 주어진 것이다. 본래 정치적 문서이어야 할 독립 선언에 왜 '창조주'라는 말이 등장하는 것일까? 물론 아메리카가 그리스도교 나라이고, 그리스도교인 전통을 지니므로 '창조주'라는 말이 사용되더라도 기이하지 않다. 다만 독립 선언은 인간이 일방적으로 신으로부터 권리를 부여받는 수동적인 존재라고 말하는 것이 아니다. 오히려 인간의 능동적인 자세를 긍정하고 있다. 그 배경에는 이신론이 있다.

이신론이란 무엇인가? 뉴턴도 프랭클린도 이신론자였다는 것은 잘 알려져 있다. 그리고 정적으로부터 자주 무신론자라고 비판받았지만, 제퍼슨도 이신론자였다고 한다. 일반적으로 이신론에서 신은 비인격적인 존재라고 생각되고 있었다. 즉, 세계는 신에 의해 정해진 법칙에 따라 움직이는 까닭에, 인격적인 신에 의한 개입은 필요하지 않다는 것이다.

제퍼슨의 생각에 따르면, 인간은 신의 계시와 기적에 의해 이끌리는 것이 아니라 스스로의 이성에 의해 이끌려야 했다. 그것은 '당신 자신의 이성이야말로 신이 당신에게 준 인도자다'라고 말하는 것에서 알 수 있다. 이러한 사고방식의 근저에는 인간은 신에 의해 정해진 법칙을 읽고 이해할 수 있는 이성적인 존재라는 사상이 놓여 있다.

더 나아가 제퍼슨은 이성을 올바로 활동하게 하기 위해서는 억압과 미망으로부터 해방될 필요가 있다고 믿고 있었다. 그러한 제퍼슨의 신념이 반영된 것이 버지니아 신교信敎자유법이다. 제퍼슨이 버지니아 신교자유법을 얼마나 중요하게 생각하고 있었는지는 스스로 선택한 묘비명에 독립 선언과 함께 버지니아 신교자유법이 들어 있었던 것으로도 알 수 있다.

버지니아 신교자유법은 영국 국교회를 유일한 공인 종파로 하는 공정公定교회 제도를 무너뜨릴 것을 목표로 한 법이다. 그것은 제퍼슨에게 있어 '교회와 국가를 분리하는 벽'이었다.

정교분리에 더하여 버지니아 신교자유법은 '전능한 신은 인간의 정신을 자유로운 것으로서 만들어주고, 억압으로부터 완전히 벗어남으로써 정신을 자유롭게 해야 한다는 지고의 의사를 분명히 밝히고 있다'라고 노래하고 있다. 인간의 정신을 질곡으로부터 해방할 수 있다면, 순수한 지적 탐구로 향할 수 있게 되고, 인간의 상황이 개선될 것이라는 강한 기대가 담겨 있다. 그러한 기대가 담겨 있었던 까닭에 버지니아 신교자유법은 유럽에서도 계몽주의를 전하는 문서로서 널리 읽혔다.

도덕과 심정

신앙에 대한 견해를 보면, 제퍼슨이 이성을 절대시하는 것으로 보인다. 그러나 그렇지 않다. 제퍼슨에 따르면 인간은 태어나면서부터 도덕 감각을 지닌다. 그것은 육체와 마찬가지로 단련을 통해 강화될 수 있다. 제퍼슨 인간관의 특징은 이성을 절대시하는 것이 아니라 상대화하고 심정도 중시한 점에 놓여 있다. 프랭클린도 이신론을 독자적으로 해석하여 신은 인간을 이성적 존재로서 만들었을 뿐만 아니라 도덕적 존재로서 창조했다고 지적한다.

또한 제퍼슨은 도덕의 기초를 이성이 아니라 심정에 놓고 있다. 「'머리'와 '마음'의 대화」라는 유명한 편지가 있다. 그것은 제퍼슨이 유럽 체재 중에 어떤 여성에게 보낸 연애편지이다. 「'머리'와 '마음'의 대화」에 표현된 것은 이성과 심정의 대항이다. 즉, 이성에 따라 행동해야 하는가, 그렇지 않으면 심정에 닿는 대로 행동해야 하는가?

연애편지는 실로 4,000단어 이상에 걸쳐 길게 이어지지만, 거기서 제퍼슨은 도덕의 기초가 이성이 아니라 심정에 놓여 있다고 말한다. 결국 '머리'와 '마음'의 어느 쪽이 승리를 거둔 것인지 제퍼슨은 말하고 있지 않다. 다만 「'머리'와 '마음'의 대화」는 제퍼슨이라는 인간이 이성 일변도가 아니었다는 것을 보여주는 좋은 예이다(아카시, 83~119쪽 참조).

나아가 제퍼슨은 이성이 아니라 도덕 감각에서 보편성을 구했다. 그러한 사고방식은 어디서 태어난 것일까? 그것은 『신약성서』의 예수 그리스도의 말에 기초하고 있다.

제퍼슨은 예수 그리스도가 남긴 가르침의 단편을 정성껏 골라내면, 가장 숭고한 도덕의 체계가 완성될 것으로 생각했다. 그러한 생각에 기초하여 제퍼슨은 『신약성서』의 라틴어판, 그리스어판, 프랑스어판, 영어판을 비교 검토했다. 그런 다음 예수 자신의 사상과 생애에 관련된 사항을 발췌하여 시간과 주제의 일정한 순서에 따라 재구성했다. 제퍼슨에게 그러한 작업은 '잡동사니에 묻혀 있는 참된 예수의 모습을 끌어내는' 일이었다.

제퍼슨에게 그리스·로마의 철학자가 이야기하는 덕목은 개인주의적인 생활 방식에 기초한 사고방식이었다. 다른 한편, 예수 그리스도는 유대교의 교의를 새롭게 고쳐 전 인류에 대한 박애를 설파했다는 점에서 뛰어났다고 제퍼슨은 논의하고 있다. 요컨대 개인주의적인 삶의 방식보다 전 인류에 대한 의무를 수행하는 것이 중요하다. 이러한 사고방식은 독립 선언에서의 '모든 인간은 태어나면서부터 평등'이라는 문장에 짙게 반영되어 있다.

인민의 계몽

파리 교외의 퐁텐블로 근처에서 제퍼슨은 한 사람의 가난한 여성을 만났다. 길을 가면서 그 여성에게서 제퍼슨은 가난한 사람들의 생활에 관해 이야기를 들었다. 여성의 이야기에 따르면, 할 일이 없어 자주 빵 없이 지내는 일도 있다는 것이다. 헤어질 때 제퍼슨은 길 안내의 사례로서 그 여성에게 돈을 주었다. 갑자기 울음을 터뜨린 여성을 본 제퍼슨은 지금까지 여성은 따뜻한 도움을 받은 일이 없었을 것으로 생각했다.

가난한 여성과의 만남은 제퍼슨에게 부의 불평등한 분배에 대해 생각하도록 했다. 제퍼슨에 따르면, 정부가 부를 평등하게 분배할 수는 없지만, '인간 마음의 자연스러운 애정'에 따라 부가 분배되도록 주의할 수는 있다.

후에 제퍼슨은 인민의 침대를 부드럽게 한다거나 채소밖에 들어 있지 않은 솥에 고기가 들어가게 한다거나 하기 위해 이성을 활용할 수 있다면 숭고한 기쁨을 느낄 수 있다고 라파예트에게 말하고 있다. 자신의 눈으로 프랑스 사회에서의 불평등을 본 제퍼슨은 아메리카에 대규모의 공화정체를 수립하는 실험을 새로운 각도에서 바라볼 수 있게 되었다.

제퍼슨에게 이성은 모든 인간에게 존재한다는 신념이 있었다. 진실은 간명한 것이다. 그러나 인민은 진실을 쉽게 이해할 수 없다. 인습과 무언가의 강고한 제도에 의해 확립된 고정 관념에 눈이 덮여 있기 때문이다. 그러면 진실을 발견하기 위해서는 어떻게 해야 할 것인가? 얻어진 지식을 경험적 사실에 기초하여 자기 힘으로 자세히 조사하면 될 것이다. 그러한 지적 태도를 지니는 것이 계몽이다. 그것은 이성에서 누구나 평등하다는 보편성을 보여준다.

인민이 건전한 지적 태도를 몸에 익히면, 참된 자유가 유지된다고 제퍼슨은 생각했다. 인민은 본질적으로 선함을 지니며, 교육과 경험을 통해 계몽되면 올바른 선택을 하기 때문이다. 어쨌든 참된 자유는 이성의 진보에 기초해야만 한다. 참된 자유란 구속으로부터의 해방이 아니라 자연권을 부단한 노력으로 지키는 것이다. 부단한 노력의 중요성에 관해 제퍼슨은 다음과 같이 말하고 있다.

법률과 제도는 인간 정신의 진보와 함께 계승되지 않으면 안 된다. 새로운 발견이 있고 새로운 진실이 밝혀지는 것과 더불어 법률은 좀 더 발달하고 좀 더 계몽된다. 관습과 견해도 상황에 따라 변화한다. 또한 제도도 시대와 보조를 맞추어야만 한다.

제퍼슨의 생각에 따르면, 어디까지나 사회 계약은 한 세대로 한정된다. 어떤 세대가 맺은 사회 계약은 다음 세대에게 인습과 무언가의 강고한 제도에 의해 확립된 고정 관념으로 될 수 있기 때문이다. 요컨대 새로운 시대는 '행복을 가장 증진한다고 생각되는 정체'를 자기 스스로 자세히 조사한 다음 선택해야만 하는 것이다.

제퍼슨이 그와 같은 부단한 노력을 인민에게 요구한 것은 왜일까? 만약 자유가 이성의 진보가 아니라 폭력에 의해 획득되고, 충분한 지식을 지니지 않는 인민에게 주어지면 전제로 변한다고 생각했기 때문이다. 그것과는 반대로 높은 교육을 받은 아메리카인이 자유를 보장하는 정치 제도를 이후 계속해서 유지할 수 있다면, 광대한 토지에 자유의 제국을 구축할 수 있다고 제퍼슨은 믿고 있었다.

4. 식민지 독립사상의 유산

프랑스 혁명에로의 계승

아메리카 독립 전쟁이 아메리카의 승리로 종언함으로써 독립사상은 이념을 실천으로 옮긴 빛나는 전례가 되었다. 독립사상을 전해주는 많은 아메리카의 공문서가 번역되어 세계 속으로 유포되었다. 디드로는 아메리카에서는 불평등한 부의 분배가 시정되고 있을 뿐만 아니라 자유도 유지되고 있다고 주장했다. 콩도르세는 아메리카의 신교의 자유와 출판의 자유를 높이 평가했다.

제퍼슨은 삼부회에서 강해지는 개혁의 움직임을 자세히 바라보고 있었다. 많은 아메리카인과 마찬가지로 아메리카 독립 혁명의 후계자로서 프랑스 혁명에 기대를 걸고 있었기 때문이다. 제퍼슨은 다음과 같이 개혁에 관한 희망을 말하고 있다.

어쨌든 현재의 혼란은 잘 수습될 것이다. 우리의 혁명으로 눈뜬 인민은 자신들의 힘을 느끼고 계몽되고 있다. 그 빛은 퍼지고, 후퇴하는 일은 없을 것이다.

제퍼슨은 라파예트가 프랑스 인권 선언을 기초하는 것을 도왔다. 그것은 라파예트의 요구에 응한 결과이다. 그 결과 프랑스 인권 선언에는 자유와 평등과 인민 주권 등, 독립 선언에서 주장된 보편적인 원리가 담겨 있다.

제퍼슨은 국왕이 일부 권력을 내놓고서 입헌 군주제를 수립하는 온건한 개혁을 추진하는 것이 가장 바람직하다고 생각하고 있었다. 군주제를 옹호했기 때문이 아니다. 완전히 군주제를 철폐하여 공화정체를 수립하는 단계까지 프랑스의 인민은 성숙해 있지 않다고 생각했기 때문이다. 그러한 생각에 따라 제퍼슨은 라파예트가 개명한 귀족들을 이끌고 인민과 손을 잡고서 전제를 억지할 수 있는 정치 제도를 수립할 것을 기대했다. 제퍼슨에게 프랑스 혁명이 성공하는가 아닌가는 아메리카 독립 혁명의 성공을 점치는 중요한 문제였다.

오래전부터 일시 귀국을 청원하고 있었던 제퍼슨은 1789년 9월 26일에 파리를 떠났다. 제퍼슨은 곧바로 프랑스로 돌아와 혁명의 추이를 자기 눈으로 볼 작정이었지만, 프랑스 땅을 밟는 일은 다시 없었다. 결국 제퍼슨은 아메리카에서 혁명의 추이를 지켜보게 되었다.

제퍼슨이 떠난 후, 프랑스 혁명은 점차 격화 양상을 보이기 시작했다. 라파예트의 투옥과 로베스피에르의 공포 정치, 내란 등, 프랑스 혁명에 수반되는 혼란은 '한탄스러운 잘못'이라고 제퍼슨은 엄혹하게 평가하고 있다. 다만 제퍼슨은 프랑스 혁명의 이념 자체는 높이 평가하고 있었다. 프랑스 혁명이 성공하는가 아닌가는 전 인류의 명운을 좌우한다고 굳게 믿었기 때문이다.

우리는 아직 역사의 제1장에 있는 데 지나지 않는다. 이전에 합중국에서 행해진 인간의 권리를 위한 호소는 유럽 나라들 가운데 처음으로 프랑스에 의해 수행되었다. 프랑스로부터 그 정신은 유럽의 남부로 퍼지고 있다. 북부의 전제 군주들은 그것에 저항하고자 하여 동맹을 맺었지만 저항할 수 없을 것이다. 그러한 저항은 많은 희생자를 낼 뿐이며, 그들의 추종자들도 인간의 권리를 얻게 될 것이다. 그리고 문명화된 세계의 인류 상황은 최종적으로 크게 개선될 것이다.

대서양 혁명의 위기

만년에 제퍼슨은 나폴레옹 전쟁의 종결과 빈 체제의 성립을 알았다. 그것은 제퍼슨에게 18세기에 달성된 빛나는 계몽과 혁명에 대한 심각한 위기였다. 함께 독립 선언을 기초한 존 애덤스John Adams(1735~1826)에게 보낸 편지에서 제퍼슨은 '인간의 도덕과 이성의 개선을 볼 수 있다는 기쁜 희망을 우리는 단념해야만 하는가'라고 묻고 있다. 이어서 제퍼슨은 각 나라의 어두운 상황을 말한 후, '우리의 노력이 상실되는 일은 없을 것이라고 믿고 있습니다. 나는 빛과 자유가 착실히 전진하고 있다는 희망 없이 죽을 수 없습니다'라고 말하고 있다. 그리고 제퍼슨은 다음과 같이 강한 신념을 말했다.

만약 포학과 전제의 암운이 다시 유럽의 과학과 자유를 흐리게 한다면, 우리의 나라는 빛과 자유를 유럽에 되찾아줄 것입니다. 요컨대 1776년 7월 4일에 불타오른 불꽃은 전 지구에 확대되고 있으므로, 전제의 약한 힘으로는 없앨 수 없습니다. 그렇기는커녕 불꽃은 전제의 힘과 전제를 위해 일하는 자들 모두를 불살라버릴 것입니다.

제퍼슨의 신념은 틀리지 않았다. 독립 선언이 공표된 이래 지구상의 많은 나라가 다양한 과정을 거쳐 독립을 이루었다. 그러한 나라들 가운데는 독립 선언에서 제시된 보편적인 원리를 채택하고 있는 나라도 적지 않다. 예를 들어 베트남은 1945년에 발표한 독립 선언에서 아메리카 독립 선언의 말을 인용하여 그 이념을 밝히고 있다. 또한 일본 헌법에도 '생명, 자유 및 행복 추구에 대한 국민의 권리에 대해서는 공공의 복지에 반하지 않는 한, 입법과 그 밖의 국정에서 최대의 존중이 필요하다'라는 문구가 있다는 것은 잘 알려져 있다.

식민지 독립사상은 인간의 상황을 개선하기 위해 어떻게 하면 더 나은 통치를 실현할 수 있을까, 라는 질문에 대한 대답을 제시하는 것이었다. 물론 그 대답은 어디까지나 하나의 답이지 모든 문제를 해결할 수 있는 것이 아니다. 사실 독립 선언에서 모든 인간의 자유와 평등이 주장되고 있음에도 불구하고, 아메리카에는 노예 제도가 존재한다는 문제가 있었다. 다름 아닌 제퍼슨 자신이 노예를 소유하고 있었다. 그것은 독립사상에서의 가장 큰 모순이었다.

노예 제도의 철폐는 링컨^{Abraham Lincoln}(1809~1865)의 등장을 기다려야만 했다. 링컨은 독립 선언에서 제시된 보편적인 원리를 북부의 정통성을 주장하는 기본 원리로 삼았다. 그것은 독립 선언의 이념이 시대를 넘어서 계승되었다는 것을 의미한다.

이념을 실천에 옮기기 위해서는 지금 살아가고 있는 인간의 부단한 노력이 필요하다. 그렇지 않으면 이념은 단순한 공리공론으로 끝나고 말며, 현대의 인간 상황을 개선할 수 없게 되어버린다. 그것은 인간성을 경시하는 것으로 이어질지도 모른다. 그러한 문제를 껴안으면서도 식민지 독립사상에는 인간의 상황이 인간 자신에 의해 해결 가능하다는 강한 신념이 놓여 있다. 그러한 신념은 많은 문제에 직면해 있는 현대의 우리에게도 희망의 빛을 계속해서 던져주고 있다.

☞ 좀 더 자세히 알기 위한 참고 문헌

— 벤저민 프랭클린Benjamin Franklin, 『프랭클린 자서전フランクリン自伝』 마쓰모토 신이치松本愼一・시카와 마사미西川正身 옮김, 岩波文庫, 1957년. 소년 시대부터 독립운동이 시작되는 전야까지의 프랭클린의 반생을 그린 자서전이며, 아메리카 자본주의 정신을 전해주는 글로서 아메리카만이 아니라 일본에서도 널리 읽혔다.

— 토머스 제퍼슨Thomas Jefferson, 『버지니아 각서ヴァジニア覺え書』, 나카야 겐이치中屋健一 옮김, 岩波書店, 1972년. 제퍼슨의 살아생전에 유일하게 출간된 저작이며, 질문에 답하는 형식으로 버지니아의 지리와 사회 제도, 역사 등, 다양한 분야에 걸친 화제를 논의한다.

— 버나드 베일린Bernard Bailyn, 『세계를 새롭게. 프랭클린과 제퍼슨 — 아메리카 건국자의 생각과 모호함世界を新たに フランクリンとジェファソン — アメリカ建国者の才覺と曖昧さ』, 오니시 나오키大西直樹・오노 로베르트大野ロベルト 옮김, 彩流社, 2011년. 18세기 유럽 세계에서 변경에 지나지 않은 땅에서 태어난 프랭클린과 제퍼슨이 어떻게 해서 그 후의 세계에 영향을 주는 사상을 끌어냈는지를 이야기한 논고.

— 고든 S. 우드Gordon Stewart Wood, 『벤저민 프랭클린, 아메리카인이 되다ベンジャミン・フランクリン, アメリカ人になる』, 이케다 도시호池田年穗・가나이 고타로金井光太朗・히고모토 요시오肥後本芳男 옮김, 慶應義塾大学出版会, 2010년. 영국 제국 제도 속에서 충실히 살아가고 있던 프랭클린이 어떠한 내심의 변화를 거쳐 아메리카 독립사상의 주역이 되었는지를 생생하게 그려내는 본격적 평전.

— 아카시 노리오明石紀雄, 『몬티첼로의 제퍼슨 — 아메리카 건국 아버지의

내면사モンティチェロのジェファソン —アメリカ建国の父祖の内面史』, ミネルヴァ書房, 2003년. 제퍼슨의 사상이 형성되는 과정을 사적인 측면에서 추구한 본격적 연구서.

제7장

비판 철학의 기획

오사다 구란도長田藏人

1. 비판 철학이란 무엇인가?

비판 철학과 계몽

우리가 진리나 도덕적인 올바름을 구하여 사유하고 판단하고자 할 때, 그 인도자로서 의지해야 할 능력은 감각이나 감정인가 그렇지 않으면 이성인가? 유럽의 학문적 후진국이었던 독일(당시 프로이센 왕국)의 철학자 임마누엘 칸트Immanuel Kant(1724~1804)는 모종의 감각과 감정을 지적 활동의 제1원리로 간주하는 국내외의 사조를 북방의 변경에서 지켜보면서 감각·감정인가 이성인가라는 물음을 스스로의 과제로 받아들였다. 지금 이 6권의 주제는 18세기의 감정론 인데, 칸트의 결론은 이성주의를 새롭게 철저히 하는 것이었다.

칸트의 비판 철학이란 그 이성주의의 기반이 되는 탐구이며, 그것은 칸트의 '계몽' 이해에 본질적인 관계를 지니게 된다. 칸트는 '계몽의 세기' 종반에 현대에까지 영향을 미치는 '계몽'의 이념을 제시하고, 계몽사상의 공과를 생각하는 데서 반드시 물어야 할 철학자가 되었다. 이 장에서는 그러한 칸트의 '계몽' 이해와 비판 철학의 관계를 고찰하고, 이성주의의 한계와 폐해가 지적되는 현대에서도 여전히 칸트 비판 철학을 다시 바라보는 것의 세계철학사적인 의의를 묻고자 한다.

비판 철학이라는 말은 칸트의 세 가지의 주저, 『순수 이성 비판』(1781년/제2판 1787년), 『실천 이성 비판』(1788년), 『판단력 비판』(1790년)의 제목에서 유래하는데, 이 저작들을 중심으로 전개된 칸트의 철학적 탐구를 일반적으로 나타낸다. 1780년대라는 그 시기는 뉴턴의 『프린키피아』(1687년)으로부터 100년, 아메리카 독립 선언 직후, 프랑스 혁명 발발 전야라는 역동적인 시기였다. 그러한 시대 상황을 반영하여 칸트의 비판 철학은 학문의 근대화와 시민 사회의 형성에 필요한 지적 능력의 존재 방식을 모색하고, 이성주의에 기초한 '계몽'의 이념에 도달한다. 이 글은 그 이성주의를 확립한 『순수 이성 비판』과 『실천 이성 비판』에 초점을 맞추고자 한다.

'계몽이란 무엇인가?'

비판 철학의 밀림에 들어가기 전에 칸트의 '계몽' 개념에 대한 기본적인 이해를 확보함으로써 비판 철학의 어떠한 측면을 이 장이 파악하고자 하는지 그 방향을 제시하고자 한다. 「계몽이란 무엇인가?」(1784년)라는 잘 알려진 논문의 서두에서 칸트는 이 물음에 대한 대답을 단적으로 제시한다.

계몽이란 인간이 스스로 초래한 미성년 상태에서 벗어나는 일이다.

'미성년 상태'란 '타자의 지도가 없으면 자기 자신의 지성을 사용할 수 없는' 상태를 말한다(이 논문에서는 '지성'과 '이성'은 같은 뜻으로 볼 수 있다). 그리고 그 상태를 '스스로 초래했다'라는 것은 본래라면 자기 스스로 사고할 수 있어야 할 성인이 게으름과 두려움으로 인해 자진해서 타자의 권위에 따르려고 하기 때문이라는 것이다. 그와 같은 미성년 상태의 예로서 칸트가 들고 있는 것은 진리에 대해 자기 자신의 지성과 이성을 사용하는 대신, 타자가 저술한 책에서 생각을 얻는 것, 또는 선악에 대해 자기 자신의 양심 대신에 교회의 목사에게서 판단을 얻어내는 것 등이다.

그처럼 자기 자신의 생각하는 힘을 작동하기를 포기하고 선악의 판단을 타인에게 맡기는 것이 게으름의 결과라는 것은 곧바로 이해할 수 있다. 칸트는 미성년에 머무는 것은 그러한 만큼 안락한 것이라고 말한다. 그러면 그것이 두려움의 결과이기도 하다는 것은 어떠한 것일까? 하나는 그것이 잘못일 수 있다는 것에 대한 두려움이라고 말할 수 있다. 그러나 또 하나는 책임을 짊어질 기개의 결여라고 할 수 있을 것이다. 스스로 생각하여 판단한다는 것은 그 결과에 대한 책임을 자신이 떠맡아야만 한다는 것이기도 하다. 그러한 책임과 잘못에 대한 공포심과 게으름으로 인해 많은 사람이 유력한 사람의 의견을 그대로 받아들이고 그것에 몸을 맡기고 있다.

그와 같은 인식에 기초하여 칸트가 주창하는 계몽이란 사유와 판단에서 '권위'에 맹종하지 않는 자세로서의 지적 자립이다. 칸트는 그와 같은 자립을 요구하는 계몽의 정신을 하나의 표어(슬로건)로써 표현한다.

자기 자신의 지성을 사용하는 용기를 지녀라.

칸트가 증거로 제시하는 앞의 사례로부터 알 수 있듯이 여기서 염두에 두고 있는 지성 사용(이성 사용)이란 진리의 탐구와 선악의 판단에 관계된다. 이로부터 확인할 수 있듯이 칸트의 『순수 이성 비판』과 『실천 이성 비판』은 이성의 학문적인 자립과 도덕적인 자립을 가능하게 하는 조건의 해명으로서 읽을 수 있다. 비판 철학이란 그와 같은 지적 자립(계몽)에 도달할 수 있는 능력으로서의 인간 이성에 대한 신뢰 구축의 기획이다.

2. 『순수 이성 비판』의 물음

이성의 자기비판이라는 기획

『순수 이성 비판』이라는 이름 아래 도대체 무엇이 목표가 되어 있는지, 제목에서 그 취지를 추측하기는 어렵다. 칸트가 이 기묘한 제목 아래 추구한 것은 '형이상학은 정당한 학문으로서 성립할 수 있는가 아닌가'라는 물음이었다. 칸트가 여기서 다루려고 하는 형이상학이란 독일 계몽 초기의 철학자 크리스티안 볼프^{Christian} ^{Wolff}(1679~1754)의 체계나 그에 따른 것인데, '신', '세계', '혼' 및 '존재자 일반'을 탐구 대상으로 하는 학문이었다. 이러한 대상들의 성질로 인해 형이상학은 관찰과 실험으로써 실증적으로 진위를 확인할 수 없는 주장을 이성, 즉 근거와 귀결의 계열을 밟아 추론하는 능력에 의지하여 사변적으로 도출하고자 하는 탐구가 된다.

하지만 예전에는 '만학의 여왕'이라고 일컬어진 이 학문도 당시는 그 신뢰를 잃고 있었다. 왜냐하면 예를 들어 신의 존재와 세계의 공간적이거나 시간적인 한계의 유무 또는 혼의 불사성과 같은 문제에 대해 형이상학은 수학이나 자연 과학만큼의 확실한 인식을 전혀 보여줄 수 없기 때문이다.

그와 같은 상황에 대해 칸트가 해야 한다고 생각한 것은 탐구의 보류이자 과연 이성이라는 인식 능력에 있어 그러한 과제들이 본래 수행 가능한 것인지 아닌지를 확인하는 것이었다. 그 '확인'의 작업이야말로 『순수 이성 비판』, 즉 '순수한 이성에 대한 비판'이라는 독특한 제목이 의미하는 것이다.

　여기에서의 비판 대상이 '순수한 이성'이라고 하는 것은 관찰·실험이라는 경험적인 수단에 근거하지 않는 순수한 추론만으로 신, 세계의 한계, 혼에 관한 학문적 인식, 요컨대 학적인 앎scientia/science이 성립하는가 아닌가 하는 것이 확인되어야만 하기 때문이다. 그리고 '비판Kritik'이라는 말에서 목표가 되는 것은 그리스어에서 유래하는 이 말의 본래의 의미인 '구별'과 '판별'이라는 것이다. 요컨대 순수한 이성이 학적인 앎으로서 인식할 수 있는 것과 인식할 수 없는 것을 판별한다는 한계 규정이 이 저작의 주제이다.

　여기서 유의해야 하는 것은 칸트가 이 비판적 탐구를 이성에 대한 이성 자신에 의한 비판의 기획으로서 이해하고 있다는 점이다. 그처럼 이성이 자기에게서 할 수 있는 것과 할 수 없는 것을 구별하고 능력의 한계를 스스로 획정할 수 있다는 것, 또한 자기의 착오를 착오로 인식하고 그 원인을 밝혀낼 수 있다는 것, 그러한 자기비판이 이성에게 가능하다고 한다면, 거기에서야말로 그 능력에 대한 신뢰의 원천이 찾아질 수 있다. 칸트는 그렇게 생각한 것이다.

『순수 이성 비판』의 프로그램

　그러면 그러한 이성의 자기비판은 어떠한 결론에 도달하는 것인가? 그것은 칸트의 친우인 유대인 철학자 모제스 멘델스존 Moses Mendelssohn(1729~1786)으로 하여금 '모든 것을 분쇄하는 칸트'라고 탄식하게 한 것과 같은 전면적인 부인이었다. 요컨대 인간 이성은 신의 존재에 대해서도 세계의 한계 유무에 대해서도 그리고 혼의 불사성에 대해서도 학적인 앎을 얻을 수 없으며, 따라서 사변적 형이상학은 성립하지 않는다. 이것이 『순수 이성 비판』의 결론이다.

세계의 한계는 그렇다 치더라도, 신의 존재나 혼의 불사성에 대한 학적인 앎이 성립하지 않는다는 것은 현대의 우리에게는 놀라운 것이 아니다. 그러나 칸트의 시대에는 볼프나 멘델스존뿐만 아니라 많은 철학자·과학자가 신과 혼은 학문적 탐구의 대상일 수 있다고 생각하고 있었다. 자연 과학의 근대화가 진행 중이었던 당시, 학적인 앎의 본질과 한계에 관한 이해는 성숙해 있지 않았다. 그러한 가운데 특히 신의 존재 증명은 자연 과학의 기반에 관계되는 중요한 의미를 지니고 있었다.

우리가 아는 수학적 자연 과학은 17세기 과학 혁명을 통해 갈릴레오와 뉴턴 등에 의해 이제 막 가동될 수 있게 되었을 뿐이었다. 거기서는 '자연이 수학적 구조를 지니는 것은 왜인가'라는 의문은 '지적 창조주에 의한 세계의 창조'라는 종교적 신념에 의해 대답이 주어지고 있었다(이 책, 제5장 참조). 근대 과학 300년의 축적 위에 서 있는 우리에게는 적절한 과학적 지식의 타당성을 인정함과 동시에 자연의 수학적 구조가 우연의 산물이라고 인정하는 것은 불가능하지 않다. 그러나 18세기의 철학자·과학자에게는 '과학적 지식은 보편적인 타당성을 지닌다'라는 신념이 '신이 자연을 그렇게 창조했다'라는 신념에 의해 뒷받침되고 있었다.

그러한 가운데 형이상학의 불가능성을 주장하는 것은 자연 과학의 보편적 타당성이라는 신념에 관해 신을 대신하여 그것을 보증하는 수단을 찾아내야만 한다는 것이기도 하다. 그리하여 칸트는 『순수 이성 비판』의 프로그램을 다음과 같이 구상한다. 순수한 이성이 학문적으로 인식할 수 있는 것과 인식할 수 없는 것을 구별하기 위해서는 우선 학적인 앎이 어떠한 조건 아래 성립하는지 그 가능성의 조건을 분명히 할 필요가 있다. 게다가 그 조건은 자연 과학이 지녀야 하는(그래야 한다고 칸트가 믿는) 보편적 타당성을 신의 섭리를 전제하지 않고서 가능하게 하는 것이어야만 한다. 그와 같은 보편적인 학적 지식의 가능성 조건을 묻고 형이상학이 그 조건을 채울 수 있는지 아닌지를 음미함으로써 형이상학의 성공 여부를 결정한다. 이것이 『순수 이성 비판』의 탐구 틀이다. 이 탐구의 결과 칸트는 아래와 같은 존재론의 혁신에 다다른다.

존재와 앎의 보편적 상즉相即

우리의 상식적인 이해에서는 어떤 대상에 대한 인식이 성립하기 위해서는 우선 그 대상이 감각을 통해 주어지고 그 감각 소여에 기초하여 대상의 속성과 관계성이 인식된다고 하는 순서가 생각된다. 그 경우 대상에 대해 우리가 어떠한 인식을 얻는지는 그 대상의 모습에 의해 결정된다고 여겨진다.

그러나 칸트의 생각으로는 그와 같은 방식으로 성립하는 인식은 경험적인 인식에 지나지 않으며, 나아가 경험적 인식에 의하는 것만으로는 칸트가 학적인 앎에서 요구하는 보편성에 도달할 수 없다. 왜냐하면 그 경우의 타당성은 경험이 실제로 미치는 범위에서밖에 인정되지 않기 때문이다.

그리하여 칸트는 보편적인 학적 지식이 가능하기 위해서는 인식이 대상에 따르는 것이 아니라 오히려 대상이 인식에 따른다고 생각해야 하는 것이 아닌지 묻는다. 요컨대 어떠한 대상이 성립하는지는 우리가 그것을 어떻게 인식하는지에 따라 결정되며, 그 인식의 방식은 우리의 인식 능력에 갖추어진 형식에 따라 정해진다. 코페르니쿠스의 발상에 비교됨으로써 알려진 이 '사유 방법의 변혁'을 추진하는 것에 의해 칸트는 다음과 같은 주장을 끌어낸다.

우리의 경험적 인식은 감각 기관을 통해 지각 내용을 수용하는 감성과 지각 내용에 개념을 주어 파악하는 지성(오성)의 협동으로 성립한다. 그리고 양자에는 각각에 고유한 형식이 갖추어져 있다. 감성의 형식은 '공간'과 '시간'이며, 지성의 형식은 '양'과 '질', '원인'과 '결과' 등의 가장 기본적인 12개의 개념(카테고리)이다. 이러한 형식들의 활동 결과로서 대상은 공간·시간 속에 존재하는 것으로서 인식되고, 또한 그것이 어떤 일정한 양과 질을 지니는 존재 방식과 다른 대상의 원인과 결과라는 존재 방식이 가능해진다.

이 기묘한 주장을 위해 겹겹이 쌓인 여러 개의 어렵고도 반드시 성공했다고는 말할 수 없는 증명과 칸트가 거기서 보여주는 창의성과 논리를 여기서 음미할 수는 없다. 이 글에서는 이러한 '사유 방법의 변혁'의 귀결을 확인하는 것에만 머물고자 한다.

우리의 인식 대상이 어떤 속성과 관계성을 지니는 것으로서 존재하는 것은 우리가 감성과 지성의 형식을 통해 그것을 인식하는 것을 떠나서는 성립하지 않는다. 요컨대 우리에 대한 대상의 존재는 그 대상의 인식을 성립시키는 형식에 의해 조건 지어져 있다. 다른 한편 대상이 우리의 인식 방식(형식)으로부터 독립하여 어떠한 존재 방식을 하고 있는지는 우리에게는 결코 알려질 수 없다. 따라서 우리의 인식 대상은 감성 형식과 지성 형식을 통해 우리에게 나타나는 한에서의 '현상'이며, 그 대상이 그 자체로서 어떻게 있는지, 그것의 '사물 자체'로서의 존재 방식은 알 수 없다.

이리하여 '현상'의 세계와 '사물 자체'의 세계가 구별되게 된다. 그리고 어떤 현상에 대한 앎의 가능성 조건(감성과 지성의 형식)은 그 현상의 존재 가능성의 조건 이외에 다른 것이 아니므로 현상계로 한정하면 존재와 앎은 보편적으로 대응한다. 칸트에 따르면, 이에 의해 보편적인 학적 지식으로서의 자연 과학의 가능성이 보증되게 된다. 다른 한편 신, 세계 전체, 혼이라는 형이상학의 대상은 감각적으로 지각될 수 있는 것이 아닌 까닭에, 그것들은 감성 형식이라는 앎의 가능성의 조건을 채울 수 없다. 따라서 그것들은 사물 자체의 세계에 속하는 것으로서 신앙의 대상으로는 될 수 있어도 우리에게 가능한 학적인 앎의 대상으로는 될 수 없는바, 다시 말하면 사변적인 형이상학은 학문으로서 성립하지 않는다. 칸트는 이렇게 결론짓고 있다.

3. 『실천 이성 비판』의 물음

'순수 실천 이성'의 도덕성

다음으로 칸트 윤리학에서의 주저인 『실천 이성 비판』의 탐구로 눈을 돌려보자.

서문의 말에 따르면 이 저작의 과제는 '순수 실천 이성이 존재한다', 다시 말하면 '이성은 순수 이성으로서 실천적이다'라는 명제의 증명이다. 왜 그와 같은 것이 문제인지, 본래 이 명제는 무엇을 의미하는지, 역시 곧바로 이해하기는 어렵다.

'실천 이성'이란 '이론 이성'(사변 이성)과 맞짝을 이루는 개념이다. 간결하게 말하자면, 이론 이성은 '대상이 어떠한지'를 인식하고, 실천 이성은 '대상이 어떠해야 할지'를 인식한다. 전자는 대상의 앎을 가져오는 '이론적 인식'의 능력인 데 반해, 후자는 대상의 앎이 아니라 대상을 실현하는 행위를 가져오는 '실천적 인식'의 능력이다. 또한 여기에서의 '순수'란 『순수 이성 비판』에서의 경우와 마찬가지로 경험에 의지하지 않는다는 것을 의미한다. 행위에의 의지 결정에 즈음하여 쾌·불쾌의 감정과 욕구, 또한 행복을 추구하는 성향 등에 의해 실천 이성이 영향을 받게 되면, 그 이성은 경험적으로 조건 지어져 있게 된다. 감정, 욕구, 성향은 경험적 인식에 기초하기 때문이다. 이에 대해 칸트는 그와 같은 경험적 조건에 의지하지 않는, 순수한 이성만이 할 수 있는 실천적 인식이 오직 하나가 있다고 주장한다. 그것은 도덕 법칙의 인식이다.

그러면 도덕 법칙을 인식하는 이성은 왜 순수해야만 하는 것일까? 그것은 칸트가 도덕 법칙으로부터 모든 주관성·자의성을 배제하고 엄격한 보편적 타당성을 요구하고자 했기 때문이다. 도덕 법칙이 일반적으로 도덕적으로 되기 위해서는 그것은 모든 이성적 존재자의 의지 결정에 대해 예외 없이 똑같이 적용되어야만 하며, 그처럼 보편적으로 공평하지 않으면 '도덕적'이라고는 말할 수 없다. 그러나 감정, 욕구, 성향은 각 개인에 따라 다른 주관적인 요소이다. 따라서 도덕 법칙이 보편적으로 타당해야 하는 것이라면, 그 법칙은 그러한 요소들로부터 독립하여 순수한 이성에 의해 인식되는 것이어야만 한다.

이와 같은 관점에서 칸트는 순수한 실천적 인식을 가능하게 하는 조건으로서 다음과 같은 비경험적 형식을 도출한다.

당신의 의지 준칙[방침]이 언제나 동시에 보편적 입법의 원리로서 타당하도록 행위하라.

이것은 '정언명법'이라고 불리며, 도덕적으로 되기 위해 무조건
(=정언적으로) 따라야 할 이성의 명법(명령)이라고 한다.

왜 무조건으로 되는가 하면, 조건부의 명법(예를 들어 '장사에
성공하고 싶다면 정직해야 한다')에서는 그 조건 부분에 주관성과
자의성이 피하기 어렵게 뒤섞여 들어오고 도덕적 명법으로서의
보편성이 얻어질 수 없기 때문이다. 또한 '준칙'이란 각 개인이
각자 지니는 행동 방침을 말하지만(예를 들어 '되돌려 주지 않는
빚을 져도 좋다', '언제나 성실해야 한다' 등), 이것은 원래 주관적
인 신조에 지나지 않는다. 그리하여 사람이 도덕적이기 위해서는
각 개인의 다양한 준칙이 각각 보편적으로 타당할 수 있는지
아닌지가 음미 되어야만 한다. 앞의 정언명법은 이를 위한 규준을
제시한다. 요컨대 '도덕 법칙을 입법하고자 하는 이성적 존재자
전원이 당신의 준칙을 도덕 법칙으로 채택한다고 생각되는가
아닌가', 이것이 판정되어야만 한다. 준칙이 그처럼 보편화 가능
하다고 판정되게 되면, 그것은 도덕 법칙으로서 인식된 것이
된다.

감정인가 이성인가?

앞에서 기술했듯이 『실천 이성 비판』의 과제는 '순수 실천

이성이 존재한다' 또는 '이성은 순수 이성으로서 실천적이다'라는 명제의 증명이었다. 그리하여 그 증명을 위해서는 위에서 언급한 것과 같은 순수 이성에 의한 도덕 법칙의 인식이 단순한 이론적 인식과는 달리 그 법칙에 따라 행위하도록 의지를 결정한다는 것을 입증할 필요가 있다. 왜냐하면 이성이 그와 같은 의지 결정을 할 수 있다고 이해됨으로써만 이성은 단순한 인식 능력이 아니라 실천적인 능력이기도 하다고 인정될 수 있기 때문이다.

그러나 칸트는 순수 이성이 그와 같은 능력일 수 있다는 것은 오직 '이성의 사실'로서만, 즉, 인식된 도덕 법칙의 강제력을 우리가 사실로서 의식하고 있다는 것에 의해서만 통찰할 수 있다고 한다. 왜냐하면 실로 칸트는 도덕에 관해 우리가 상식적으로 지니는 구속력의 의식을 소여의 사실로서 인정하는 데서 출발하기 때문이다. 그런 다음 그 의식이 참으로 보편적인 도덕적 의식이기 위한 가능성 조건으로서 정언명법이라는 이성 형식이 그 근저에 있어야 한다는 것을 논증하는 것이 칸트의 구상이었다고 생각된다. 이처럼 '이성의 사실'에 호소하는 논의의 자세한 것과 옳고 그름을 검토할 수 없는 까닭에 여기서는 그 구상의 바탕이 된 칸트의 문제의식에 돌리고자 한다.

칸트는 이성이 어떻게 해서 실천적일 수 있는가 하는 문제와 씨름할 필요성을 스코틀랜드 계몽의 도덕 감정론의 영향 아래 인식하기에 이르렀다. 『자연 신학과 도덕 원칙의 판명성에 대하여』(1764년)라는 논고에서 칸트는 프랜시스 허치슨Francis Hutcheson

(1694~1746)을 증거로 제시하면서 다음과 같은 물음으로 이 논고를 매듭짓는다. '실천적 철학의 첫 번째 원칙을 결정하는 것은 단지 인식 능력일 뿐인가 그렇지 않으면 감정인가? 이 점이 무엇보다 우선 해결되어야만 한다.' 칸트는 이 논고에서는 그 최종적인 해결을 제시하기에는 이르지 못하지만, 두 가지 가운데 감정론의 입장에 찬동하고 있다.

그러나 허치슨의 영향이 지닌 중요성은 그 문제 해결에 있는 것이 아니라 바로 감정인가 이성인가라는 물음 그 자체를 칸트에게 주었다는 점에 놓여 있다. 실제로 이 물음이 『실천 이성 비판』으로까지 미루어지며, 인식 능력인 이성이 어떻게 해서 실천적이기도 할 수 있는가 하는 과제와 그 해결로 열매 맺는 것이다. 칸트가 이 문제를 특히 중요하게 받아들였던 것은 도덕 감정론의 배후에 허치슨과 데이비드 흄에 의한 다음과 같은 날카로운 이성 비판이 있었기 때문이며, 『실천 이성 비판』은 그것에 대한 응답이라는 의미를 지닌다.

허치슨과 흄에 따르면, 행위에의 의지를 결정하는 것은 인식이 아니라 감정과 정념이며, 단순한 추론과 계산의 능력인 이성에는 행위를 낳는 힘이 없다(허치슨, 『정념과 감정의 본성과 행동에 대하여』; 흄, 『인간 본성론』, 이 책, 제2장 참조). 확실히 이 추론의 능력에 의해 예를 들어 '전체의 행복에 있어 무엇이 유익한가'라는 것을 알 수 있을지도 모른다. 그러나 그와 같은 인식을 얻었다 하더라도, 그 대상을 실현하기 위한 행위로 의지를 결정하는 것은 인식 그 자체가 아니라 자신과 타자를 위해 유익한 것을 추구하고자 하는 '자기애'와 '인애benevolence'의 감정 이외에 아무것도 아니다 (허치슨, 같은 책). 이와 같은 이성 비판을 받으면서 그럼에도 불구하고 여전히 순수 이성은 실천적일 수 있다는 것, 요컨대 도덕적 행위를 향해 의지를 결정할 수 있다는 것을 입증하는 것이야말로 『실천 이성 비판』의 과제였다.

도덕성과 자기비판의 능력

그러면 반대로 칸트의 입장에서 보아 이성이 아니라 감정을 도덕의 첫 번째 원리로 간주하는 사고방식에는 어떠한 문제가 놓여 있었을까? 여기서는 두 가지 점만 지적하고자 한다.

첫째로는 역시 감정이 주관적이라고 하는 문제가 있다. 감정을 도덕적 인식의 기초에 두려고 하는 한, 그것은 칸트가 요구하는 보편성에 도달할 수 없다. 잘 알려져 있듯이 칸트는 장-자크 루소의 강한 영향 아래 '일반 의지'의 개념(『사회 계약론』, 이 책, 제3장 및 제4장 참조)에서 착상을 얻은 보편적 도덕을 구상하고 도덕 감정론과 헤어지게 된다.

그 감정의 주관성이 도덕적 인식의 타당성에 대해 문제가 된다는 점에 대해 『도덕 감정론』을 저술한 애덤 스미스도 자각하지 못한 것은 아니었다(이 책 제2장 참조). 『도덕 감정론』에 따르면, 인간의 '양심'('내적인 공평한 관찰자')은 '공감'을 규준으로 하여 자기와 타자의 행위를 도덕적으로 평가한다. 그러나 인식 주체인 그 양심이 어떠한 감정에 어느 정도의 공감을 지니는가 하는 것은 그 감정에 기초한 행위가 우연하게도 초래하는 결과의 모습과 그때그때의 심리 상태에 크게 좌우된다. 그리하여 스미스에 따르면, 양심은 그와 같은 '감정의 불규칙성'을 시정하고, 자기와 타자의 판단 일치를 가능하게 하기 위한 '일반적 규칙'을 형성하게 된다. 하지만 그와 같은 일반성을 인식하고 그것에 맞추어 스스로의 감정을 통제하는 것은 감정만으로는 할 수 없는 일이다. 따라서 스미스의 도덕 감정론에도 지적 능력에 의한 자기비판이라는 요소가 포함되게 된다. '도덕적'이기 위해서는 '자기비판적'일 것이 요구되는 것이다. 그리고 그 일반성을 엄밀한 보편성으로까지 높이기 위해 이성에서 규준을 찾은 것이 칸트의 입장이다.

둘째로, 감정과 감각에는 그와 같은 자기비판의 능력이 없다는 점에서 도덕 감정론에 의해서는 의지의 자유 가능성을 설명할 수 없다는 문제가 지적될 수 있다. 이 이론은 모종의 감수성이 인간 본성에 갖추어져 있다는 주장이며, 도덕 감정과 도덕 감각(허치슨)이란 그 자연 본성에 따른 활동이다. 예를 들어 인애에 대해 느껴진다고 하는 공감과 쾌(도덕 감각)는 인간 본성이 그렇게 할 수 있다는 것을 전제하고 있으며, 법칙에 근거하여 생기는 것으로 이해될 수 있다. 나아가 그 이해의 근저에는 신의 섭리로서의 도덕적인 인간 본성이라는 사상이 있다는 점도 지적되어야만 한다.

이에 반해 칸트는 이성을 '법칙에 따라서 작용하는' 것이 아니라

'법칙의 표상에 따라 행위하는 능력'이라고 간주한다(『인륜의 형이상학 정초』[1785년]). 요컨대 이성은 감정과 감각과 같이 단지 '법칙에 따라서 작용하는' 것이 아니라 우선 도덕 법칙의 표상을 얻는, 다시 말하면 도덕 법칙을 인식하는 것이며, 그런 다음 그 인식 내용(법칙)에 근거하여 행위하는 것이 가능한 것이다. 그것은 앞에서 말했듯이 스스로의 준칙을 대상화하여 그것을 음미하고, 따라야 할 준칙을 도덕 법칙으로 인식하여 스스로에게 부과하는 일이다.

칸트는 이성의 그와 같은 자기 입법적인 존재 방식을 '자율 Autonomie'이라고 부르며, 그것만이 참된 의미에서의 '자유'라고 생각한다. 왜냐하면 감정과 욕구 등의 인간 본성에서 독립하여 도덕 법칙의 인식만을 의지 결정의 근거로 하는 경우에만 의지는 자연 인과율의 속박으로부터 자유롭다고 할 수 있기 때문이다.

이상이 비판 철학의 골자이다. 거기서 확인할 수 있었던 칸트의 주장은 학문적인 인식과 도덕적 의지 결정에 대해 그 성립을 신학적 전제에 근거하지 않고서 설명하는 보편적 원리(감성·지성의 형식과 정언명법)가 존재한다는 것, 따라서 인간 이성은 이론 이성으로서 현상계의 보편적인 학적 지식을 획득할 수 있음과 동시에 실천 이성으로서 보편적 도덕을 의지할 수 있다는 것이며, 그러나 다른 한편으로 초감성적인 대상을 학문적으로 인식할 수는 없다는 것이었다. 나아가 칸트에 따르면 이상의 것은 이성에게 할 수 있는 것과 할 수 없는 것을 이성 스스로 구별하는 자기비판의 탐구를 통해 밝혀진다. 그리하여 마지막으로 다음 절에서는 그렇게 해서 확립되는 칸트의 이성주의가 '계몽'에 대해 지니는 의미를 분명히 한 다음, 비판 철학의 세계철학사적인 의의에 대해 생각해보고자 한다.

4. 계몽과 이성주의

감각인가 이성인가?

칸트의 이성주의와 계몽의 관계는 「사유에서 방위를 정한다는 것은 어떤 것인가?」(1786년)라는 제목의 논문으로부터 읽어낼 수 있다. 이 논문에서 칸트가 추구하는 것은 다음과 같은 물음이다. 경험을 넘어선 문제(예를 들어 종교상의 문제)의 고찰에서 우리의 사유가 나아가도 좋은 방향과 나아가서는 안 되는 방향을 구별해 보여주는 사유의 나침반이 되는 것은 어떤 능력인가? 그리고 칸트가 여기서 특히 문제시하고 있는 것이 '커먼센스common sense'라고 불리는 능력의 상정이다.

이것은 인간에게 갖추어진 '진리의 감각'으로서 스코틀랜드 계몽의 이른바 '상식학파'에 의해 제창된 개념이다. 예를 들어 제임스 오스왈드James Oswald(1703~1793)는 이 능력을 다음과 같이 설명한다.

> 이성적인 존재자가 비이성적인 존재로부터 구별되는 것은 논증적 능력에 의해서라기보다는 오히려 모종의 명백한 진리의 지각과 판단에 의해서이다. 그것은 그 신속성, 명증성 및 의심할 여지가 없는 확실성에 의해 감각이라고 불리지만, 모든 이성적인 존재자에 의해 많든 적든 소유되고 있다는 점에 비추어 커먼센스[공통감각, 상식]라고 불린다. (『종교를 위한 커먼센스에의 호소』)

이 인용에서 알 수 있듯이 스코틀랜드 철학자들에게 커먼센스란 진리의 감각적·직접적인 인식을 주는 능력이며, 말하자면 진리의 원천이다. 독일에서도 멘델스존과 같은 '통속 철학'의 제창자가 이 커먼센스의 사상을 받아들이고, 이 능력을 이성과 동일시하는 형태로 진리 인식의 제일 원리로 간주했다.

그러나 칸트의 입장에서 생각하면, 그와 같은 방식으로 이성을 감각 능력과 동일시하는 것은 이성의 독단화로 이어진다. 왜냐하면 감각에는 자기비판의 능력이 없기 때문이다. 그리고 칸트에 따르면, 이성의 독단화는 '철학적 광신에 이르는 외길'이며, 이성 비판만이 그것을 막을 수 있다. 그리하여 『순수 이성 비판』에서는 사변적인 형이상학이 바로 그와 같은 이성의 독단화의 산물이라고 하여 이성 자신의 비판으로써 기각된 것이다.

이것을 토대로 하여 「사유 방위」 논문에서는 이성이 광신과 미신에 빠지지 않기 위해 사용해야 할 진리 탐구의 '시금석'이 제시된다. 그것은 '자신이 생각한 것의 근거와 그로부터 귀결되는 규칙이 보편적 원칙으로서 통용되는지 아닌지를 스스로에게 묻는 다'라는 보편화 가능성의 텍스트이다(『판단력 비판』에서는 자신을 타자의 입장에 놓음으로써 가능해지는 '보편적 입장'으로부터 자기의 판단을 반성하는 사유 방법으로서 정식화된다). 정언명법으로 통하는 이 규준을 칸트는 '이성의 자기 유지의 준칙'이라고 부르며, 이 규준에 비춘 부단한 자기비판에야말로 이성의 본령이 놓여 있다고 결론짓는다. 그와 같은 자기비판을 할 수 없게 되면, 이성은 이성이 아니게 되는 것이다.

칸트에 따르면, '자기 자신의 이성을 사용한다'라는 계몽의 이념이 의미하는 것은 위와 같은 '진리의 시금석'을 자기 속에 지니는 것이라고 한다. 왜냐하면 '자기 스스로 생각한다'라는 계몽의 길에서 유한한 인간 이성이 독단과 광신·미신에 빠지지 않기 위해서는 스스로 자신의 사유를 제어하기 위한 규준이 필요하기 때문이다. 그리고 그와 같은 자기비판은 '자신의 사유와 판단은 언제나 잘못될 수 있다'라는 자각을 필수적인 전제로 한다. 그것은 커먼센스의 철학자가 믿는 '진리의 감각'으로는 할 수 없는 것일 터이다. '학문적'이기 위해서도 '도덕적'이기 위해서도 '자기비판적'일 것이 요구된다. 이리하여 칸트의 '계몽' 개념은 보편적인 규준에 비추어 자기의 사유를 음미할 수 있는 인간 이성의 '자율'성이라는 신념에 의해 뒷받침되게 된다.

비판 철학의 세계철학사적인 의의

지금까지의 검토에서 분명히 드러나듯이 칸트의 입장은 철저한 이성주의와 보편주의이다. 칸트가 이성주의를 추구한 까닭이 진리 탐구와 선악 판단에서의 지적 자립과 보편적 규준을 찾기 위해서였 다는 것은 지금까지의 고찰에서 이해될 것이다. 그러면 그와 같은 보편성을 칸트가 추구하는 것은 왜일까? 칸트는 그의 엄격한 보편주의를 철저히 하기 위해 많은 어려운 논증을 시도해야만 했다. 또한 유연성과 발전성이 없다, 다양성을 균질화해버린다, 개별성이 충분히 고려되지 않는다, 형식주의에 지나쳐 인간적인 심정에 대한 배려가 없다, 이성에 의한 체계화의 폭력성을 지닌다 는 등의 많은 이의 제기를 불러들이기도 했다.

이 글의 서술이 칸트의 관심과 사유의 그저 일면만을 파악하는 것에 지나지 않을지라도, 비판 철학이 위와 같이 지적되는 측면을 지닌다는 것은 부정할 수 없다. 또한 이러한 부정적 측면들은 '세계철학'의 다양성을 다시 파악하고자 하는 이 시리즈를 통해 점점 더 선명하게 떠오르고 비판될 것이다. 그러나 다른 한편으로 그런 어려움을 감수하는 대가로 칸트가 가져온 것은 현대에도 중요한 의미를 지닌다. 그 한 예로서 여기서 지적해두고 싶은 것은 칸트의 '존엄' 개념이다. 칸트는 비판 철학을 통해 아마도 세계철학사에서 처음으로 모든 인간이 똑같이 존엄을 지닌다는 것을, 더욱이 신학적·종교적인 전제에 근거하지 않고서, 요컨대 어떠한 신조의 소유자라 하더라도 공유해야 할 명제로서 논증한다는 혁명적인 기획에 이를 수 있었다. 그리고 그 기획은 머지않아 국제연합헌장과 세계인권선언에서의 '존엄'과 '인권'으로 귀착하며, 일본 헌법의 '개인의 존중'과 '기본적 인권'도 그 흐름 속에 놓여 있다. 확실히 이 개념에 대해서도 그 보편성으로 인해 공허하다는 이의가 제기된다. 그러나 그렇다고 해서 이 개념이 국제연합헌장과 인권 선언에서 삭제되고 그 이념의 추구가 공공연히 철회되어도 좋다는 것으로는 결코 될 수 없을 것이다.

이렇게 보편적인 진리와 가치의 가능성을 추구하여 이성의 비판적 능력에 신뢰를 보내고자 한 칸트는 보편성과 합리성과 비판적 정신을 취지로 하는 고대 그리스 철학 이후 이어진 문제의식의 정통한 후계자였다고 말할 수 있다. 게다가 칸트는 그 보편주의와 이성주의의 가장 순수한 형태를 추구함으로써 이것을 첨예화하고, 그것이 서양의 철학과 학문론에 신학으로부터의 자립이라는 의미에서의 근대화를 가져왔다. 세계철학사의 관점에서 본 그 비판 철학의 의의란 다양한 지역·시대의 철학을 비교 검토할 때 참조되어야 할 서양 근대 철학의 기축을 보여주었다는 점에서 찾아질 수 있는 것이 아닐까?

☞ 좀 더 자세히 알기 위한 참고 문헌

— 이시카와 후미야스石川文康, 『칸트 입문カント入門』, ちくま新書, 1995년. 이 장에서는 다루지 않은 『판단력 비판』도 포함하는 비판 철학 전체에 대한 명료하고 간결한 입문서. 비판 철학의 근본적인 문제의식에서 '피가 흐르는 칸트'를 처음부터 설명하기 시작한다.

— 아리후쿠 고가쿠有福孝岳·마키노 에이지牧野英二 편, 『칸트를 공부하는 사람을 위하여カントを学ぶ人のために』, 世界思想社, 2012년. 비판 철학의 전모를 다양한 주제에 따라 상세하게 해명하는 충실한 입문서. 논문집으로 이루어져 있어 필요한 주제만을 골라 공부할 수 있다.

— 만프레드 퀸Manfred Kuehn, 『칸트 전기カント伝』, 스가사와 다쓰부미菅澤龍文·나카자와 쓰토무中澤武·야마네 유이치로山根雄一郎 옮김, 春風社, 2017년. 최신의 자료와 연구에 기초한 최선의 전기. 큰 저작이지만, 칸트의 인생과 학술적 교류에 비추어 사상 내용이 알기 쉽게 해설되고 있으며, 입문서로서 어울린다.

— 가토 야스시加藤泰史, 「존엄 개념사의 재구축을 위하여 — 현대의 논쟁으로부터 칸트 존엄 개념을 다시 읽는다尊厳概念史の再構築に向けて—現代の論争からカントの尊厳概念を讀み直す」, 『思想』 제1114호, 岩波書店, 2017년·제2호. 칸트 '존엄' 개념의 혁명성을 개념사 고찰로부터 해명한 다음, 칸트가 어떻게 해서 존엄의 보편성을 도출하는지, 또한 그것이 어떠한 현대적 의의를 지닐 수 있는지를 상세하게 논의한다.

제8장

이슬람의 계몽사상

오카자키 히로키 岡崎弘樹

1. '시대정신' 속의 계몽사상

르낭과 아프가니의 대화로부터

이슬람의 계몽사상을 말하는 데서 이란 출신의 근대 이슬람 사상가 자말룻딘 아프가니 Jamal ad-Din al-Afghani(1838/9~1897)와 프랑스의 동양학자·문헌학자인 에르네스트 르낭 Joseph-Ernest Renan(1823~1892)의 대화에 주목하지 않을 수 없다. 1883년, 르낭은 소르본대학에서 「이슬람과 과학」이라는 강연을 하고, 이슬람이 본래의 종교로부터 동떨어져 문명의 발전을 저해하는 요인이 된 과정을 분석한다. 르낭에 따르면 이성과 회의 정신을 중시하는 철학은 페르시아와 안달루시아에서 보급되었지만, 아랍 지역에서 철학자는 신학자와 양립할 수 없는 존재로서 이단시되며, 때로는 죽음을 선고받아왔다. 13세기에, 나아가서는 오스만 제국의 지배가 강해진 이후 이슬람은 과학이나 철학과 대립하고, 교조주의와 광신을 기르는 원인이 되었다고 한다. 르낭은 아프가니와의 의견 교환 중에 다음과 같이 단언한다. '이슬람 나라들의 재흥은 이슬람에 의해서가 아니라 오히려 이슬람을 약화함으로써 이루어질 수 있다. 그리스도교도의 나라들이 중세 교회의 폭정적인 권력을 파괴함으로써 비약을 이루어냈던 것과 마찬가지로 말이다.'(강조는 필자. 이하 동일.)

이에 반해 아프가니는 르낭의 진보주의 사관에 공명하면서도 본래 '모든 종교는 각각의 형태로 불관용'이라고 주장한다. 아프가니에 따르면 서유럽 사회가 야만을 벗어나 고도한 문명을 성취한 것은 프로테스탄티즘에서 보이는 것과 같은 종교 개혁, 그 후에 이어진 학적인 앎의 축적과 교육의 선물 이외에 다른 것이 아니다. 한편, 페르시아와 안달루시아의 학자도 코란의 언어인 아라비아어를 습득함으로써 역사에 이름을 남기는 위대한 철학자가 되었던 것이며, 결코 아랍의 지역성 문제가 있는 것은 아니다. 이리하여 아프가니는 다음과 같이 말한다. '무슬림의 책임은 전적으로 분명하다. 어떠한 장소에서도 학적인 앎을 질식시키고 전제 정치를 뒷받침하게 된 것이 문제이다.'(Renan, E., "L'Islamisme et la Science", *Journal des Débats*, 30 mars 1883, 18, 19 mai 1883)

아프가니는 당시 파리에서 『굳은 유대』라는 아라비아어 신문을 발행하고 열강의 식민지 지배에 대항하는 데서의 이슬람 국민들의 연대를 호소하고 있었다. 르낭과 서로 경의로 가득 찬 대화가 이루어졌다는 점에서 보아 아프가니가 서양 근대를 전면적으로 거부한 것이 아니라는 것은 분명하다. 그렇지만 본질주의적이고 환원론적인 이슬람 해석, 오귀스트 콩트식의 세속화와 근대화를 동일시한 '실증 과학'론, 그에 수반되는 문명들의 단선적인 발전 사관을 받아들일 수는 없었다. '알라는 스스로 변화하고자 하는 인간만을 변화시킨다.'(13–11) 아프가니는 코란의 이 장구를 즐겨 인용하지만, 단순한 호교론자로서가 아니라 오히려 이성과 합리성, 인간의 존엄을 중요시한 '계몽'된 근대적 인간의 창조를 기도하고 있었다. 특히 지성적인 엘리트가 솔선하여 학적인 앎의 보급과 교육에 힘쓰고, 신학적 지식과 이슬람 철학의 방법을 근대적 생활의 실천적 과제에 응용하는 가운데 복선적인 발전 사관에 의한 '문명화'를 실현하는 것이 '무슬림의 책임'이라는 것이다.

여러 가지 유의점

이슬람의 '계몽'(탄위르) 사상을 말하는 데서 몇 가지 유의해야 할 점이 있다. '빛을 준다'(영어의 Enlightenment, 프랑스어의 Lumière)라는 의미에서의 '계몽'은 서유럽에서는 18세기의 사상을 19세기에 들어서서 되돌아볼 때 소급하여 널리 사용되었다고 한다. 한편 아랍 지역에서는 특히 19세기 초의 나폴레옹의 이집트 침공

후에 마찬가지의 사용 방식을 취했지만, 어디까지나 서유럽 근대 사상을 말할 때 언급된 것에 지나지 않았다. 예를 들어 근대 사상의 시조 리파아 타흐타위^{Rifaah al-Tahtāwī}(1801~1873)는 『파리 요약을 위한 황금의 정련』(1834년)에서 프랑스에서는 종교 성직자가 마치 '빛과 지식에 대한 적처럼' 다루어지고, 교회 외에는 활동의 마당이 없다는 것에 놀라움을 보였다. 여기서 말하는 '빛'이란 타흐타위가 이집트에 스스로 보급하고자 하는 근대 과학으로 생각되지만, 그 자신이 '계몽사상가'를 자칭했던 것은 아니다. 오히려 19세기의 아랍인 사상가가 대체로 '문명화'와 '교육'을 중시하는 가운데, 그 결과 서유럽 18세기의 '계몽사상가'와 비슷한 사유를 키우게 되었다고 할 수 있을 것이다.

또한 19세기부터 20세기 초의 아랍 지역의 사상은 '계몽'이라기보다는 오히려 '나흐다'(각성, 부흥, 르네상스의 뜻)의 사상으로 오랫동안 말해져 왔다. '나흐다'는 본래 19세기 후반에 현재의 레바논에서 일어난 문예 부흥 운동을 가리켜 사용되었지만, 머지않아 아랍 민족주의의 각성 속에서 좀 더 폭넓은 지역과 시대를 망라하게 되었다. 개개의 사상가가 활약한 시대에 약간의 엇갈림이 있긴 하지만, 일반적으로 타흐타위 등이 나흐다 제1세대, 무함마드 압두^{Muhammad Abduh}(1849~1905) 등이 제2세대, 라시드 리다^{Rashid Rida}(1865~1935) 등이 제3세대의 대표적인 논객으로 생각된다.

나흐다 시대에는 '이슬람'도 단순한 신학적 개념에 머물지 않고 해당 지역 전역에 펼쳐진 문화와 문명, 정신성, 정체성, 나아가서는 역사관으로서 이해되고 있었다. 타흐타위와 마찬가지로 레바논의 그리스도교 마론파 출신의 부트루스 부스타니Butrus al-Bustānī(1819~1883)는 그 땅의 종교·종파 대립을 극복하기 위해 '조국애는 신앙의 일부'라는 예언자 무함마드의 말을 인용하면서 토지·언어·이익·습관·혈연 등의 공동성에 의해 연결되는 새로운 공동체의 창출을 호소했다. 1870년대 후반에 카이로와 알렉산드리아에서 '정신적인 스승'인 아프가니 밑에 집결한 자들 가운데는 아디브 이스하크Adīb Ishāq(1856~1885) 등의 시리아 그리스도교도 공동체 출신자가 많이 포함되어 있었다. 같은 출신의 조르지 자이단Jurji Zaydan(1861~1914)에 이르러서는 이슬람 역사에서의 역사 사건을 다룬 수많은 역사소설에 더하여 『이슬람 문명사』(전 5권, 1901~1906년)와 같은 역사 연구서도 남겼다. 종교·종파를 가르는 벽이 현재보다 훨씬 낮았던 시대에 '계몽'사상가들은 설사 고유한 문화를 짊어지고 있었다고 하더라도, '적'으로도 될 수 있을 서양 근대와 진지하게 대화하고 관용과 다원성을 중시하며 인간의 보편성을 지향하는 '시대의 정신'을 공유하고 있었다.

덧붙이자면, 이 글에서는 지면 사정으로 인해 이슬람 세계 전체의 계몽사상을 망라하여 다루기는 불가능한 까닭에, 아랍 지역에서의 나흐다 제1세대와 제2세대, 그 계몽파의 후계자들로 좁혀 고찰한다. 그것만으로도 본질적인 흐름을 파악하는 것은 가능하다고 생각한다.

2. '타자'를 거울로 하여 '자기'를 알다

'바꿔 놓음'과 '공유감'

타흐타위는 1826년, 무함마드 알리의 치세 아래 있던 이집트로부터 프랑스로 유학생으로서 파견되었다. 이슬람 성직자라는 입장에 있었긴 하지만, 유학 중에 실베스트르 드 사시Antoine–Isaac Silvestre de Sacy(1758~1838) 등 당시의 동양 학자와 교류하는 한편, 콩디야크와 루소, 몽테스키외, 볼테르와 같은 프랑스 계몽사상가의 저작에 경도되었다. 귀국 후에 유학의 경위와 프랑스의 사회·경제 사정에 대해 정리한 저작이 『파리 요약을 위한 황금의 정련』이다. 유학 중에 7월 혁명을 목격한 타흐타위는 이 저작에서 1814년 헌장(1830년에 일부 수정)을 소개하면서 군주의 자의적인 권력을 제한하기 위한 삼권 분립과 입헌제, 언론과 보도, 출판의 자유 등을 언급한다. 그런 다음 타흐타위는 '프랑스인이 자유라 이름 짓고 희구하는 것은 우리가 공정과 평등이라 부르는 것에 해당한다. 자유의 지배란 규칙과 법률에서의 평등성 확보를 의미한다'라는 견해를 보인다(Al–Ṭahṭāwī, R., *Takhalīṣ al–ibrīz fī talkhīṣ bāriz*, Hindawi, 2012, p. 113).

'자유'라는 개념은 아랍·이슬람의 사상적 전통에서 인격·윤리 면에서의 '고귀함'과 고대 그리스로 거슬러 올라가는 '노예가 아닌 상태'라는 의미에서 사용되어왔다. 하지만 형이상적인 의미에서의 자유 의지에 대해서는 '선택'과 '자기 결정의 힘'과 같은 말로 설명되어왔다. 오히려 널리 사용되고 있던 것은 '자유'가 아니라 '공정' 및 '정의'를 의미하는 아들[adl]이라는 개념이었다. 코란은 '사람들을 미워하는 나머지 정의의 길을 벗어나서는 안 된다. 언제나 공정하라'(518)라고 하여 모든 일에 대해 균형을 유지하는 태도를 보이도록 촉구하고 있다. 그것은 알라의 성질일 뿐만 아니라 신앙이 깊은 무슬림이 몸에 익혀야 할 특질이기도 했다.

또한 타흐타위는 프랑스인과 아랍인이 언어에 대한 신뢰와 조국애, 윤리관의 향상을 추구하는 정신을 공유하고 있다는 것을 강조한다. '자랑스럽게도 프랑스인과 아랍인은 공통항을 지닌다. 그것은 용감함이며 진실의 솔직한 표명이고, 또한 모럴의 완성과 같은 특징이다.' 나아가 자유에 관해서도 '프랑스인이 추구한 가치이지만 …… 아랍인의 예전의 특질이었다'(같은 책, p. 300)라고까지 잘라 말한다.

프랑스라는 '타자'와의 만남에 의해 이슬람을 짊어지고 온 자화상을 다시 응시하면서 서로의 공통항을 소박한 것까지 끌어내고자 한다. 후에 쓰인 교육론(『소년 소녀를 위한 신뢰할 수 있는 안내』, 1872년)에서도 '바꿔 놓음'의 논리를 다음과 같이 전개하고 있다.

　　문명국은 이성을 통해 이 모든 원리 원칙에 도달하여 법과 문명의 기초로 삼았다. 그것은 인간의 활동에 대해 말하는 이슬람 법의 다양한 규정을 뒷받침하는 원리 원칙으로부터 거의 벗어나 있지 않다. 우리가 '이슬람법의 원칙'이라고 부르는 것은 그들이 '자연권'과 '자연법'이라고 부른 것이다. 그것은 무엇을 받아들이고 무엇을 거부할 것인가에 대해 시민법의 기초가 되는 합리적인 원리 원칙을 말한다. 우리가 '공정'과 '미덕'이라는 부르는 것을 그들은 '자유'와 '평등'이라고 부른다. 무슬림이 '신앙의 사랑과 준수'라고 부르는 것을 그들은 '애국심'이라고 부른다. 이슬람에서의 애국심은 신앙의 한 부분이며, 신앙의 준수는 의무이다. (Al-Ṭaḥṭāwī, *Al-Murshid al-amīn fī tarbiyat al-banāt wa al-banīn*, Dār al-kitāb al-miṣrī al-lubnānī, 2012, p. 267)

레바논의 부스타니도 포함한 나흐다 제1세대는 서유럽 계몽사상의 기본 개념 가운데 많은 것을 아랍·이슬람 지역의 전통적인 말로 파악하려고 힘썼다. 하이르딘Khayr al-Dīn al-Tūnisī(1820~1890)은 튀니지와 오스만 제국의 재상을 맡을 정도로 정치에 직접 관여한 인물이었는데, 『무슬림 나라들에 필요한 개혁』(1867년)을 집필하고, 근대 민주주의에 관계하는 다양한 개념을 이슬람 전통에 입각하여 설명했다. 예를 들어 제2대 정통 칼리프인 오마르가 '자신의 정치가 일탈한다면 바로잡아주기를 바란다'라고 말할 때, 따르는 무리 가운데 한 사람이 '알라에게 맹세코 칼을 가지고서 바로잡겠습니다'라고 대답한 일화가 있다. 하이르딘은 이 고사를 인용하여 위정자의 자의적 권력을 통제하는 의회제와 정치 저널리즘의 원형이 자신들의 역사에도 존재한다고 주장한다.

나아가 그는 중세의 사회학자 이븐 할둔Ibn Khaldun(1332~1406)에 의해 '무질서를 억누르는 왕권'으로 생각된 '억제력'이라는 개념을 역으로 군주의 권력을 제한하기 위한 대항 권력으로 근대적으로 바꿔 읽었다. 요컨대 이슬람 전통 속에 '억제력을 억제하는 권력'이 '해결하는 사람들'(명사名士 → 의원)과 '슈라'(협의 → 의회)라는 형태로 존재한다고 하여 스스로 경애하는 몽테스키외와 똑같은 '제한 정체'론을 전개한 것이다. 그리고 즉각적으로 적용하는 것은 어렵다고 하더라도, 책임 있는 정부와 법의 지배, 보도의 자유를 유럽의 정치 제도로부터 배워 받아들여야 한다고 그는 말한다 (Khayr ed–Din, *Essai sur les réformes nécessaires aux États musulmans*, Édisud, 1987, 특히 pp. 97~106을 참조).

'바꿔 놓음'의 한계

그러나 '바꿔 놓음'은 어디까지나 '바꿔 놓음'에 지나지 않는다. 가장 모순이 생긴 것은 프랑스 계몽사상이 근대적인 자연권적 발상에 기초하여 자유와 평등과 같은 가치들을 그 자체로서 희구하는 '권리의 체계'였던 데 반해, 이슬람이 '신의 질서'를 대전제로 하는 종교적 규범을 법원으로 한 '의무의 체계'였다는 점이다. 샤리아(이슬람법)에 비추어보면, '의무', '권장', '허가', '기피',

'금기'라는 5단계 규정의 어느 것이든 '인정되는가 아닌가'가 초점
이 된다. 타흐타위가 아무리 자연권적 발상을 신봉한다고 하더라도
'어떤 인간이더라도 태어나면서 권리를 지닌다'라는 발상을 모든
사회적, 정치적 차원에 적용하기는 어렵다. 그것은 타흐타위가
다섯 가지로 분류한 자유관에서도 뚜렷이 드러난다.

타흐타위에 따르면 첫 번째의 '자연적 자유'란 음식, 보행 등을
포함한 자연적 존재로서의 자유이며, 두 번째의 '행동적 자유'란
양식, 윤리, 이성에 기초한 행동의 자유라고 한다. 여기까지는
자연권적인 발상과 큰 차이가 없다. 그러나 세 번째의 '종교적
자유'란 종교의 원칙을 벗어나지 않는다는 조건 아래에서의 신앙과
종교를 선택하는 자유이며, 네 번째의 '시민적 자유'란 샤리아에
저촉하지 않는다는 조건 아래에서의 시민들이 권리를 행사하기
위해 상호 부조하는 자유라고 한다. 나아가 다섯 번째의 '정치적
자유'로 되면, 신민의 정당한 자산과 자연적 자유를 보장하는
'국가의 자유'로 정의되고 '시민의 자유'는 무시된다(Al-Ṭahṭāwī,
Al-Murshid al-amīn ……, pp. 273~277). 타흐타위는 삼권 분립론에
대해서도 이집트에서 입법권과 재판권, 행정권은 '법의 조건 아래
에서 왕권으로서 통일된다'라는 입장을 보인다. 이런 의미에서는
어디까지나 '인민 주권'이 아니라 '신의 주권'과 '왕의 주권'이라는
틀 속에서 '자유'를 말했던 것이 된다.

또한 하이르딘도 이슬람 세계에서 자유와 진보를 방해하는
것은 무엇보다도 '지배자의 자질'이라고 하여 국가주의적 입장을

다음과 같이 보여준다.

실제로 무슬림 나라들에서 오늘날까지 개혁의 도입과 점진적인 발전, 정치·행정 측면에서의 완전한 제도의 확립을 방해하고 있는 원인은 자유와 진보를 원래 장려하고 있을 코란의 장구에 있는 것도 아니고 전제 정치를 좋아하든 아니든 뒷받침하는 일반 민중의 무력함과 무지에 있는 것도 아니다. 그것은 오히려 군주와 정치가의 무관심에 있다. 그런 까닭에 그것은 정치적, 국가적 과제이다. (Khayr ed-Din, *Essai sur les réformes nécessaires* ……, p. 142)

'좋은 왕'의 대망은 중세의 철학자 파라비al-Farabi(872~950)의 '이상 도시론'으로 대표되는 전통적인 이상주의적 국가론의 재탕이었다고 말할 수 있겠지만, 식민지 지배가 알제리와 튀니지, 이집트로 차례차례 확대되는 가운데 탁월한 지도자에 의한 단호한 내정 개혁이 절실하게 요구되고 있었다는 배경도 있었다. 무능한 지도자 아래에서 무질서가 만연하면, '외국 세력이 오스만 제국의 내정에 간섭하고 국익에 반하는 정치를 가져오기에 알맞은 구실을 부여한다'(같은 책, p. 116)라고 하이르딘은 걱정을 드러낸다. 19세기 말의 아랍·이슬람 세계가 놓인 이러한 역사적 맥락은 다가오는 세대에서 한층 더 선명하게 의식하게 된다.

3. 나흐다 제2세대에서의 실천적 응답

새로운 정치 상황과 '공공권'의 확립

1870년대 후반에 아랍의 언론계를 짊어지기 시작한 나흐다 제2세대는 새로운 정치 상황에 직면했다. 오스만 제국 중앙 정부와 이집트에 의회제 도입이 시도되면서 시민적이고 정치적인 자유의 관념이 널리 퍼졌다. 하지만 동시에 많은 사상가가 전제 권력뿐만 아니라 식민지주의 권력과의 직접적인 대결로 나서며, 패배와 점령, 국외 추방을 경험했다. 서양 근대가 '대화'와 동시에 '대결'의 상대로서 나타난 이상, 안이한 '공유감'을 표명할 수 없는 시대로 돌입하고 있었다. 전 세대와 같은 '바꿔 놓음'만으로는 현실을 설명하고 장래에 대한 사상적 전망을 열기에는 이미 충분하지 않았다.

사상가들이 새롭게 직면한 과제들에 대해 구조선이 된 것이 정치 저널리즘의 발전이었다. 앞장서서 이끄는 역할을 짊어진 것이 아프가니 아래 모인 시리아의 그리스도교도 공동체 출신자들이다. 오늘날까지 이어지는 이집트의 대표적 신문 『알아흐람』지는 당시 시리아 출신의 타클라 형제에 의해 설립되었다. 서유럽 계몽사상의 수용이라는 의미에서는 아디브 이스하크의 존재도 간과할 수 없다. 이스하크는 루소와 몽테스키외의 원서와 격투하면서 '공정'과 '억압'(줄름)과 같은 전통적인 대의어 대신 자유와 전제주의라는 근대 정치 용어를 사용하여 이로 정연한 논리를 전개했다. 『삼취인경륜문답三醉人経綸問答』(나카에 초민中江兆民)의 서양 학문을 하는 신사를 떠올리게 하는 이스하크와 같은 논객과 절차탁마하면서 후에 '이슬람 개혁파'로 불리는 논자들은 새로운 '공공권公共圈'의 형성에 공헌했다. 이슬람 세계를 종횡무진 횡단한 스승 아프가니의 활약도 있고 오스만 제국과 페르시아, 인도를 포함한 역내의 사상 교류도 활발해졌다. 이러한 가운데 아랍의 이슬람 사상가는 전통적인 인식 체계를 이어 나가면서도 '시대의 정신'을 공유하는 가운데 개인차를 수반하긴 하였지만 '모더니스트'로서 한층 더 나아간 논의를 전개하게 된다. 그 대표 격이 바로 무함마드 압두였다.

무함마드 압두에게서의 '계시와 이성의 조화'

압두의 편력은 풍요롭다. 본래는 아프가니 동아리의 일원이었지만, 우라비 혁명 시대에는 관보의 편집장을 맡아 이집트의 여론 형성에 크게 공헌했다. 혁명의 좌절 후에는 영국 당국에 의해 수감 뒤에 추방된다. 망명지인 파리에서는 아프가니와 『굳은 연대』의 발행을 돌보고 이슬람 국민들의 연대를 호소했다. 1888년경에 이집트로의 귀국을 허락받고 나서는 지방 판사와 고등법원 대법관, 아즈하르 운영위원회 정부 측 위원, 나아가서는 최고 무프티, 입법회의 의원 등으로 입법·종교계에서 요직에 취임했다.

다른 한편 이슬람 자선 협회와 같은 시민적인 활동에도 관여하는 한편, 저술을 통해 독자적인 신학론과 교육론, 점진주의적인 사회 개혁론을 전개했다.

압두의 사상은 '계시와 이성의 조화'라는 점에서 일관된다. 알아즈하르대학의 학생 시대에 우수한 성적을 거두면서도 보수적인 교사로부터는 평가받지 못했다는 일화에서 보이듯이 압두는 '답습하는 지식'을 그대로 받아들이는 것을 단호하게 거부한다. 코란이나 하디스와 같은 신앙상의 경전이든 신학이나 철학적인 텍스트이든 샤리아로 되는 교의가 합리적인 사고와 모순되는 것이라면, '이성'과 합치하도록 해석하는 노력(이주티하드)을 계속해야만 한다. 압두는 '답습'의 노예 상태로부터 모든 권위에 대한 맹목적인 복종으로부터 인간을 해방하기 위한 '용기'가 필요하다고 역설했다.

압두는 답습하는 지식을 비판적으로 해석하는 가운데 아슈아리학파의 사상에 깊이 공명한다. 그것은 아바스 왕조 시대에 그리스 철학과 헬레니즘 문화에 감화받아 극단적인 합리주의를 내건 무타질라학파도 아니고 그에 반대하여 민중의 소박한 신앙심을 중시하고 코란과 순나의 묵수를 주장한 한발학파도 아니다. 쌍방의 중도를 걸어간 아슈아리학파에 따르면, 인간은 알라에 의해 창조되면서도 동시에 스스로의 행위를 '선택'하고 창출하는 '자기 결정하는 힘'도 부여받았다. 이리하여 인간은 의지에 의해 선악을 구별하고 행복에 이르는 수단을 '획득'하며 행위 주체로서의 책임을 다하는 것이 가능해진다. 이렇게 생각하는 압두에게 중요한 것은 전통적 텍스트를 현실에 적용하는 것이 아니라 오히려 텍스트의 내적 의미를 시대와 사회의 요청에 따라 다시 발견하는 것이다. 그런 의미에서 모든 지식에 대해서는 근대적 생활의 과제들에 적용할 수 있는가, 즉 유용하냐 아니냐는 프래그머티즘이 요구된다.

이러한 생각은 『통일의 메시지』(1897년)와 『과학과 문명에 대한 이슬람과 그리스도교의 관계』(1902년), 『코란 주석』(1905년 사후에 출판)과 같은 대표작에서 온전하게 제시되어 있다. 나아가 압두는 사회와 정치에 관계되는 고찰도 심화시켜간다. 예를 들어 칼리프를 둘러싼 논쟁에서 압두는 '이슬람에서 본래 종교적 권위는 존재하지 않는다'라고 단언한다. 본래 칼리프는 예언자가 아닐 뿐만 아니라 이슬람의 교의를 독점적으로 해석할 권한을 지니지도 않는다. 요구되는 탁월한 학식과 높은 윤리성, 능력을 갖추지 못한 인물이라면, 공동체의 구성원에 의해 파면될 수도 있다. 그런 까닭에 칼리프는 시민에 의해 통제된 존재이며, 유럽사에서의 '신권 정치'와 동일시할 수 없다고 한다('Abduh, M., *Al–A 'māl al–kāmila*, Dār al–shurūq, 2006, Vol. III, pp. 309~311).

이성적인 사유에 기초하면 관찰과 실험, 증명과 같은 논리적, 과학적 방법을 통해 일반적인 원칙과 법칙을 도출하는 것도 가능하다. 이러한 '원리 원칙'(수난: 무슬림이 지켜야 할 '관행'을 의미하는 순나의 복수형)에는, 비록 그것이 서유럽 근대의 사상가가 각각의 형태로 도달한 것이었다고 하더라도, 결코 무슬림도 각각의 방법으로 도달할 수 없는 것이 아니다. 19세기 말의 아랍 세계에서는 시리아인 사상가에 의해 다원주의에 관계되는 사상이 많이 소개된 것에 더하여, '문명국'에 의한 식민지화로 인해 민족 존망의 위기가 심각해졌다. '생존 경쟁'과 '자연 선택'을 비롯한 생물 진화론이나 사회 진화론적인 사고방식이 모종의 절실한 실감을 동반하면서 보급되고, 처음에는 '신심이 없는 자의 사상'으로서 전면적으로 거부되는 경향도 있었다. 그러나 제자가 전하는 바에 따르면, 압두는 '만약 알라가 인간을 서로 견제하도록 작용하지 않았다면, 이 지상은 완전히 부패했을 것이다'(2–251)라는 코란의 장구에 마찬가지의 사고방식이 제시되어 있다고 하여 이슬람의 교의와 모순되지 않는다는 입장을 보였다고 한다(*Al–Manār*, Vol. 8, pp. 929~930).

압두는 우라비 혁명 시대부터 사회의 권력 구조에 대해 날카로운 분석을 해왔지만, 귀국 후에도 무함마드 알리 왕조의 전제 구조에 대해 다음과 같은 일반 원리를 도출한다.

정부의 직원과 행정의 관리는 약탈과 수탈의 연쇄를 구현한 존재였다. 이 연쇄는 강대한 그룹으로부터 약소한 그룹에 이르기까지 단계적으로 억압을 펼치고, 최종적으로 비참한 농민에까지 도달한다. 농민은 목덜미를 잡히고 수렁에 빠지며 피와 눈물과 이마의 땀을 흘리면서 관리가 요구하는 대지의 금괴[국부]를 부지런히 채굴한다. 이 금괴는 약소한 그룹으로부터 강대한 그룹으로 서서히

운반되며, 최종적으로 연쇄의 말단에 이르기까지 장악하고 있는 지배자의 손으로 넘겨진다. ('Abduh, *Al-A 'māl al-kāmila*, Vol. I, p. 764)

아랍·이슬람 세계에서는 그리스 철학의 수용 이후 신플라톤주의의 사상적 전통이 강하게 보였다. 제1원인인 동시에 제1존재이고 또한 제1지성으로 여겨지는 알라로부터 제2지성과 제1천계, 제3지성과 제2천계, 월계층, 경험적 세계, 인간적 지성이 단계적, 계층적으로 유출하는 우주관(코스몰로지)이다. 압두의 고찰이 흥미로운 것은 이 신플라톤주의적인 사유 방법을 정치학적, 사회학적 구조 분석에 응용하고 있는 것으로 보인다는 점이다. 권력과 권위가 지고의 권력자로부터 모든 중간층을 거쳐 농민층을 비롯한 민중 차원으로까지 유출, 즉 덧붙여 간다는 인식을 보여준다는 점에서, 그것은 결과적으로 일본의 정치학자 마루야마 마사오 丸山眞男가 말한 '억압 이양의 논리'를 다른 형태로 설명한다고 할 수 있을 것이다.

계시와 이성이 조화를 이루면, '관용'의 정신을 기르는 것도 가능하다. 아프가니는 '광신'을 의미해온 아라비아어 '타아스부'라는 말이 '유대'를 의미하는 '아스부'를 어근으로 하며 이슬람 세계의 연대를 환기하고 있다는 해석을 끌어내 서양과의 대결 자세를 한층 더 드러냈다. 이에 반해 파리 시대 이래로 다시 스승을 만난 적이 없던 압두는 이른바 '신심이 없는 자'라고 안이한 레테르를 붙이는 것을 인정하지 않는 것이 이슬람의 대원칙이라고 하여 좀 더 유연성을 동반한 이주티하드 Ijtihâd(코란이나 하디스 등의 법원法源에서 스스로 법을 연역하여 판단하는 일)를 보인다. '설령 100개의 측면에서 신심이 없는 자라고 하더라도, 만약 하나의 측면에서 신앙심을 인정할 수 있다면, 그 사람은 신앙을 지닌다. 결코 그를 신심이 없는 자로 비난해서는 안 된다.'('Abduh, *Al–A 'māl al–kāmila*, Vol. III, p. 304)

요컨대 압두는 세속과 종교의 완전한 분리가 불가능하다고 스스로 생각하는 사회에서 이슬람을 '통일된 인간', 즉 신앙과 근대적 생활로써 내면이 분열되는 일이 없는 새로운 정신을 산출하는 양식으로 삼아야 한다고 역설하는 것이다. 그것은 폐쇄적, 자기 완결적인 종교적 앎에 머물지 않고 좀 더 현실의 세계와 시대의 요청과의 관계를 중재하는 개방성과 관용성을 수반한 정신이라고도 말할 수 있을 것이다. 이런 의미에서 압두의 이슬람 사상은 대단히 '계몽적'이었다고 할 수 있다.

'통일된 인간'을 이념으로서 추구한 다음, 압두는 세계로부터 많은 것을 배웠다. 40세를 지나 본격적으로 프랑스어를 습득하기 위해 알렉상드르 뒤마의 소설을 그대로 암기한 에피소드는 유명하지만, 서고에는 이슬람 사상사에서의 수많은 저작에 더하여 루소의 『에밀』과 칸트의 『순수 이성 비판』, 스펜서의 『교육론』, 나아가서는 톨스토이의 『전쟁과 평화』 등도 나란히 놓여 있었다. 압두는 톨스토이에게 보낸 편지에서는 다음과 같이 찬사를 보내고 있다. '당신의 말은 지성의 인도이며, 당신의 작품은 결의와 관심의 환기이고, 당신의 견식은 헤매는 자의 빛이며, 당신의 뒷모습은 탐구자에 대한 모범이고, 당신의 존재는 부자에 대한 신의 경고와 동시에 빈자에 대한 배려이다.'('Abduh, *Al−A 'māl al−kāmila*, Vol. II, p. 361) 이처럼 당시 이집트의 최고위에 있던 이슬람 사제는 보편적인 휴머니즘을 세계 문학으로부터 배우고자 하는 자세도 관철했다.

4. 제3세대에서의 계몽파와 그 계승자들

계몽파와 전통 회귀파의 분열

압두의 사상이 다양한 한계를 지니고 있다는 것은 의심할 수 없다. 확실히 '삼권 통일론'을 주창한 타흐타위, 동양 나라에서의 '민족의 자유'를 가장 우선시한 아프가니와 비교하면, 압두는 한층 더 자유주의적인 사상을 길렀다고 말할 수 있다. 그렇지만 우라비 혁명을 뒤에 되돌아볼 때 당시의 이집트인은 민중도 지배자도 모두 '자유를 옹호하는 전면적인 용의가 있다고까지 믿었다'('Abduh, *Al−A 'māl al−kāmila*, Vol. I, pp. 767~768)라고 하더라도 특히 정치적인 의미에서의 '자유'에 대해서는 조금 엉거주춤한 자세였다.

그러나 압두의 사상에 공명하는 이슬람 개혁파의 논자들 가운데는 자유의 가치를 한층 더 옹호하는 자도 나타났다. 알레포 출신의 알둘라흐만 카와키비'Abd al−Raḥmān al−Kawākibī(1855~1902)는 오스만 제국의 아브뒬하미드 전제 체제 아래에서 명백한 억압에 노출되는 가운데『전제의 성질』(1902년)을 집필하고, '개개인의 자유'와 '정치적인 자유'의 상호 의존성을 다음과 같이 말한다.

전제주의적인 사람들은 전제자에 의해 지배되고, 자유로운 사람들은 자유로운 자에 의해 지배되고 있다. '당신이 사로잡힌 인물처럼 당신 자신이 된다'라는 것은 분명하다. 가장 바람직한 것은 이와 같은 땅에 사로잡힌 자가 그로부터 해방되고 자유를 얻는 것이다. (Al-Kawākibī, 'A. R., *Al-A 'māl al-kāmila*, Markaz dirāsāt al-wah. da al-'arabīyya, 1995, pp. 441~442)

카와키비가 보기에 전제 정치는 종교가 아니라 오히려 나쁜 '관습'의 산물이다. 억압적인 통치 방식이든 민중의 뇌리에 깃드는 사고 양식이든 관습은 종교로부터 자율적인 존재이며, 그것 자체의 개혁이 요구된다. 오랫동안 불문에 부쳐온 여성의 예속 상태도 그렇다. 카심 아민Qāsim Amīn(1863~1908)은『여성의 해방』(1899년)에서 히잡(무슬림 여성이 얼굴을 가리는 스카프) 문제에 관해 무엇보다도 종교와 관습을 구별할 필요성을 이야기한다.

현재 존재하는 히잡은 우리에게 독자적인 것이 아니고 무슬림이 사용하기 시작한 것도 아니다. 오히려 거의 모든 나라에 존재한 익숙한 습관이며, 사회의 요청에 따라, 또한 그 발전의 흐름 속에서 자연히 사라져간 것이다. 이 중요한 문제는 종교적 견지와 더불어 사회적 견지에서 살펴볼 필요가 있다. (Amīn, Q., *Al-A 'māl al-kāmi-la*, Dār al-shurūq, 1989, p. 351)

이성적인 사고에 의해 관습과 전통을 종교적 견지로부터 분리하고 역사적, 사회적인 맥락에서 독해하고자 하는 자세는 알리 압둘 라지크Shaikh Ali Abd al-Razig(1888~1966)의『이슬람과 통치의 기초』(1925년)와 타하 후사인Taha Hussein(1889~1973)의『자힐리야 시대의 시에 대하여』(1926년) 등으로도 계승되어간다. 그렇지만 특히 1910년대 이후, 식민지주의에 의한 직접적인 지배가 강화되는 가운데 이성보다 계시로 치우치고 신학 텍스트의 '엄밀한 해석'을 추구하는 회귀주의적인 사고도 보이기 시작한다. 라시드 리다Rashīd Riḍā (1865~1935)는『칼리프 또는 위대한 이맘』(1922년에『마나르』지에 처음 게재)에서 이주티하드를 앞에서 이끄는 전통적 칼리프의 부활을 호소했다. 이러한 사고가 머지않아 무슬림 형제단 창시자인 하산 반나Hassan al-Banna(1906~1949)와 그의 이론적 지주가 된 사이드 쿠틉sayyid qutb(1906~1966) 등으로 계승되어간다.

이리하여 서양 근대는 물질주의와 향락주의로서 통틀어 부정되는 한편, 지하드는 감미로운 자살, 때로는 폭력 행위와 결부되었다. 이슬람 사상사에서의 '계몽' 시대는 이미 종언을 고했다고 여겨지고 있었다.

재해석되는 이슬람의 '계몽'사상

그러나 1990년대에 들어와 이집트와 시리아를 중심으로 이슬람의 계몽사상이 다시 주목을 받기 시작했다. 그것은 한편으로는 민족주의 시대의 '과도한 세속주의'에 대한 반성으로부터, 다른 한편으로는 사람들에게 막대한 영향력을 미쳐온 급진적인 이슬람주의에 대항하는 데서의 '열린 지성'으로서 해석되어왔다. 여전히 시민 사회와 국가의 건전한 균형을 달성할 수 없는 가운데 정치·사회 개혁을 향한 국민적 '공통 기반'을 확인하는 의미도 있었다. 이러한 맥락에서 압두 등이 활약한 19세기부터 20세기 초가 '나흐다'임과 동시에 '계몽'사상의 시대로 강조되게 되었다.

사회의 발전을 위해 이슬람을 약화할 것인가 아니면 강화할 것인가 하는 르낭과 같은 문제 제기는 그다지 중요하지 않다. 오히려 현대의 사상가에게 절실한 과제는 서양과 진지하게 대화하고 내재적으로 이해하고자 하는 자세를 관철하면서도 동시에 세속과 종교가 나누기 어렵게 결부된 자기의 사회에서 고유한 전통과 정신 구조를 기반으로 한 개혁 방법을 실천적으로 고안해내는 것이다. 그런 의미에서 '타자'를 거울로 하여 '자기'의 쇄신을 계속해서 추구한 이슬람 계몽사상은 새로운 보편성을 찾고자 하는 현대의 계승자에게 끊임없이 돌아보아야 할 문화의 원천이다.

☞ 좀 더 자세히 알기 위한 참고 문헌

— 라일라 아흐메드Leila Ahmed, 『이슬람에서의 여성과 젠더 — 근대 논쟁의 역사적 근원イスラームにおける女性とジェンダー――近代論爭の歴史的根源』, 하야시 마사오林正雄 외 옮김, 法政大学出版局, 2000년. 특히 제8장「베일에 관한 언설」에서 카심 아민의 『여성의 해방』이 소개됨과 동시에 동시대와 후세의 여론에 준 영향에 관해서도 상세하게 논의하고 있다.

— 이이즈카 마사토飯塚正人, 『현대 이슬람 사상의 원류(세계사 리브레토)現代イスラーム思想の源流(世界史リブレット)』, 山川出版社, 2008년. '참된 이슬람'을 둘러싼 조류들의 역사를 개괄적으로 제시함과 동시에 이 글에 등장한 각 논자의 사상을 망라하여 다루고 있다.

— 마쓰모토 히로시松本弘, 『무함마드 압두흐 — 이슬람의 개혁자(세계사 리브레토)ムハンマド・アブドゥフ――イスラームの改革者(世界史リブレット 人)』, 山川出版社, 2016년. 계속해서 '계시와 이성의 조화'를 추구한 압두의 생애와 개혁 사상의 전체상을 아는 데 적절한 텍스트이다.

— 역사학연구회歷史学研究会 편, 『세계사 사료 8 — 제국주의와 각지의 저항 I. 남아시아·중동·아프리카世界史史料 8——帝国主義と各地の抵抗 I. 南アジア·中東·アフリカ』, 岩波書店, 2009년. 특히 제2장에서 19세기의 오스만 제국과 아랍 지역, 페르시아, 아프가니스탄과 같은 광범위하게 걸쳐 있는 지역에 관해 민족·종교 사상을 포함한 1차 자료의 일역과 해설이 풍부하게 수록되어 있다.

칼럼 4

세계 시민이라는 사상

미타니 나오즈미三谷尚澄

'나는 세계 시민이다.' 고대 그리스에서 살아간 시노페의 디오게네스의 이 말과 더불어 '세계 시민의 사상'은 시작되었다고 말해진다.

역사를 되돌아보면, 세계 시민의 사상에 대해서는 전통적으로 다음과 같은 비판이 가해져 왔다. '세계 시민주의' 입장은 우리가 개별 국가를 넘어선 '유일한 올바른 국가'의 법에 따라야 할 것을 요구하지만, 모든 국가를 포섭하는 보편적이고 추상적인 '세계 국가' 따위는 존재하지 않는다. '시민'이라는 것이 특정 국가의 성원이라는 것을 통해 실현되는 사태인 이상, '세계 시민'이라는 것이란 스스로가 귀속해야 할 국가를 보지 못한 뿌리 없는 존재라는 것을 의미하는 데 지나지 않는 것이 아닐까?

이러한 비판에 대해 예를 들어 현대의 철학자인 마사 누스바움Martha Nussbaum(1947~)은 세계 시민을 옹호하는 맥락에서 스토아학파의 철학자들을 언급하면서 다음과 같이 주장하고 있다. 세계 시민이라는 것은 자신·가족·지역·거리·나라……의 순서로 확대되는 일련의 동심원의 첫 번째 바깥쪽에 인류 전체라는 원을 인정하는 태도를 말하며, 그 태도 자체가 전통적인 공동체와 국가에 대한 지역적인 귀속과 모순되는 것은 아니라는 것이다(「애국주의와 코즈모폴리터니즘」).

'어디서 태어났는가 하는 우연'과 관계없이 '모든 인간이 평등한 도덕적 고려의 대상이 되어야 할 것'을 요구하는 세계 시민의 사상이 수행해야 할 역할이 유례없을 정도로 높아지고 있다는 점에 대해서는 의심할 수 없을 것이다. 예를 들어 '세계 시민적 견지에서의 철학'의 대표자인 칸트는 '지구의 표면을 모두가 공동으로 소유하고 있는' 것을 근거로 하여 '근원적으로는 누군가 한 사람으로서 지상의 어떤 장소에 있는 것과 관련해 타인보다 더 많은 권리를 가지는 것은 아니다'라는 것, 그런 까닭에 모든 인간에게는 지구상의 어느 국가도 '방문할 권리'가 인정되어야 한다는 것을 주장하고 있었다. '자국 우선'의 원리를 소리 높여 외치고 이민자들의 자유로운 이동을 국경의 벽이 막는 현 상황에 대해 '이방인에 대한 우호'의 원칙을 설파한 칸트라면 어떻게 평가했을 것인가(『영원한 평화를 위하여』)?

또한 국경을 넘어선 역병과 시대를 넘어서 계승되는 기후 변동의 영향을 받는 '미래의 세계 시민'들, 나아가서는 지구 밖의 행성과 식민지에서 살아가는 '우주 시대의 시민'과 같은 화제를 생각하는 데서도 '확장된 세계 시민의 사상'이 유효한 시각을 제공해준다는 점에 대해서는 의심할 여지가 없어 보인다. 기원전 4세기의 그리스에서 시작되는 세계 시민의 사상은 지금도 여전히 현재적인 사상일 뿐 아니라 아득한 미래에까지 계승되어야 할 사상적 광맥을 감추고 있다. 내게는 그렇게 결론 짓는 것도 충분히 가능한 것으로 보인다.

칼럼 5

프리메이슨

하시즈메 다이사부로橋爪大三郎

프리메이슨리Freemasonry란 석공의 조합을 말한다. 중세에는 다양한 직인 조합이 있었다. 그중에서도 석공은 고향을 떠나 건설 현장에서 장기간 더부살이하는 까닭에 결속이 굳었다고 한다.

오늘날 '프리메이슨'으로서 알려진 것은 근대 프리메이슨이다. 중세의 석공 조합의 전통을 잇는다고 하지만 의심스럽다. 1717년에 런던에서 결성되었다. 그것이 프랑스와 독일, 아메리카에도 널리 퍼지고, 유력한 결사가 되었다. 의식 때에 착용하는 앞치마와 직각 정규直角定規와 컴퍼스의 마크 등의 상징을 사용한다. 비밀 의례를 행하는 '비밀결사'이다.

어떠한 이유에서 프리메이슨은 널리 퍼진 것일까? 첫째, 신분과 교회로부터 자유로운 사교 클럽이다. 신흥 시민 계급은 귀족이나 유력자와 서로 알고 정보를 교환하고자 했다. 고등교육이 보급되어 있지 않았기 때문에, 석공이 사용한다고 생각되는 기하학(이공계의 지식)은 지적 욕구를 채워주었다. 또한 근대 사회의 기본 인식을 공유할 수 있었다. 둘째, 인맥의 네트워크를 만들 수 있다. 가톨릭과 달리 프로테스탄트 교회는 몇 개의 종파로 나누어져 있다. 프리메이슨은 그 가운데 어느 신앙을 지녀도 좋고, 내부에서 종교 이야기는 하지 않는다. 프로테스탄트 신앙을 은근히 무시하는 프리메이슨은 이신론Deism을 기본으로 한다. 이신론은 계몽사상과도 통하는, 당시 최신 사조였다. 아메리카 독립 혁명은 프리메이슨의 네트워크가 없었으면 잘 이루어지지 않았을 지도 모른다. 조지 워싱턴도 벤저민 프랭클린도 메이슨이었다. 셋째, 먹고 마시고 즐기는 기회를 제공했다. 교회는 부인이나 가족 동반이지만, 메이슨의 모임은 남성뿐이었다. 집회소(로지)는 오랫동안 선술집을 겸하고 있었다. 메이슨이라고 하면, 술꾼으로 정해져 있었을 정도이다. 넷째, 명예심을 만족시킨다. 구성원은 여러 계급으로 나누어져 있고 차차 출세한다. 그때마다 의식이 있다. 재정 상태가 좋은 아저씨가 명사인 체 할 수 있다. 그런대로 돈도 들어간다. 기부를 모아 자선 활동을 한다. 템플기사단, 슈라이너 등 파생 단체가 몇 개 있으며, 겸해서 하면 바쁘다.

　이처럼 해롭지 않은 단체인데도 왜 음모 집단이라는 평판이 끊이지 않는 것일까? 각국의 첩보 기관이 그러한 소문을 부추겨온 것이 하나의 이유이다. 일본에서도 육군이 음모론을 퍼트리고 위기감을 부채질했다. 연합군 사령관 맥아더 원수는 메이슨이고, GHQ(연합군 총사령부)에도 메이슨이 있었다. 그리스도교와 이신론의 소양이 부족하면, 조잡한 음모론도 참으로 받아들이기 쉽다.

　프리메이슨은 내내 가톨릭교회에 대해 대항 의식을 지녀왔다. 최근에는 무슬림과 불교도에게도 문호를 열고 있다. 사회관계를 재설정할 수 있는 해방감이 매력일 것이다.

제9장

중국에서의 감정의 철학

이시이 쓰요시石井 剛

1. '중국의 르네상스'

'정동론적 전회'의 시대에

이 원고를 쓰고 있는 지금, 신형 코로나바이러스 감염증COVID-19이 맹위를 떨치고 있다. 눈에 보이지 않는 병원체가 아무도 모르는 사이에 널리 퍼지는 전염병, 그리고 그것이 치료 방법이 확립되어 있지 않은 새로운 질병이라는 것은 사람들을 불안하게 만들지 않을 수 없다. 소셜 미디어에 넘쳐나는 정보는 바로 전통적인 대중 매체가 전해주지 않는 진실이 거기에 놓여 있다고 믿는 사람들에 의해 널리 확산되며, 진위를 확인할 사이도 없이 널리 퍼져 간다. 이러한 상황 속에서 중요한 것은 냉정해지는 것, 과학적인 근거에 입각하는 것이며, 그런 다음 '올바르게 두려워하는' 것이라고들 말한다. '올바르게 두려워한다'라는 것은 요컨대 객관적 근거와 과학적인 식견에 기초하여 공포의 감정을 달래고 이성적으로 대처하고자 하는 것일 터이다.

그렇게 감정은 때때로 폭주하고, 따라서 이성에 의해 제어되어야만 한다. 이성이야말로 중요한 것이다. 우리는 그렇게 생각하며 생활하고 있다. 하지만 마음의 철학을 연구하는 노부하라 유키히로信原幸弘는 우리가 보통 지니는 감정과 이성의 관계에 대한 인식을 바꾸자고 제안한다. 요컨대 이성 쪽이 소중한 동시에 올바르다고 생각하는 것이 아니라 오히려 이성은 감정을 보좌하는 데 지나지 않는다고 생각해야 한다는 것이다.

근간에 '정동론적 전회'라는 말이 들리기 시작했다. 이성과 감정의 이원화는 근대적 과학 기술을 뒷받침함과 동시에 자연주의와 같은 흐름도 낳았고, 개인 내면의 자유와 '자연'이 결부되면서 과학적 이성과는 대극이지만 한 쌍을 이루는 가치로서 찬양되는 가운데 근대적 개인주의를 뒷받침해왔다. 인공 지능AI과 같은 21세기의 새로운 테크놀로지 시대에는 인간의 의식, 특히 생활을 즐길 때의 기쁨과 타자에 대한 애착 등의 감각 등에 대해 다시 한번 계몽의 시대에서 생겨난 이성/감정 관계와는 다른 점에서 다시 파악해야 할 필요가 있다는 것일 터이다. 노부하라의 관심도 그러한 동향에 호응하고 있는 듯하다.

노부하라에 따르면, 정동(노부하라는 감정이 아니라 이렇게 부른다)은 우리가 오랜 시간을 들여 단련해가야 하며, 그 과정에서 점차 잘못된 것을 피할 수 있게 된다. 그렇게 해서 단련된 정동 능력이야말로 우리 인생의 행복을 위해 가장 중요한 것이고, 정동을 단련하는 것이 이성의 역할이라고 노부하라는 말한다.

> 정동 능력의 단련에는 상당한 시간이 필요하다. 우리는 상황의 가치적인 존재 방식에 상응하지 않는 정동이 자신의 정동 능력에 의해 산출될 때마다 그 정동을 이성에 의해 제어하는 것을 여러 차례 반복하여 점차 정동 능력을 개선하고, 마침내는 거의 적절한 정동만을 산출할 수 있는 정동 능력을 획득할 수 있다. (노부하라 유키히로信原幸弘, 『정동의 철학 입문情動の哲学入門』, 勁草書房, 2017년, vii~viii쪽)

나는 이 부분을 읽고서 생각하지 않고(감정적으로) 무릎을 쳤다. 왜냐하면 여기서 말하는 것은 그대로 중국 철학에서 논의되어온 것으로 통하기 때문이다. 노부하라는 바로 앞에서 공자의 유명한 말 '나이 칠십에 마음이 하고자 하는 대로 하더라도 절대 법도를 넘지 않았다從心所慾不踰矩'(『논어』, 위정)를 인용하지만, 내게는 그것이 저자의 주장에 공명한 것은 우연이 아니라고 생각된다.

측은지심

우리의 출발점은 전국 시대의 철학자 맹자孟子(기원전 372년경~

기원전 289년경)의 사상을 반영한 책 『맹자』에 나오는 다음과 같은 논의이다.

> 지금 갑자기 어린아이가 우물에 빠지려는 것을 본다고 하자. 그렇게 되면 누구나 이를 놀라고 걱정하며 측은하게 생각하는 마음을 가질 것이다. 그것은 어린아이의 부모와 친해지려고 해서가 아니고, 마을 사람이나 벗들에게 칭찬받기 위해서도 아니며, 자신의 명성이 손상되는 것을 싫어해서도 아니다. (『맹자』, 공손추 상)

'측은하게 생각하는 마음^{惻隱之心}'이라는 것은 우물에 빠지게 된 어린아이를 본 순간 마음에서 일어나는 불쌍히 여기는 감정이다. 정말이지 그것은 루소가 연민의 정이라고 부른 '모든 반성에 선행하는, 자연의 순수한 충동'을 떠올리게 한다(『인간 불평등 기원론』, 혼다 키요지^{本田喜代治}·히라오카 노보루^{平岡昇} 옮김, 岩波書店, 1933년, 72쪽). 맹자는 측은하게 여기는 마음은 누구에게나 갖추어져 있는 선한 본질의 단서라고 말한다. 우물에 빠지게 된 어린아이를 보게 되면, 누구라도 '자연'스럽게 불쌍히 느끼는 마음을 '충동'적으로 느낀다. 그것은 가족과 마을과 같은 소속 공동체에서의 도덕에 비추어 '반성'적으로 판단한 것이 아니라 순간적으로 솟아오른 마음이다. 이것은 누구나 지니는 '차마 하지 못하는 마음'이며, 마치 손과 발처럼 누구나 타고나면서 지니는 것인 까닭에, 샘의 물이 얼마 되지 않아 큰 바다에 이르듯이 확충되어 머지않아 '인仁', 즉 중국 철학의 도덕관념에서 가장 선한 것의 경지에 도달한다.

그러나 위기에 맞닥뜨린 어린아이를 보았을 때 순간적으로 일어나는 감정은 도대체 어떻게 해서 선의 경지로까지 높아지는 것일까? 우리는 사실은 그때그때의 상황에 따라 합리적인 근거가 있든 없든 관계없이 감정적으로 스스로의 행동을 결정함으로써 이성으로부터 일탈하고 잘못을 일으키는 것이 아닐까? 감정의 잘못이 터무니없는 악을 불러들이는 것에 대한 경계는 코로나바이러스가 맹위를 떨치고 있는 지금 바로 소홀히 할 수 없는 것이다. 그런데도 충동에 내몰려 감정적으로 행동을 일으키는 것은 이성으로부터의 일탈이기는커녕 선의 계기라고 맹자는 말하는 것이다.

중국에서 '감정의 철학'의 탄생

아래에서는 『맹자』가 중국 철학에서 어떻게 논의되었는지를 되돌아보고자 한다. 특히 주목하려고 하는 것은 『맹자』를 해석함으로써 중국에서의 감정의 철학을 근대를 향해 해방했다고 지목되는 철학자이다. 그 사람은 바로 '문자의 옥獄'으로 불리는 가혹한 언론 통제로 유명한 청대의 옹정제 연간에 태어난 안휘성 사람 대진戴震(1724~1777)이다. 20세기 전반, 량치차오梁啓超(1873~1929)는 대진의 철학이 등장함으로써 중국 철학사는 '이성의 철학'

아시아(18세기)

바이칼호

헤이룽강

네르친스크

아이훈

카흐타

얀카이

할라하

지린

성경

일본

러허

조선

베이징 산하이관

한성

교토

톈진

황해

청

황허

시안

난징

장강

항저우

태평양

광저우 샤먼

타이완

대월

마카오

하노이

마닐라

필리핀

남중국해

샴

캄보디아

술루 왕국

말라카

왕국

조호르 왕국

보르네오

마타라

반텐

마타람

■ 청나라의 최대 영역

시대로부터 '감정의 철학'으로 변했다고 평가했다. 이 전환은 마치 유럽의 르네상스 운동이 그리스도교의 절대 금욕주의 대신에 '그리스의 감정주의'를 내겂으로써 인간 해방을 달성한 것과 마찬가지의 문명 전환이라고 그는 말하고 있다(『청대 학술 개론』, 『음빙실합집飮冰室合集』 전집의 34, 中華書局, 1988년, 30~31쪽). 대진의 이러한 '감정의 철학'이 표현되고 있는 것은 『맹자』에 나타나는 개념들에 대한 주석을 행한 만년의 저작 『맹자자의소증孟子字義疏證』이다. 도대체 거기서 대진은 무엇을 말한 것일까?

> '이理'와 '욕欲'을 엄격하게 둘로 나누어 욕에 맡기지 않고 자신을 규율하는 것이 이이며, 사람 위에 서는 경우에도 마찬가지로 하는 것이 이라고 하는 것으로 되어 있는 까닭에, 굶주리고 추우며 근심하고 원망한다거나, 먹고 마시며 남녀의 욕망을 지닌다거나, 당연한 감정과 말하기 어려운 기분은 모두 여하튼 인욕人欲이라고 해도 좋은 것이라 여겨지고 있다. '천리天理야말로 중요하고 공공의 정의이다'라고 하는 것이지만, 말은 뛰어나더라도 그렇게 말하고서 사람 위에 서면 사람에게 해를 끼치게 된다. (『맹자자의소증』 권 하, 「권權」, 『대진 전서戴震全書』 6, 217쪽)

옹정제의 가혹한 정치 탄압만이 아니다. '굶어 죽는 것은 큰일이 아니고 절조를 잃는 것이야말로 중대사이다餓死事小, 失節事大'라는 주자학의 가르침이 사람들의 마음을 지배하고 있던 당시의 중국에서는 그 과도한 도덕주의에 의해 입장이 약한 사람일수록 고통받고 있었다. 거기에서는 도덕의 올바름이 '이'이며, 욕(바라는 대로의 감정)에 맡겨 그로부터 일탈하는 것은 엄격하게 단죄되었다. 하지만, 이라고 대진은 묻는다. 이는 본래 감정과 상반되는 것이었을까? 이理란 인간의 감정에서 떨어진 곳에 초연하게 있는 것이 아니라 감정에 입각함으로써 비로소 성립하는 것이라고 그는 말한다.

> '이'는 '정情'이 균형이 잡히는 바이다. 정이 얻어지고서 비로소 이가 얻어진다. (…) 천리라는 것은 자연의 분리分理라는 것을 말하고 있다. 자연의 분리란 자신의 정에 비추어 사람의 정을 헤아린 결과 균형을 얻는 것을 말한다. (같은 책, 권 상, 「이理」, 152쪽)

대진은 이와 사람의 감정을 상용할 수 없는 것들이라고는 간주하지 않았다. 오히려 그는 각 사람의 정이 서로 헤아려 균형이 잘 취해지는 것이라고 주장했다. 왜냐하면 당시의 사회에서는 누구나 같은 정을 지닐 것임에도 불구하고, 실제로는 신분의 상하 관계에 가로막혀 사람들의 자연스러운 정이 인정되고 있지 않았기 때문이다. 누구나 지니는 욕망, 누구나 지니는 감정, 그것들의 자연스러운 발로에서야말로 이의 기준이 찾아진다는 점에서 비로소 사람들은 안심하고 생활할 수 있을 것이다. 그러나 대진이 살아가고 있던 시대에는 그렇지 않았다. 이의 기준은 권력을 마음대로 전횡하는 가혹한 관리가 법을 내세운다. 더욱이 그때그때의 권력자가 스스로의 자의적인 결단을 이라고 구슬릴 수 있듯이, 어용학자는 이를 본래의 의미로부터 떼어놓고 있다. '법에 의해 죽은 사람에게는 동정하는 자도 아직 있지만, 이에 의해 죽어버리면 누구도 불쌍히 여기지 않는다.'(같은 책, 161쪽) 왜냐하면 이는 결국 상위의 신분을 지니는 자가 도덕의 이름으로 그것을 내세우기 때문이라고 대진은 분노를 드러내며 주장한다. 고학古學에서는 그렇지 않았음에도 불구하고 이가 도덕 교조의 권세로 영락해버린 것은 송대 이후의 학문 탓이라고 대진은 말한다.

집대성자인 주희朱熹(1130~1200)의 이름에 연관 지어 일본에서는 주자학이라고 불리는 송대의 이학理學은 그 이름이 보여주는 대로 '이'라는 개념을 세계의 근본 개념으로까지 밀어 올리며 중요시했다. 주희는 사물과 현상이 '그러한 까닭所以然'과 그것들의 '그러해야 하는 모습所當然'의 쌍방을 모두 이의 이름으로 불렀다. 감정이 넘쳐흐르는 것은 '그러해야 하는' 이理로부터의 벗어남이라는 사고방식이 여기서 파생한다. 대진은 이가 이렇게 해서 도덕의 기준으로서 홀로 걸어가게 된 결과, 그때그때의 위정자와 권력자가 지배의 방편으로서 '천리'를 내세우게 되었다고 보았다. 그리하여 그는 이를 훈고학적으로 재정의한다. 이란 '미세한 점까지 관찰하여 나눈 바의 개념'이기 때문에 '분리分理'이며, 분류하여 규칙적으로 줄기가 통하는 것이기 때문에 '조리條理'이기도 하다. 요컨대 이란 규칙적인 법칙과 같은 조리성을 말하는 것이며, 그것이 인륜에서는 사람과 사람의 정의 균형으로서 나타난다. 대진은 그렇게 생각했다.

량치차오는 대진의 이러한 이에 대한 해석을 이성과 감정이라는 이원론 구도라는 서양 근대 계몽주의의 언설로 끌어들이면서 대진의 철학이야말로 중국에서의 감정 철학의 생성이며, 게다가 그것은 근대 철학의 개막이라고 자리매김했다. 물론 루소만이 아니라 애덤 스미스(1723~1790)와 칸트(1724~1804)도 대진과 같은 시대를 살았다는 것을 알고 난 뒤의 평가였다.

2. 성과 정을 둘러싼 중국 철학의 논의

주희에서 왕양명까지

이와 욕을 엄격하게 변별하여 후자만을 악이라고 하는 사상은 『맹자』가 가르치는 바와는 다르다. 적어도 대진은 그렇게 주장함으로써 주자학적인 도덕주의가 발호하는 그 당시의 사회를 규탄한 것이다.

하지만 실제로는 대진의 사상이 주희의 사상으로부터 그렇게 멀었던 것도 아닌 듯하다. 대진이든 주희든 논의의 바탕이 된 것은 맹자의 사상이며, 그러한 한에서 대진이 특별히 부정할 정도로 주희의 사상이 멀리 떨어져 있다고 할 것도 아니다. 맹자는

'정에 따르고 있는 한에서 성은 선일 수 있다'(『맹자』, 고자 상)라고 말한다. 맹자에게 감정 그 자체는 부정해야 할 것이 아니라 사람의 선한 본성을 이끄는 계기이다. 주희에게도 그것은 마찬가지였다. 주희는 '측은惻隱, 수오羞惡, 사양辭讓, 시비是非는 정이다. 인의예지仁義禮智는 성性이다. 마음이 성과 정을 통어한다'라고 말한다(「맹자집주孟子集注」 권3, 『사서장구집주四書章句集注』, 中華書局, 1983년, 238쪽). 정 그 자체가 무언가 나쁜 것이라는 발상은 거기에 존재하지 않는다.

다만 주희에게 몹시 성가신 문제가 역시 존재하고 있었다. 인의예지가 사람의 선한 도덕성이면서 감정은 그것들의 '계기' 또는 단서라고 맹자는 말하고 있다. 그런데 성선설에 서는 것이라면, 정이 그대로 선한 것이라고 말해도 좋을 것이지만, 맹자는 그것을 유보하고 있다. 계기는 어디까지나 계기이며, 그것은 선과 동일하지 않다. 실제로 성선이야말로 인간의 있어야 할 본성임에도 불구하고, 이 세상에 여전히 악이 존재하는 것이기 때문에, 이 유보는 어떤 의미에서 불가피하고 할 수 있다.

주희가 대표하는 송대의 이학理學은 그들 나름의 방식으로 이 문제에 대처하고자 했다. 그들은 성을 본래 있어야 할 당위로서의 성과 현실태로서의 성(기질지성氣質之性)으로 변별했다. 전자는 당연한 선일 뿐만 아니라 '그렇게 있어야 할 본연의 모습'이기도 하기 때문에, 이와 같다고 이해되었다. 이것이 바로 '성이란 이이다'(성즉리性卽理)라는 유명한 주자학의 테제이다. 다른 한편 기질

지성 쪽은 정과 사실상 같은 뜻이며, 그것 자체는 선이라고도 악이라고도 말할 수 없지만, 때때로 본래의 성에서 벗어나면 악으로 전환할 우려가 있다. 따라서 '측은의 정'은 어디까지나 계기로서밖에 말할 수 없다. 이리하여 주자학의 성리학설은 성으로서의 이(있어야 할 도덕적 선)와 정(현실 속에서 더러워질 가능성이 있는 사람 마음의 움직임)이 점차 이율배반처럼 분화해가는 이론적인 계기를 준비해갔다.

이러한 분화를 극복하고자 하는 시도는 명대에 이르러 왕수인王守仁, 陽明(1472~1529)이 등장한 후에 극단적인 형태로 하나의 해답을 얻는다. 그것은 마음에서 솟아오르는 감정을 그대로 선의 체현이라고 인정하는 것이다. '거리의 사람들 모두가 성인이다'라고도 말해지듯이, 명대 말기까지는 인간의 욕망 그 자체를 긍정해가는 사상이 전개되게 된다. 이것은 일반적으로 주자학적인 도덕 엄격주의에 대한 반동이라고 생각된다. 왕양명은 마음의 판단력('치양지致良知')에 기대하여 자유로운 감정의 발로, 그것이야말로 도덕으로 귀의하는 것이라는 논의를 전개했다. 이러한 까닭에 량치차오는 그를 중국의 칸트라고 칭하고 있으며, 대진에 대해서도 양명학을 좀 더 세련되게 만든 '새로운 지행합일주의'의 철학이라고 평가한다.

그러나 '치양지'이든 '새로운 지행합일주의'이든 이를 통해 욕망의 넘쳐흐름과 벗어남에서 생겨날 현실의 악을 억제하는 힘으로는 부족한 것으로 보인다. 주자학이 '그리해야 할' 도덕규범으로서의 측면을 이理 속에서 발견한 것 자체는 아포리아가 아니다. 사실 대진 자신도 '본성에 갖추어져 있는 욕을 절제하지 않아도 좋다는 것이 아니다. 절제하여 지나치지 않는 것이 천리에 따르는 것이다'라고 말하고 있다(「이」, 『맹자자의소증』 권 상, 162쪽). '천리가 올바르고, 인욕이 잘못이다'라는 이욕理欲 이분론은 잘못이라고 대진은 비판하지만, 이것은 주자학파의 사상 그 자체에 대해서가 아니라 그것에 근거한 이데올로기에 대한 비판으로 보는 것이 좋을 것이다.

'정'이란 무엇인가?

중국 철학의 역사에서 좀 더 중점이 놓여 있던 문제는 오히려 인간의 실정實情에서 출발하는 경우 아무래도 악의 요소를 고려하지 않으면 안 된다는 것이었다고 말할 수 있을 것이다. 특히 『맹자』의 사상은 성선설 위에서 성립하기 때문에, 선에의 '계기'를 똑같이 지니는 사람들로부터 왜 나쁜 일이 생겨나는 것일까 하는 의문은 피하려야 피할 수 없었다. 맹자는 '마음을 기르기에 가장 좋은 것은 욕망을 줄이는 것이다'(『맹자』, 진심 하)라고 말하고, 정욕을 제멋대로 하는 것도 아니고 그것을 압살하여 욕망을 없이하는 것도 아니며 '줄이는'(과욕寡欲) 것이 좋다고 한 것이다.

사실 이 점은 '정情'이라는 한자의 의미를 어떻게 생각할 것인가

하는 또 하나의 다른 관점과도 이어진다. 조금 전 '실정'이라고 말한 대로 '정'은 반드시 '감정'만인 것이 아니다. '실정'과 '정황' 역시 '정'이다. '감정'도 '정황'도 모두 다 똑같이 사태가 실제로 그러한 모습에 대해 말하고 있다고 생각해야 할 것이다. 예를 들어 '서정抒情'이라는 말이 있는데, 이것은 모종의 감상을 나타낸 다고 생각되지만, 이 말을 자기의 시작詩作을 형용하기 위해 사용한 굴원屈原(기원전 343년경~기원전 277년경)이 과연 그와 같은 의미 에서 사용했는지 아닌지는 알 수 없다. 그는 조국에 쓰임을 받지 못하고서 '분개하여 정情을 말했다抒'라고 하는데, 이것은 울분의 기분임과 동시에 정실情實을 분명히 하겠다는 결의로도 받아들여 질 수 있다. 후자의 설에 서는 것이 다름 아닌 대진이다(『굴원부주屈 原賦注』권4 「9장」, 『대진 전서』3, 661쪽).

맹자가 '정에 따르고 있는 한에서 성은 선일 수 있다'라고 이야기 한 것을 연민이나 좋아하고 싫어하는 것과 같은 감정이라고 이해해 서는 안 된다고 대진은 말한다. 그것은 사람의 존재 방식의 소박한 실제나 현실을 가리키는 데 지나지 않는 것이다. 대진은 주희가 그 점을 이해하지 못했기 때문에 『맹자』를 올바로 이해할 수 없었다고 비판한다.

'자연'에서 '필연'으로

대진에게 무엇보다 우선 중요한 것은 정욕과 지성의 구별이었다.

이것들을 혼동하게 되면 사람이 사람인 까닭^{所以}을 잃어버리게 된다고 그는 생각했다. 이 점을 보여주기 위해 대진은 우선 욕^欲의 일탈과 지성의 기능 부전을 특별히 구별하지 않은 주희의 이해를 비판한다.

태어나면서부터 어리석은 자는 무욕이더라도 어리석음은 어리석음이다. 욕에서 발하는 것은 모두 살고 기르는 것에 관여하기 때문에, 욕이 일탈하는 것은 '가림^蔽'이 아니라 '사^私'라고 한다. 자신은 이^理를 파악했다고 생각하더라도 실제로는 틀린 경우는 '가림'이지 개명이 아니게 된다. 고금동서를 막론하고 누구에게나 가장 커다란 걱정거리는 '사'와 '가림'뿐이다. '사'는 욕이 바르지 않은 것에서, '가림'은 앎이 바르지 않은 것에서 기인한다. (「이」, 『맹자자의소증』 권 상, 160쪽)

주희는 뛰어난 덕^{明德}을 하늘로부터 부여받았음에도 불구하고 그대로 뛰어난 사람이 되지 않는 것은 '인욕에 의해 가리어져 있기' 때문이라고 했다(『대학장구^{大學章句}』, 『사서장구집주^{四書章句集注}』, 中華書局, 1983년, 3쪽). 하지만 욕은 지적인 범주에는 속하지 않는 것이기 때문에 '가리어져 있는' 것은 이상하며, 욕은 지나침으로써 이기주의적('사^私')으로 되는 까닭에 문제인 것이라고 대진은 생각한다.

욕은 살아 있는 몸뚱이의 인간이 자연스럽게 지니는 생물로서의 인간의 실정인 이상, 그것이 발휘되는 것은 당연하며, 사람들의 욕을 이루게 하는 것이야말로 성인의 정치가 수행하는 역할이다. 중요한 것은 그것들이 올바르게 발휘되는 것인바, 이기주의적인 전횡으로 흘러가 버리지 않게 하는 것이다. 대진의 시대에 이理는 권력자가 마음대로 휘둘러 사람을 억누르는 도구가 되어 있었다. 그것은 이와 정이 이율배반 관계에 놓여 있어서 그렇게 된 것이 아니다. 정이 마음대로 넘쳐흐르는 것이 허용되는 것은 권력자였기 때문이다. 욕의 억압은 억압하는 측의 욕이 방종함으로써 생겨난다. 따라서 대진은 '정의 균형'에서 이를 찾았다. 이는 정의 균형이라는 테제는 살아 있는 몸뚱이의 자연스러운 욕구를 인정하는 것이자 동시에 사태의 실정에 입각한 법칙성을 얻는 것이 되기도 한다. 그러한 법칙성을 인식하는 능력은 지성 이외에 아무것도 아니다. 인간이 인간인 까닭은 지성을 지니고 있기 때문이라고 대진은 생각했다.

사태의 정과 그로부터 얻어지는 법칙성으로서의 이는 둘이면서 하나이다. 대진은 다음과 같이 말한다.

『시경詩經』에 '사물이 있고 법칙이 있다有物有則'라고 한다. '물'이란 실제의 사태이며, '칙'이란 그것이 순수하고 중정中正한 모습을 말한다. 실제의 사태는 모두 자연이며, 그것이 필연으로 돌아감으로써 천지, 사람과 동물, 사태의 이가 얻어진다. (「이」, 『맹자자의소증』 권 상, 164쪽)

우리가 날마다 접하고 있는 다양한 실제의 사태는 모두 '자연'이며, 거기에 있는 법칙성이 '필연'이라고 대진은 말한다. 자연과 필연은 둘이면서 하나이다. 인간도 혈기가 통하는 지성을 지니는 생명으로서 다른 동물과 마찬가지로 자연적인 존재이지만, 그럼에도 불구하고 동물과 인간의 다름을 굳이 발견하고자 한다면, 그것은 인간만이 자연을 관찰하여 그로부터 필연의 세계를 밝힐 수 있기 때문이다. 대진에게 이것은 회심의 설명이었음이 틀림없다. 왜냐하면 정이 악으로 떨어질 수도 있다는 주자학의 난문을 이에 의해 해결했다고 볼 수 있기 때문이다. 측은, 수오, 공경恭敬(사양), 시비의 마음은 각각 인의예지라는 선한 덕목에 다다를 가능성을 간직한 단서(계기)였다. 그것은 다시 말하면 자연으로부터 필연에 이를 가능성을 인정하는 것이며, 사람은 지적으로 배움으로써 필연을 얻는바, 요컨대 선에 도달할 수 있는 것이다. 따라서 성은 모든 살아 있는 것에 공통적이지만, 인간의 성만이 성선性善이다. 자연의 정황을 관찰하여 필연의 법칙을 인식할 수 있는 것, 자연스러운 정동情動에서 출발하여 선한 덕목을 달성할 수 있는 것, 인간의 본성이 선한 까닭은 바로 거기에 놓여 있다. 그것은 인간이 좀 더 인간답게 되어가는 성장 과정 그 자체를 인간이라는 것의 본질이라고 규정하는 사상이다.

3. 일상 속에서 배우기

예의 작용

인간은 원래 선한 덕목이 갖추어져 있기 때문이 아니라 인간답게 성장해갈 수 있는 까닭에 성선이다. 정이 나쁜 기에 오염되어 사람이 나빠진다는 것이 아닐 뿐만 아니라 정을 그대로 선한 내면의 도덕적 판단력에 의해 발휘할 수 있다는 해방 사상에 편드는 것도 아닌바, 배워 성장하는 것을 향한 가능성에서 대진은 사람으로서의 선한 본성을 인정했다. 그리고 배움의 적극성을 추동하는 것은 이성과 도덕적 판단력이 아니라 측은지심으로 대표되는 '모든 반성에 선행하는 자연의 충동'이다. 그리고 그것은 특별히 불쌍히 여기는 감정만이 아니다. 공포와 애착 등 정황에 따라 생겨나는 다양한 감정은 배움의 출발점이 된다. 예를 들어 『논어』에서는 '상지 上知(가장 지혜로운 자)와 하우 下愚(가장 어리석은 자)는 변하지 移 않는다'(양화 陽貨 편)라고 하고 있다. 가장 지혜로운 자와 가장 어리석은 자는 변함이 없다는 공자의 탄식이지만, 이에 대해 대진은 다음과 같이 말한다.

태어나면서부터 가장 어리석은 사람과 이의 理義에 대해 말하기는 어렵다. 그러한 사람은 스스로 배우기를 거절한다. 이것을 '변하지 않는다'라고 한다. 그러나 두려움을 느낀다거나 상냥함을 느낀다거나 하여 일단 그 두려움과 상냥함을 불러일으키는 사람을 만나면, 마음을 열고 앞을 향해 눈뜨는 일은 자주 있다. 후회하고 선을 따르게 되면 가장 어리석지 않게 되며, 그에 더하여 배워 가게 되면, 나날이 지혜에 가까워진다. (…) 따라서 '변하지 않는다'라고 말하기는 하지만, '변하게 할 수 없다'라고 말하지는 않는 것이다. 예부터 지금에 이르기까지 가장 어리석음은 적지 않지만, 그럼에도 끝까지 파고들면 그 정신은 어딘가에서 동물과는 다른 것이기 때문에, '변하게 할 수 없다'라고 할 것은 아니다. (「성性」, 『맹자자의소증』 권 중, 185쪽)

이리하여 대진은 사람이 배움으로써 구체적인 정황의 자연, 정동의 자연을 조리 있는 필연, 있어야 할 선으로서의 필연으로 다시 읽고 단련해 갈 수 있다고 생각했다. 그리하여 그려진 필연의 세계는 이理이자 예禮이다.

자연에는 조리가 있고, 조리의 질서 있는 모습을 보면 예를 알 수 있다. (「인의예지」, 『맹자자의소증』 권 하, 205쪽)

여기서 대진은 '예'를 필연의 질서에 비기고 있다. 이것은 맹자와는 대극적으로 성악설을 주창하고 유가의 철학으로서는 이단적이었던 순자荀子(기원전 298년경~기원전 235년경)를 떠올리게 한다. 순자는 예의 기원을 태어나면서부터의 욕망에 돌리고 있다. 사람은 태어나면서부터 욕망을 지니며, 그것이 다툼으로 이어지지 않도록 예가 정해지고, 그에 의해 '사람의 욕망을 기르는' 것이 되었다고 『순자』 예론 편에서는 말하고 있다. 정욕과 사회 질서의 균형에서 예의 근거를 찾는 이 발상은 대진의 이에 대한 이해와 궤를 같이한다. 순자의 성악설은 사람의 본성을 초월적으로 관조하는 것이 아니라 사람의 실정에서 출발함으로써 얻어진 것이다. '사람의 성과 정에 맡긴 채로는 반드시 쟁탈과 질서의 혼란을 부르며', 따라서 '성이 악인 것은 분명하다'(모두 『순자』, 성악 편)라고 말하고 있는 그대로이다.

여기에는 주희 등이 『맹자』 해석에서 고생했던 문제는 존재하지 않는다. 『순자』의 텍스트는 더 나아가 정이 마음대로 넘쳐흐르는 것을 막기 위해 예가 제정되어간 사람의 역사에 기초하여 '작위'(『순자』에서는 '위僞'로 표현된다)야말로 인간의 선이라고 한다. 예를 들어 흙을 반죽하거나 나무를 깎아내거나 하여 그릇으로 만들어내듯이 자연의 소박한 실정에 작용하여 그것을 개조해가는 영위야말로 인간이 선인 과정이라고 순자는 생각했다. 그리하여 예는 사람의 행위를 규범 짓는 법도이며, 이것도 역시 사람의 '작위'에 의해 형성되는 것이다.

그런데 대진은 천하의 정이 어지럽게 되는 것을 막기 위해서도 예가 필요하다고 말하고 있다. 예는 세계의 질서 있는 법칙성(요컨대 '이理'이다)에 근거하여 정해진 것이며, 그에 의해 정은 지나치게 되면 억눌러지고, 불충분하면 촉진된다. 예는 정이 어지럽게 되어 있는 것을 형태만 수선하기 위해 있는 것이 아니라 정의 균형을 회복하기 위해 굳이 이루는 수행적인 '작위作爲'로서의 행위이다. 그것은 또한 『순자』에서 '숙려를 거듭하고 작위를 반복함으로써 예가 태어나고 규범이 생긴다'(성악 편)라고 말하고 있는 것과 통한다. 사람은 매일매일의 생활로부터 배운다. 매일매일의 생활은 무수한 정으로 성립해 있으며, 그것을 균형 잡아 배분함으로써 질서가 생겨나고, 그리하여 사람은 이 세계의 조리를 아는 것이다. 예란 이러한 정의 균형이 알맞게 성립할 수 있도록 굳이 이루어지는 실행이다.

순간의 판단을 잘못하지 않기 위하여

사람들은 날마다 예를 실천함으로써 정을 단련하기도 하고 달래기도 한다. 대진은 아무래도 『맹자』의 선에 관한 사상을 충실하게 만들기 위해 슬그머니 『순자』를 거치고 있었던 듯하다. 노부하라의 정동론을 여기서 다시 한번 생각해보자. 정동은 이성에 의한 제어를 얻어 점차 단련되며, 사람은 이윽고 그것을 적절히 발휘할 수 있게 되어간다. 한편 우리가 지금까지 추적해온 중국 철학의 논의에 따르면, 정에 기초한 부단한 배움의 과정은 이성이 아니라 예에 의해 제어된다. 일상의 예 안에서 배우면서 우리는 평화로운 일상 속에서는 의심할 여지가 없는 윤리가 위협받는 순간에도 측은하게 여기는 마음을 발휘하고 정동의 힘에 의해 선한 작위를 발휘할 수 있을 것이다.

맹자에는 다음과 같은 에피소드가 있다.

순우곤淳于髡이라는 사람이 '남녀가 직접 물건을 주고받지 않는
것은 예입니까' 하고 물었다. 맹자는 '예입니다'라고 답했다. '그러
면 형수가 물에 빠졌을 때 도우려고 손을 내미는 것은 어떻습니까?'
'형수가 물에 빠졌는데 손을 내밀지 않는 것은 짐승(시랑豺狼[승냥
이와 이리])과 같습니다. 남녀가 직접 물건을 주고받지 않는 것은
예이며, 도우려고 손을 내미는 것은 권하는 도리權입니다.' (『맹자』,
이루離婁 상)

동물과 다른 인간성이 참으로 발휘되는 것은 측은하게 여기는
마음이 발동하는 위기의 순간이며, 그 순간에는 정情을 참작하여
눈 깜짝할 사이에 반응이 선택된다. 그것이 '권權'이다. '권'이란
천칭으로 균형을 잡도록 경중을 재는 것을 말한다. 맹자는 원칙에
구애된 나머지 실정에 맞춘 적절한 행동이 취해지지 않는 것을
싫어했다. 중요한 것은 어떠한 상황에서도 적절한 판단을 내릴
수 있도록 평소에 배워 정을 단련하는 것이다. 그 반복을 통해
사람은 인이라는 선성을 발휘할 수 있도록 성장해가는 것이다.
예는 매일 같은 신체적인 행위에서 되풀이하여 배우려고 하는
방법이다. 그에 의해 우리는 순간의 충동을 좀 더 좋게 발휘하는
것이다.

그런데 유발 노아 하라리Yuval Noah Harari(1976~)는 AI의 알고리즘이 세련된 결과, '이타주의자Altruist'와 '이기주의자Egoist'라는 두 가지 모델의 자동운전 차가 제조 판매된다면 어떻게 될 것인가 하는 논의를 하고 있다. 자신의 차가 긴급 상태에 직면한 경우, 좀 더 커다란 선을 위해 자신이 희생하고자 생각하는 사람은 이타주의자형의 차를, 설령 달리는 차가 앞에 있는 두 명의 아이 생명을 빼앗게 되더라도 자신의 생명을 지키려고 하는 사람은 이기주의자형의 차를 선택하여 사들인다. 고객의 구매 욕구를 만족시키는 것만이 사명인 판매 회사는 이기주의자형의 차를 팖으로써 비난받을 일은 없다. 고객은 새로운 차를 살 때 자기의 기호에 따라 사고가 일어날 때 '당신의 생명을 희생하고자 하는가 그렇지 않으면 상대방의 차에 타고 있는 사람의 생명을 빼앗을 것인가'의 어느 쪽인가를 맞춤 주문하여 설정할 수 있게 될지도 모른다. '광차 문제trolley problem'(트롤리 딜레마)는 이렇게 해서 해결되는 시대가 올지도 모른다는 것이다(유발 노아 하라리, 『21세기를 위한 21가지 제언21 Lessons ─ 21世紀の人類のための21の思考』, 시바타 야스시柴田裕之 옮김, 河出書房新社, 2019년, 90쪽).

알고리즘은 정동의 습관에 작용하고, 이윽고 우리의 의지 결정은 그것에 맡겨질지도 모른다. 그때 우리는 순간에 솟아오르는 연민의 충동을 아직 보유하고 있을까? 남겨진 가능성은 어쩌면 테크놀로지 그 자체가 순자적인 '작위僞'의 산물이라는 것을 명심하고 바로 우리의 정에 어울리는 AI를 만들어내기 위해 계속해서 노력하는 것에 존재할지도 모른다. '정을 단련한다'라고 하는 경우, 정은 사태의 실재이기도 했다는 점을 생각하자. 우리의 '작위'가 작용하는 것은 감정뿐만 아니라 주위의 모든 정황 — 환경 그 자체이다.

하라리는 AI 개발에 투입하는 것과 같은 만큼의 자원을 인간의 의식 향상에 쏟아부어야 한다고 주장한다. 인간의 마음은 아직도 탐구되지 않은 미지의 영역이다. 그러나 지금까지 우리가 살펴보았듯이 중국 철학에서 '마음'은 내면의 감정과 외부의 정황이 함께 발동함과 동시에 그것을 질서 짓고 예의 실천으로서 일상의 행위를 규율해가는 기관이다. 그것은 언제나 선의 '계기'를 간직하면서 일상에 작용하는 작위에 의해 스스로와 자기의 주변을 함께 개조하고 형성해간다. 그 과정 자체가 정동의 단련이며 선한 감성의 발휘이다. 그것은 맛있는 것을 구하고 아름다운 소리에 취하며 아름다운 풍경을 사랑하는 것과 마찬가지로 발동하는 이와 의理義에 대한 기쁨에 기초한다고 맹자는 말했다(『맹자』, 고자 상). 소박한 정에서 유래하는 까닭에 선한 인간성을 잊지 않고 나날의 생활을 영위하는 것. 적어도 그것은 감정의 폭주가 아니라 이성의 폭주와 테크놀로지의 폭주를 멈추기 위한 발판이 될 것이다.

☞ 좀 더 자세히 알기 위한 참고 문헌

— 마이클 퓨에트Michael Puett·크리스틴 그로스-로Christine Gross-Loh, 『하버드
의 인생이 변하는 동양 철학ハーバードの人生が変わる東洋哲学』, 구마가이 쥰코
熊谷淳子 옮김, 早川書房, 2016년, 문고판 2018년. 중국 철학의 '예' 개념을
대단히 매력적인 '마치 …처럼의 예'로서 분명히 논의한 이 책은 『순
자』의 예에 대한 오늘날의 재해석이며, 대진 사상의 먼 연장선상에
놓여 있다.

— 프랑수아 줄리앙François Jullien, 『도덕을 기초 짓는다 — 맹자 대 칸트,
루소, 니체道徳を基礎づける—孟子 vs. カント, ルソー, ニーチェ』, 나카지마 다카히로
中島隆博·시노 요시노부志野好伸 옮김, 講談社現代新書, 2002년/講談社学術文
庫, 2017년. 맹자의 철학을 계몽사상 이래의 유럽 근대 철학과 대화하게
한 연구로서 새로운 맹자론의 계기를 열었다. 이 장의 취지는 실은
이 책에 기고한 나카지마 다카히로의 해제에서 다 제시되어 있다.

— 이시이 쓰요시石井剛, 『대진과 중국 근대 철학 — 한학에서 철학으로戴震と
中国近代哲学—漢学から哲学へ』, 知泉書館, 2014년. 졸저이지만, 일본으로부터
수입된 번역어 '철학'을 토대로 20세기에 행해진 중국 근대 철학의
구축 시도가 대진의 '이理' 개념에 대한 해석을 둘러싸고 이루어졌다는
것을 보였다.

— 나카지마 다카히로中島隆博, 『악의 철학 — 중국 철학의 상상력悪の哲学
—中国哲学の想像力』, 筑摩選書, 2012년. 맹자의 시대부터 악은 줄곧 중국
철학의 끊임없는 주제였다는 점에 대해서는 이 장에서 조금 언급한
까닭에, 좀 더 폭넓게 이해하고자 하는 사람들은 아무쪼록 이 책을
읽어주기를 바란다. 예부터 이어지는 철학적 문제에 대한 참신한 시도다.

제10장

에도 시대의 '정'의 사상

다카야마 다이키高山大毅

1. '정'의 해방?

엄격한 도덕에 의해 속박되어 있던 인간의 '정情'은 시대가 나아감에 따라 해방되어 갔다 — 이와 같은 도식으로 에도 시대의 사상사·문학사를 정리하는 일이 있었다. 많은 경우 주자학은 '정'을 억압한 측의 사상으로 자리매김하고, 주자학을 비판한 이토 진사이伊藤仁齋(1627~1705)·오규 소라이荻生徂徠(1666~1728)의 학문은 해방한 측의 사상으로서 높이 평가된다. 이런 종류의 역사관은 마루야마 마사오丸山眞男, 『일본 정치사상사 연구』에 수록된 논문에서 유래하며, 나카무라 유키히코中村幸彦에 의해 문학 연구에도 도입되었다. 오랜 도식인 까닭에 그대로 사용되는 일은 줄었지만, 지금도 문학사는 이와 같은 도식에 따라 서술되는 일이 적지 않다. 사상사 연구의 영역에서도 '정'이 억압되고 있었던 까닭에 당시의 지식인은 굴절되어 있었다—고 하는 발상이 때때로 보인다.

그러나 '정'의 해방 도식에는 다양한 문제점이 놓여 있다.

대개 '정'의 해방 도식은 해방의 정도가 높으면 높을수록 좋은 상태라는 견해를 전제로 하고 있다. 과연 그러할까? 도덕주의로부터의 '정'의 해방을 긍정하더라도 성별이나 민족에 따라 사람을 차별하는 '정'까지 긍정하는 자는 아마도 없을 것이다. 이른바 정치적 올바름의 거북함을 탄식하는 주장이 자주 나타나는 것은 자유주의적으로 진보했다고 하는 사회가 개개인에게 '정'의 규율을 엄격하게 요구하기 때문이 아닐까? 이처럼 '정'의 해방과 사회의 진보가 정비례의 상관관계에 있다고 하는 보증은 없다.

또한 어떤 사상의 '정'에 대한 해방의 정도를 재기는 곤란하다. 예를 들어 불륜의 사랑에 대해서도 관용하자—라고 이야기하는 사상은 '정'을 해방한 것이라고 평가되는 일이 많다. 그러나 그것은 한편으로 선하지 않은 것을 미워하는 '정'—유학에서는 '수오羞惡'라고 부른다—에 대해 억압적이라고 말할 수 없을까? '수오'의 '정'보다 연정 쪽이 해방해야 할 중요한 감정이라고 하는 가치관은 결코 자명하지 않다(이와 같은 가치관이 종래의 적지 않은 연구에서 암암리에 전제로 되어 있었다는 점 자체가 흥미로운 문제이다). '정'의 해방 정도를 재는 기준은 몹시 불명확하다.

　그리하여 이 글에서는 '정'의 해방 도식에 의지하지 않고 에도 시대의 '정'을 둘러싼 논의 흐름을 살펴보고자 한다. 그때 서양 철학에 유비하는 형태의 설명을 사용하지 않기로 한다. 이것은 '세계철학사'를 일컫는 이 책에 조금도 상응하지 않는 지침처럼 볼 수 있을 것이다. 그러나 이 제6권의 절반 이상의 장을 서양 사상이 차지하고 있는 것에서 볼 수 있듯이 '세계철학사'라는 시도는 서양 중심의 견해에서 벗어나는 도상에 놓여 있다. 손쉬운 유비는 서양 사상의 틀로 근세 일본의 사상도 이해 가능하다는 오해를 낳을지도 모른다. 이와 같은 함정을 피하기 위해 이 장에서는 에도 시기의 사상을 서양 사상의 용어로 번역하는 것이 아니라 명석한 현대 일본어로 번역하는 데 힘쓰고자 한다(이를 위해 원문의 인용도 최소한에 그친다). 현대 일본어로의 번역이 훌륭하게 이루어지면, 마찬가지로 번역된 동시대 다른 지역의 사상과 나란히 세워짐으로써 에도 시대의 '정' 사상의 '세계철학사'에서의 위치가 저절로 밝혀질 것이다.

　처음에 다루는 것은 주자학의 '정'론이다. 주자학은 체제를 뒷받침하는 정통 교학으로서 도쿠가와 정권에 채택된 것은 아니었지만, 학문의 세계에서는 표준적인 학설로서 일정한 권위를 지니고 있었기 때문이다.

2. 유학의 '정'론

주자학에서의 '정'론

갓난아이가 우물에 빠지게 된 것을 본다면, '아, 위험하다!'라고
생각하고 아이에게로 달려갈 것이다. 이와 같은 때때로 지니는
감정을 유학에서는 '측은惻隱'이라고 부른다('측'도 '은'도 가엾게
생각한다는 의미이다). '측은'은 주자학에서는 사람 마음에 나면서
부터 갖추어져 있는 도덕성이 '정'으로서 바깥으로 표출된 것이라
고 생각한다.

주자학은 '측은'과 같은 도덕적인 감정을 중시하고, 또한 '희노
애락喜怒哀樂'과 같은 변하기 쉬운 감정에 대해서도 그것들을 삭감하
는 것이 아니라 절도에 맞추도록 해야 한다고 이야기한다. '정'과
같은 마음의 움직임을 없애 버리려고 하는 것은 불교와 같은
이단의 가르침이라는 것이 주자학의 견해이다.

이 때문에 엄격한 주자학자로서 알려진 아사미 게이사이淺見絅齋
(1652~1712)가 '일반적으로 시도 노래도 의리義理로부터 말해서는
시가가 아니다. 의리에서 새어 나오는 것은 없애고 정에서 나오는
것이 지극한 노래의 음미다'라고 말하는 것은 이상한 것이 아니다
(『상화잡기常話雜記』). 문장이 도덕을 이치로 하여 말하는 것과는
달리 시가의 묘미는 도덕성에 따른 감정의 표출이라고 게이사이는
말하는 것이다.

주자학에 따르면, '정'을 선하지 않은 방향으로 이끄는 것은 '인욕人欲'이다. 그로 인해 사람은 학문 수양으로 '인욕'을 불식하고, 자기에게 갖추어진 도덕성('본연의 성') 그대로 '정'이 발동하는 경지를 지향하지 않으면 안 된다. 인간은 누구나 태어나면서 완전한 도덕성을 갖추고 있으며, '인욕'의 극복은 사람으로서의 본래의 존재 방식으로 되돌아오는 것이다. 사람들은 같은 도덕성을 지니고 있으므로 도덕성을 완전히 발휘하는 상태에 다다르면, 사람들 사이에 견해의 차이는 없어진다. 현실에서 인간은 제각기 다르더라도 근원적으로는 동일하다고 주자학은 본다(근원적 동일성).

이와 같은 근원적 동일성의 교설에 따르면, 올바른 '정'의 존재 방식은 하나로 정해지고, 그 밖의 것은 벗어남이라는 것이 된다. 주자학에서의 '정'을 둘러싼 논의가 선인가 악인가와 같은 이치二値적인 것으로 되는 것은 이 때문이다.

이치적인 '정'을 파악하는 방식은 주자학의 『시경詩經』론에도 나타나 있다. 『시경』 해석사에서의 커다란 논점으로서 경전인 『시경』에 음탕한 내용의 민요(국풍國風의 정鄭·위衛의 시)가 포함된 것을 어떻게 의미 부여할 수 있을까 하는 문제가 있다. 이 문제에 대해 주희는 다음과 같은 해답을 제시한다(『논어집주論語集注』). 『시경』에는 좋은 내용의 시뿐만 아니라 나쁜 내용의 시도 수록되어 있다. 좋은 내용의 시는 '이렇지 않으면 안 된다'라고 사람의 양심을 일으켜 세운다. 나쁜 내용의 시는 '이러한 일은 있어서는 안 된다'라고 사람의 좋지 않음을 미워하는 마음을 자극한다. 이렇게 해서 좋은 시도 나쁜 시도 '정情과 성性'의 올바른 상태로 사람들을 이르게 한다('정과 성'처럼 '정'과 맞짝을 이루는 '성'은 움직이지 않는 상태의 마음의 존재 방식에 대해 말한 것이다).

주희의 논의는 『시경』의 다양한 내용의 시를 선·악의 둘로 나누고, 어느 것이든 '정과 성'을 좋은 상태로 이끄는 효과가 있다고 한다. 각 시편에서 말해지는 심정이든 시편을 읽는 측의 심정이든 주희는 선악의 이항 대립의 도식 속에 할당하여 논의한다.

'인정' 이해론 ― 진사이학과 소라이학

에도 중기의 유학자인 이토 진사이와 오규 소라이는 주자학의 근원적 동일성 교설을 비판했다(비판의 배경에 대해서는 뒤에서 이야기한다). 이 근원적 동일성은 본래 불교의 교의에서 유래하며, 불교의 영향을 받은 송대 이후의 유학(송명 성리학)에서 공통되게 볼 수 있는 발상이다. 진사이와 소라이는 근원적 동일성을 비판함으로써 송명 성리학의 사고 틀에서 다루기가 어려운 문제 영역을 개척하게 되었다. 그것은 타자의 '정' 이해의 문제이다.

근원적 동일성의 교설에 입각할 때 타자의 '정'의 이해 문제는 시야에서 떨어져 나가는 경향이 있다. 생득적으로 자기에게 갖추어진 도덕성 그대로 자기의 '정'이 움직이는지가 중요하고, 반드시 선이라고는 할 수 없는 타자의 '정'을 이해하는 것은 그 정도로 중요한 의미를 지니지 않는다. 또한 자기의 '정'이 올바른 상태라면,

일일이 타자의 '정'을 헤아린다거나 그것에 다가간다거나 할 필요는 없다. 왜냐하면 자기와 타자는 근원적으로 동일한 까닭에 올바른 상태라면 자기와 타자의 '정'은 일치할 것이기 때문이다.

한편 이토 진사이는 타자의 감정을 헤아리고 이해하는 것을 중시했다. 주자학이 인간에게는 날 때부터 완전한 도덕성이 갖추어져 있다고 생각하는 것과는 달리, 진사이는 인간의 타고난 자질에는 차이가 있고, 대다수 인간은 선을 좋아하는 성질을 갖추고 있지만, 그것 자체는 믿을 수 없는 것이라고 본다(선을 좋아하는 성질을 지니지 않는, 마음에 결함이 있는 인간의 존재도 진사이는 인정한다). 진사이학에서 '도道'란 우선은 올바른 인간관계의 존재 방식을 의미한다. 따라서 타자의 감정을 이해하는 것은 자기의 양심을 기르고 타자와의 사이에 자애로 가득 찬 올바른 관계를 맺는 데서 결여할 수 없다고 생각되는 것이다.

이토 진사이의 맏아들인 이토 도가이^{伊藤東涯}(1670~1736)는 이와 같은 아버지의 논의를 『시경』론에 응용했다(이하에서는 『독시요령讀詩要領』에 근거한다). 도가이에 따르면 『시경』의 모든 편은 '인정人情'을 묘사한 것이며, 사람은 『시경』을 배움으로써 세간 사람들의 다양한 감정을 이해할 수 있게 된다. '인정'에 통하면, 타자의 잘못에 대해서도 그 배후에 놓여 있는 어쩔 수 없는 감정을 헤아리게 되고, 관용적이고 '온화'한 인품이 된다. 이와 같은 인간이 타자와 양호한 관계를 구축할 수 있는 것은 말할 필요도 없다. 『시경』에 음탕한 내용의 시가 수록된 것도 거기에 그려져 있는 감정은 결코 칭찬받을 것은 아니지만, 세간에서 사람과 사귀는 데서 알아두어야 할 감정의 한 유형이기 때문이다.

덧붙이자면 이토 도가이의 제자인 호즈미 이칸穂積以貫(1692~1769)은 지카마쓰 몬자에몬近松門左衛門(1653~1725)과 절친한 사이로 지카마쓰의 집필을 도와주었다고도 한다(이칸의 아들은 조루리淨瑠璃 작가가 되었다. 그가 바로 오늘날에도 상연되는 많은 명작을 남긴 지카마쓰 한지近松半二이다). 이칸의 존재는 도가이의 논의와 지카마쓰의 작품들 사이에 영향 관계는 아니라 하더라도 무언가 겹쳐지는 부분이 있었을 가능성을 시사한다. 지카마쓰의 심중물心中物(정사情死를 다룬 조루리)의 관객들은 정사 사건의 배후에 놓여 있는 어쩔 수 없는 남녀의 심정을 조루리를 통해 헤아리고 눈물 흘렸을지도 모른다.

오규 소라이도 도가이와 마찬가지로 『시경』을 배움으로써 다양한 입장의 사람들이 지닌 감정('인정')을 이해할 수 있게 된다고 이야기한다. '『시경』에서는 높은 자리부터 천한 사람의 일도 알고 남자가 여자의 마음 움직임도 알며, 또한 현명한 사람이 어리석은 사람의 마음(마음의 존재 방식)도 알 수 있습니다'라고 소라이는 말한다. 또한 『시경』을 배움으로써 '자연과 마음속으로 익숙해질 수 있다'(마음의 모서리가 해석된다)라고 보는 점에서도 소라이의 논의는 도가이와 유사하다(『소라이 선생 답문서徂徠先生答問書』).

다만 도가이와 비교할 때 소라이 쪽이 '인정' 이해를 통치 문제와 결부하여 말하는 경향이 강하다. 소라이에 따르면, 고대의 위정자들은 『서경』의 문언에 근거하여 정치 판단을 하는 일이 있었다. 그때 융통성 없는 방법으로 『서경』의 말을 상황에 적용하지 않기 위해 『시경』에 수록된 시편을 통해 다양한 입장의 사람들이 지닌 감정을 알려고 했다고 한다(『변명^{弁名}』).

이상과 같이 진사이·도가이 부자와 소라이는 모두 선악의 '정'의 구별보다 타자의 '정'의 이해를 중시하고 '정'의 유형들을 앎으로써 사람은 타자에게 혹독하고 박정하지 않게 된다고 이야기했다. 이와 같은 논의를 '인정' 이해론이라고 부르고자 한다.

'인정' 이해론은 다양성의 중시라는 현대의 사조를 연상시킬지도 모른다. 그러나 그것은 부자유하고 불평등한 근세 일본의 신분제 사회와 결부되어 있다.

소라이의 제자인 핫토리 난가쿠^{服部南郭}(1683~1759)는 '인정' 이해에 관해 다음과 같은 흥미로운 논의를 전개하고 있다(「암읍후에게 준다^{巖邑侯に与ふ}」). '인정' 이해를 위해 『시경』을 배운다고 하는 발상이 후대에 중국에서 잊힌 것은 중국에서는 진한^{秦漢} 이후 세습의 통치 신분이 없어졌기 때문이다. 고대의 통치 신분 출신자는 다른 신분의 '정'의 모습에 어두운 까닭에, 『시경』을 통해 '인정'을 이해할 필요가 있었다. 다른 한편 서민 출신이더라도 재상의 지위에 오를 수 있는 후대의 중국에서 위정자는 민간의 사정에 밝은 까닭에 그 필요는 없어졌다. 그에 따라 『시경』의 본래 기능이 이해될 수 없게 되었다. 이렇게 논의한 다음 난가쿠는 당대의 일본에는 고정적인 통치 신분이 존재하는 까닭에 『시경』의 학습은 위정자에게 유익하다고 말한다.

난가쿠의 역사 이해가 올바른지는 어찌 됐든 그의 논의가 세습의 고정적인 신분 집단의 존재와 '인정' 이해를 결부시키고 있는 것은 시사하는 바가 풍부하다. 난가쿠의 설을 알기 쉽게 설명하자면 다음과 같이 말할 수 있을 것이다. 에도 시대의 일본처럼 신분 집단의 구분이 명확하면, 신분 집단마다 가치관과 감성이 다르다는 것은 당연시된다. 그로 인해 사람들은 자기와 다른 입장의 사람의 '정'에 대해 배우지 않는 한 쉽게 이해할 수 없다고 생각한다. 다른 한편 사회의 유동성이 높아지면, 누구나 같은 인간이라는 인식이 높아지고, 자기와 다른 감정 유형을 이해하는 것에 관한 관심은 후퇴한다. 주자학이 탄생한 송대는 과거 제도의 확충에 따라 세습의 통치 신분이 해체되고, 중국 사회가 유동화 방향으로 나아간 시대였다. 근원적 동일성을 기반으로 한 '정' 인식과 '인정' 이해론의 차이 배후에는 근세 중국과 근세 일본의 사회 구조의 차이가 가로놓여 있는 것이다.

3. '모노노아와레를 안다'라는 설과 '스이', '쓰'

모토오리 노리나가의 '모노노아와레를 안다'라는 설

『고사기古事記』 연구 등으로 알려진 이른바 국학자 모토오리

노리나가^{本居宣長}(1730~1801)는 한학에도 밝으며, 유학자의 '인정' 이해론으로부터 많은 것을 배웠다. 노리나가의 한학 스승이었던 호리 게이잔^{堀景山}(1688~1757)은 주자학자이지만, 진사이학의 영향을 받았으며, 나아가 소라이와도 교류가 있었다. 게이잔의 『시경』론은 도가이·소라이와 같은 유형이다. 『시경』을 배우는 안목은 '세간 인정의 신 것도 달콤한 것' 아는 것에 있다고 게이잔은 말한다(『부진언^{不盡言}』). 세간 '인정'의 나쁜 면('신 것')도 좋은 면('달콤한 것')도 자세히 앎으로써 원숙한 인간이 된다. '인정' 이해론의 실로 알기 쉬운 설명이다. 초기 노리나가의 저명한 논의인 '모노노아와레를 안다^{物のあはれを知る}'라는 설은 이와 같은 '인정' 이해론의 연장선에 놓여 있다.

노리나가에 따르면 '모노노아와레를 안다'라는 것은 '사물^物의 마음을 안다'라는 것과 '사태^事의 마음을 안다'라는 것의 두 가지로 크게 구별된다(이하 노리나가의 논의는 『자문요령^{紫文要領}』, 『석상사숙언^{石上私淑言}』에 근거한다).

'사물의 마음을 안다'라는 것은 예를 들어 꽃을 보고서 '아름다운 꽃이구나'라고 멋을 이해하는 것을 말한다. 노리나가가 말하는 '사물의 마음'이란 사물의 '멋'과 운치('마음 속으로^{心ばへ}')를 가리킨다.

이 '사물의 마음'을 '사물의 본질'로 해석하고 '모노노아와레를 안다'라는 설을 인식론으로서 해석하는 것이 이루어져 왔다. 하지만 노리나가는 '사물의 본질'을 파악하는 과정과 인간의 인식

구조에 관해 원리적인 탐구를 하고 있지 않다. 그 때문에 해석자 측이 다양한 이론을 보완함으로써 이 공백을 메워왔다. 그러나 이것은 과거의 사상 이해 방식으로서 부당할 것이다. 노리나가는 인식론적인 문제 영역에는 본래 관심이 없었다. 에도 시기의 다른 사상가에 대해서도 마찬가지의 인식론 찾기가 이루어지는 일이 있다. 아마도 인식론 찾기의 배경에는 뛰어난 사상 체계는 반드시 인식론에 대해 말하고 있을 것이라고 하는 일부 서양 사상을 모델로 한 견해가 놓여 있을 것이다. 하지만 인식론 이외에도 사상에서의 중요한 문제 영역은 얼마든지 있는바, 이와 같은 견해는 일종의 선입관이 아닐까?

이야기를 '모노노아와레를 안다'라는 설로 되돌리면, '모노노아와레를 안다'의 두 번째 유형은 '사태의 마음을 안다'라는 것이다. '사태의 마음을 안다'란 구체적으로 말하면 슬픈 사건에 자신이 놓여 있을 때 슬프다고 느끼거나 슬픈 사건에 놓여 있는 사람에 대해 '필시 슬플 거야'라고 그 심정을 헤아리고 함께 슬퍼하는 것을 가리킨다(기쁨과 같은 긍정적인 감정을 환기하는 사건과 관련해서도 마찬가지이다).

노리나가는 와카^{和歌}나 『겐지 모노가타리^{源氏物語}』 등의 이야기는 '인정'의 이런저런 모습을 상세히 그리고 있으며, 그것들을 읽음으로써 '모노노아와레를 아는' 사람으로 될 수 있다고 한다. 이야기를 예로 든다면, 독자는 이야기 속의 등장인물에 자기를 겹쳐 놓음으로써 다양한 감정 유형을 이해하고, 현실의 생활에서 만나는 타자에 대해서도 그 감정을 헤아리고 이해할 수 있게 된다고 한다.

'모노노아와레를 아는' 사람은 내향적이고 섬세한 감수성을 지닌 문학청년과 같은 자로 보일지도 모른다. 그러나 노리나가가 생각하는 '모노노아와레를 아는' 사람의 인간상은 그것과는 다르다. 노리나가는 '모노노아와레를 아는' 것은 '세속에서도 세간의 일을 잘 알고, 일을 겪는 사람은 마음이 단련되어 좋다고 할 수 있다'라고 말한다. 요컨대 노리나가는 '모노노아와레를 아는' 사람을 세상 물정에 밝은 원만한 인품의 소유자와 동일시하는 것이다. 와카나 모노가타리가 다양한 감정의 모습을 자세히 그리고 있다는 전제에 서면, 이와 같은 노리나가의 논의는 기묘한 것이 아니다. 실생활에서 접촉할 수 있는 인간 감정의 유형이 한정적이라는 점을 생각하면, 노래나 이야기를 배운 사람이 일반 사람들보다 세간과 통한다고도 말할 수 있을 것이다. 문학 교육의 의의를 설명하기 위해 노리나가 논의의 전제를 재평가해보는 것도 한번 해볼 만한 것인지도 모른다.

더 나아가 노리나가는 '모노노아와레를 아는' 사람들 사이에는 푸근한 질서가 태어난다고 이야기한다. 부모와 자식, 다스리는 자와 다스림을 받는 자가 서로의 심정을 헤아리고 행동하는 이와 같은 상태라면, 밖에서 들어온 유학의 교설 따위는 필요 없다. 오히려 '중국' 사람들과 같이 '정'을 감추고 이치를 내세우며 지혜로운 사람인 체하는 방식은 이와 같은 질서의 방해가 된다고 노리나가는 본다.

'모노노아와레를 아는' 사람들의 질서는 서로 상대의 심정을 헤아려 조화를 실현하는 것인 까닭에 이른바 '분위기를 읽을' 것을 요구하는 동조 압력이 강한 사회를 상기시킬지도 모른다. 확실히 양자는 비슷한 면도 있다. 그러나 노리나가가 이상으로 하는 '모노노아와레를 아는' 사람들은 타자가 미루어 헤아리는 것을 기다릴 뿐 아니라 스스로의 심정을 노래로 읊는다. 노리나가에 따르면 와카는 아름다운 표현을 사용하여 자기의 심정을 드러내어 말함으로써 보통의 말보다 자기의 심정을 타자에게 더 깊이 이해할 수 있게 만든다. 이와 같은 와카를 매개로 한 주고받음은 사람들을 상호 간의 심정이 화합하는 지점으로 매끄럽게 이끈다.

 와카를 읊기를 주저하는 자에게 노리나가는 말한다. 인간은 다양한 사태에 끊임없이 마음이 움직여지기 때문에, 그 심정을 노래로 읊을 수 있을 것이다. 신대神代로부터 '중세中世'(헤이안부터 남북조에 걸친 시대를 가리킨다)까지는 신분의 높고 낮음을 가리지 않고 사람들은 노래를 읊조렸다. 지금도 어린아이는 목소리를 길게 늘여 더듬거리며 노래한다. 새와 벌레도 아름다운 소리로 운다. 사람으로서 노래의 길을 알지 못하는 것은 부끄러운 일이 아닐까? 이와 같은 노리나가의 논의에 따르면, 노래를 부르지 않는 사람이 대부분인 현대 일본의 언어 의사소통은 커다란 결함이 있는 것이 될 것이다.

'스이'와 '쓰'

노리나가의 '모노노아와레를 안다' 설은 동시대의 사상 상황 속에서 고립된 것이 아니다. 진사이학이나 소라이학과 관련이 있을 뿐 아니라 '스이粹'나 '쓰通'와 같은 유곽을 중심으로 당시 유행한 개념과도 연결되어 있다.

'스이粹'는 '水스이'로도 표기되며, 세련되지 못한 시골뜨기山出し (산에서 막 나왔다는 뜻을 지닌다)의 '촌스러움'에 반해, 소탈하고 물처럼 융통무애한 인품을 나타낸다고 한다. 또한 '스이'에는 '推스이'라는 글자도 할당되며, 인정의 기미를 '미루어 살피는推察' 것에 뛰어나다는 의미로 사용되는 일도 있다.

한편 '쓰通'는 '스이'보다 늦게 18세기 후반에 에도를 중심으로 유행했다. 교토의 '스이'를 에도에서는 '쓰'라고 부른다고 하는 설명이 당시 이루어지고 있으며, 양자의 의미 차이를 엄밀하게 구별하기는 어렵다. '쓰진通人'은 인정에 '통通'하여 온화하고 다양한 알력을 원만하게 수습하는 인물이라고 생각되는 일이 많다.

이처럼 '스이'와 '쓰' 모두 '인정' 이해와 결부되어 있다.

에도 시대, '정情' 중에서도 특별히 깊은 것은 '연모의 정'이라는 인식이 광범위하게 보인다. 당시 '정의 길'이라면 연모의 길, 색色의 길을 가리킨다('정'의 해방 도식에서 연정이 중시되는 원인의 하나는 이와 같은 '정' 인식의 전통일 것이다). 노리나가도 이와 같은 인식에 서서 와카와 모노가타리는 연모의 '정'의 상세한 사정을 밝히고 있으며, 그 점에서 한시문보다 우월하다고 논의한다.

에도 시대의 유곽에서 손님과 유녀의 관계는 사랑하는 사이에 견주어졌다. 그로 인해 '스이'와 '쓰'를 둘러싼 논의에는 유곽에서 '연모의 정'을 앎으로써 '인정'의 미묘한 사정에 통한 온화한 사람이 될 수 있다고 하는 설이 자주 등장한다. 만담의 상연 목록인 「아케가라스明烏」에서는 고지식한 자식의 장래를 염려한 상인이 세상을 배우게 하려고 건달에게 맡겨 자식을 에도의 유곽으로 데려가게 한다. 이와 같은 유곽에서 세간의 '인정'을 공부하게 한다는 발상은 이 시대에 드문 것이 아니었다.

덧붙이자면, 노리나가는 젊은 시절 교토에 유학했을 때 시마바라島原나 기온祇園의 유곽에 출입했으며, '스이' 개념에도 접했다고 생각된다. '스이'와 관련하여 유곽에서 놂으로써 '모노노아와레를 알' 수 있다고 설득되는 일도 당시 있었다. 노리나가의 '모노노아와레를 안다' 설은 '스이'의 미의식으로부터 어느 정도인가 영향을 받았을 것이다.

더욱더 흥미로운 것은 '쓰通'를 둘러싼 사고로부터 '모노노아와레를 안다' 설과 아주 비슷한 질서 상이 도출된다는 점이다. 호세이도 기산지朋誠堂喜三二(1735~1813)의 『아나데혼 쓰진구라案內手本通人藏』는 『가나데혼 주신구라仮名手本忠臣藏』의 등장인물이 모두 '쓰진'이었다면 — 이라고 설정한 작품이다. 이 작품에서는 '인정'의 미묘한 사정에 밝은 등장인물들이 서로 상대의 입장을 '미루어 헤아리고' 재치 있게 대처함으로써 분쟁이 이르기 전에 사건을 온당하고 원만하게 해결한다(당연히 떠돌이 무사의 습격도 일어나지 않는다). 이 작품의 서문에서는 '세상 사람 모두 통하면, 세상 속에 싸움이 없고 점점 더 태평해지라'라고 하고 있다. 농담의 작품이지만, 이 주장은 상당히 진지했던 것이 아닐까?

『아나데혼 쓰진구라』와 마찬가지 취향의 작품(『도오리마스 아타카노세키通增女宅關』)에서는 뇌물을 솜씨 좋게 사용하여 분쟁을 막는 것이 '쓰'라고 하는 발상이 보인다. 이것은 '인정' 이해론의 부정적인 측면을 생각하는 데서 매우 흥미롭다.

'인정'에 통한 인간은 뇌물로 느슨해지기 쉽다. 금품을 탐내는 상대의 기분을 헤아려 상대를 기쁘게 하려고 뇌물을 주고, 또한 뇌물을 건네받을 때도 그 배후에 놓여 있는 절실한 생각을 헤아려 그것을 받고서 편의를 제공한다. 이와 같은 행동거지는 타자의 감정을 미루어 헤아리는 것을 첫 번째로 생각하게 되면 배제하기 어렵다. 뇌물로써 일을 거칠어지지 않게 하고서 해결할 수 있게 된다면 더욱 그러할 것이다.

4. '인정' 이해론과 '진기'론

노리나가의 '모노노아와레를 안다' 설과 '쓰通' 개념의 유행은 직접적인 영향 관계는 없다. 양자는 모두 '인정' 이해론의 일종이며,

사상사에서 형제 관계에 있다고 할 수 있다. 다양한 입장을 지닌 사람들의 심정을 이해하고 온화한 인품으로 된다고 하는 논의가 18세기 후반의 일본에서는 성행한 것이다.

'인정' 이해론을 일본인론과 결부시켜 '아무래도 일본인적인 사고다'라는 평가를 부여하고 싶어질지도 모른다. 그러나 그와 같은 정리는 자의적이라고 할 수 있다. 왜냐하면 19세기에 들어서면 '인정' 이해론은 퇴조해 가기 때문이다.

간세이寬政 개혁 이후 '인정' 이해론 대신 강렬한 언행에 의해 사람들의 활력을 진작시키는 논의가 활발해졌다. '기'('원기', '정기', '사기')를 '떨치다'('진기振起', '진작振作', '고무鼓舞')와 같은 어휘가 사용되는 까닭에 필자는 이것을 '진기振繫'론이라고 부르고 있다(활력의 성쇠가 '기'의 팽창과 수축의 이미지로 말해진다). 이와 같은 문제 관심은 근세 중국 사상에서는 거의 보이지 않으며, 근세 일본 사상에서도 에도 중기까지는 마찬가지다. 간세이 시기에 정치 개혁론 맥락 속에서 '진기'론이 주장되게 되며, 에도 말기에는 정치적 입장의 대립을 넘어서서 많은 사람의 사고를 규정했다. 메이지 시기 문헌에도 '진기'론은 되풀이하여 등장하며, 근대에 이르기까지 확실히 이어진 사상 흐름이라고 할 수 있다.

'진기'론에서는 다른 입장의 타자가 지닌 감정을 이해하는 것은 중시되지 않는다. '진기'론의 사고방식에서는 과격한 정치 행동과 열정 넘치는 시가에서 사람들은 저절로 고무되며, 공명의 확대 과정에서 타자의 감정을 헤아린다고 하는 사유는 개입하지 않는다.

'인정' 이해론이 이상으로 여기는 모난 데 없는 인품도 '진기'론에서는 우유부단하고 기개가 없다고 평가된다.

'진기'론은 격렬한 언행에 대해서는 어지간한 악인이 아닌 한에서는 사람들은 똑같이 감동한다고 상정하고 있으며, 지위나 입장의 다름에 의해 받아들이는 쪽에 차이가 생긴다고는 생각하지 않는다. '인정' 이해론이 에도 시기의 신분 사회와 대응하는 데 반해, '진기'론은 그것이 벌어지기 시작하는 것에 대응한다고 말할 수 있을지도 모른다.

이와 같은 '진기'론의 융성에서 단적으로 나타나고 있듯이 일본의 사상은 '인정' 이해론 일변도였던 것이 아니다.

일본인론·일본 문화론과 결부되지 않더라도 에도 시대의 '정' 사상은 충분히 되돌아볼 가치가 있다. '측은'··'인정' 이해··'진기'는 다음과 같이 번역할 수 있을 것이다(①은 '측은', ②는 '인정' 이해, ③은 '진기'에 각각 대응한다).

① 분쟁 지역에서 굶주림으로 괴로워하는 아이의 사진을 보고 '가여워라, 도와주어야지'라고 생각한다.

② 분쟁 지역을 그린 소설과 논픽션을 읽고서 그 지역 사람들의 심정을 생각하고 감정 이입한다.

③ 분쟁 지역 사람들의 지원을 위해 행해진 결사 각오의 정치 운동에 감동되어 떨쳐 일어선다.

①, ②, ③은 오늘날 어느 것이든 '공감'이라고 불린다. 그러나 역시 이것들은 서로 다른 성질을 지니며, 어느 것에 중점을 두는가 에서 서로 다른 도덕관·사회 질서관이 도출되는 것이 아닐까?

예를 들어 ①과 ③은 감정의 생기가 순간적인 데 반해, ②는 많은 경우 시간을 들여 상대를 이해하는 과정을 수반한다. 또한 ①과 ③ 사이에도 차이는 있다. ③에서는 공감하는 자와 공감의 대상이 되는 자 사이에 감정('만약 분쟁 지역 사람들을 돕지 않는다 면!')의 공유가 보이는 데 반해, ①은 감정의 공유가 있는지 의심스 럽다. 비참한 상태에 놓인 아이의 감정('이젠 싫어', '배가 고파')을 공유하기보다는 괴로운 일을 당하고 있는 아이를 보고서 본능적으 로 '가여워라'라고 생각하는 것이 아닐까? '측은'의 출전인 『맹 자』가 갓난아이가 우물에 빠지게 된 상황을 예로 보여주는 것은 이 점에서 함축이 풍부하다. 갓난아이는 괴로워하지도 슬퍼하지도 않고, 아마도 기쁘고도 즐겁게 우물로 향하고 있을 것이며, '측은' 의 '정'을 지니는 자는 갓난아이의 감정에 자기를 겹쳐 놓고 있지 않기 때문이다(②는 대상과 감정을 공유하며, 이 점에서는 ③과 가깝다).

이처럼 에도 시기의 논의 유형을 사용함으로써 '공감'이라는 모호한 개념으로 포괄되는 감정을 분절화할 수 있다. 현재의 일본 에서 '공감'의 중시와 같은 주장은 많은 사람으로부터 찬동을 얻기 쉽다(일본 이외에도 그와 같은 지역은 있을 것이다). 그러나 그것은 때때로 동상이몽으로 되지는 않을까? 에도 시대의 '정'

사상은 '공감'에 관한 논의의 교통정리에 크게 이바지할 것이다.[※]

☞ 좀 더 자세히 알기 위한 참고 문헌

— 히노 다쓰오日野龍夫 (교주), 『모토오리 노리나가 집本居長集』, 新潮日本古典
  集成, 新潮社, 1983년. 노리나가의 『자문요령紫文要領』과 『석상사숙언石上私
  淑言』의 상세하고 알기 쉬운 주석. 다쓰오의 해설 「'모노노아와레를
  안다' 설의 내력」은 고전적 연구로서 지금도 여전히 시사하는 바가
  풍부하다.
— 와타나베 히로시渡辺浩, 『일본 정치사상사 — 17~19세기日本政治思想史 — 十
  七~十九世紀』, 東京大学出版会, 2010년. 지금 이 제10장에서는 '정'에 초점을
  맞추었기 때문에 진사이·소라이·노리나가의 학문 체계 일부분밖에
  다루지 못했다. 아무쪼록 뛰어난 통사인 이 책을 통해 에도 시기 사상의
  다른 측면에도 접할 수 있기를 바란다.
— 다지리 유이치로田尻祐一郎, 『마음은 어떻게 파악되어왔는가? — 에도 사
  상사 산책こころはどう捉えられてきたか — 江戸思想史散策』, 平凡社新書, 2016년. '마
  음'을 주제로 신도·불교·유학·국학 등의 에도 사상 영역들을 '산책'한
  다. 안내자의 풍부한 학식이 곳곳에서 빛을 발한다.
— 다카야마 다이키高山大毅, 「'모노노아와레를 안다' 설과 '쓰' 담론 — 초기
  노리나가의 위치'物のあはれを知る'説と'通'談義 — 初期宣長の位置」, 『국어국문国語
  国文』 제84권 11호, 2015년. 다카야마 다이키, 「'진기'론으로 — 미토학파
  와 고가 도안을 실마리로'振氣'論へ — 水戸学派と古賀侗庵を手がかりに」, 『정치사
  상 연구政治思想研究』 제19호, 2019년. 이 10장의 글은 위의 두 개의 논문에
  기초한다(후자는 인터넷에 공개되어 있다). 선행 연구와 이 글의 관계에
  대해서는 후자를 참조할 수 있을 것이다.

후기

    철학사를 서양 철학사라는 좁은 틀로부터 해방하여 세계철학이라는 넓은 무대에서 어떤 구애됨도 없이 자유롭게 전개해본다면 어떻게 될 것인가? 세계철학사라는 이 시리즈는 그러한 발상에서 출발하여 지금까지 이미 다섯 권의 간행을 마쳤다. 지금 이 권과 다음 권은 근대의 세계를 다루지만, 이 시대에 대해서도 지금까지와 마찬가지로 가능한 한 서양에 치우치지 않고 넓은 시야에서 본 세계 각지의 사상 상황에서 알아볼 수 있는 차이성과 유사성, 연속성과 단절에 관한 신선한 발견을 얻어내고자 했다.

    나 자신은 19세기부터 현대까지의 아메리카 철학과 유럽 철학을 전공하는 까닭에 지금까지 몇 개의 철학사 편집 작업에 관계할 때는 나의 전공에 관계가 깊은 영역을 담당해왔지만, 동시에 언제나 철학사 전체의 구상이 서양으로만 치우치지 않는, 좀 더 지구

규모에서의 넓이를 지니는 관점은 없는 것일까 자문해왔다. 이번의 편집 작업을 통해 그 물음에 대한 대답의 일단을 얻고 있다는 무언가 확실한 느낌을 받고 있는데, 이것은 대단히 즐겁고 기쁜 일이다.

그러나 이 편집 작업 과정에서 신형 바이러스 폐렴이 세계 규모로서 만연하는 예기치 못한 사건에 부딪히고 누구도 벗어날 수 없는 근본적 위기라는 것에 직면한 일은 새삼스럽게 철학의 역할을 생각하게 만드는 기회가 되기도 했다. 역병의 대규모 확대라는 것은 정치의 문제이자 경제의 문제이고 과학 기술의 문제, 생태계의 문제이기도 한바, 마땅히 다양한 각도에서의 접근이 이루어져야 한다. 철학에서도 볼테르는 『캉디드』에서 리스본의 대지진을 다루고, 카뮈는 알제리 소도시의 역병과 싸우는 사람들의 모습을 『페스트』라는 소설로 구상하여 세계적 불행의 존재와 인간이라는 형이상학적 문제와 씨름했다.

카뮈의 소설은 제2차 세계대전 직후에 발표되었지만, 당시 지중해의 소도시 사람들이 겪은 역병과 우리 눈앞에서 지금 바로 펼쳐지고 있는 지구 규모에서의 위험과 불행을 비교하면, 시대의 추이에 따라 생겨난 변화의 크기에 압도된다는 생각이 든다. 그러나 다른 한편 위험과 불행 규모의 크고 작음에 관계없이 부조리한 불행과 인간의 대결이라는 구도 그 자체는 근본적으로 변함이 없다고 생각할 수도 있을 것이다. 『페스트』에 등장하는 사람들은 서로 직종이나 신조를 전혀 달리하면서도 마지막에는 인간에 대해 세계가 폭력적으로 밀어붙이는 '두께'와 '이질성'에 대한 저항으로 향하여 연대의 길을 선택하게 된다. 우리의 대재해에서도 이 같은 인간의 예지 아래에서의 연대가 위기 극복으로 이어지기를 바란다.

이번의 위기에 즈음하여 이 책의 집필자를 비롯한 출판에 관계된 모든 분이 막대한 불편과 노고에도 불구하고 출판 실현을 위해 힘을 다해 주셨다. 특히 이 시리즈가 발족한 이후 편집상의 모든 면에서의 문제에 계속해서 대처하고 계신 치쿠마쇼보 편집부의 마쓰다 다케시 씨의 열정적인 협력에 대해 여기서 깊이 감사드리고자 한다.

2020년 4월

제6권 편자 이토 구니타케

■ 편자

이토 구니타케^{伊藤邦武} __ 머리말·제1장·후기

1949년생. 류코쿠대학 문학부 교수, 교토대학 명예교수. 교토대학 대학원 문학연구과 박사과정 학점 취득 졸업. 스탠퍼드대학 대학원 철학과 석사과정 수료. 전공은 분석 철학·미국 철학. 저서『프래그머티즘 입문』(ちくま新書),『우주는 왜 철학의 문제가 되는가』(ちくまプリマー新書),『퍼스의 프래그머티즘』(勁草書房),『제임스의 다원적 우주론』(岩波書店),『철학의 역사 이야기』(中公新書) 등 다수.

야마우치 시로^{山内志朗}

1957년생. 게이오기주쿠대학 문학부 교수. 도쿄대학 대학원 인문과학연구과 박사과정 학점 취득 졸업. 전공은 서양 중세 철학·윤리학. 저서『보편 논쟁』(平凡社ライブラリー),『천사의 기호학』(岩波書店),『'오독'의 철학』(青土社),『작은 윤리학 입문』,『느끼는 스콜라 철학』(이상, 慶應義塾大学出版会),『유도노산의 철학』(ぷねうま舍) 등.

나카지마 다카히로^{中島隆博}

1964년생. 도쿄대학 동양문화연구소 교수. 도쿄대학 대학원 인문과학연구과 박사과정 중도 퇴학. 전공은 중국 철학·비교사상사. 저서『악의 철학 — 중국 철학의 상상력』(筑摩選書),『장자 — 닭이 되어 때를 알려라』(岩波書店),『사상으로서의 언어』(岩波現代全書),『잔향의 중국 철학 — 언어와 정치』,『공생의 프락시스 — 국가와 종교』(이상, 東京大学出版会) 등.

노토미 노부루^{納富信留}

1965년생. 도쿄대학 대학원 인문사회계 연구과 교수. 도쿄대학 대학원 인문과학연구과 석사과정 수료. 케임브리지대학 대학원 고전학부 박사학위 취득. 전공은 서양 고대 철학. 저서『소피스트란 누구인가?』,『철학의 탄생 — 소크라테스는 누구인가?』(이상, ちくま学芸文庫),『플라톤과의 철학 — 대화편을 읽다』(岩波新書) 등.

■ 집필자

쓰게 히사노리柘植尚則 __ 제2장

1964년생. 게이오기주쿠대학 문학부 교수. 오사카대학 대학원 문학연구과 박사과정 학점 취득 졸업. 오사카대학 박사(문학) 취득. 전공은 영국 윤리 사상사. 저서 『영국의 모럴리스트들』(研究社), 『증보판 양심의 흥망 — 근대 영국 도덕 철학 연구』(山川出版社), 『예비 윤리학』(弘文堂) 등.

니시무라 세이슈西村正秀 __ 제3장

1972년생. 시가대학 경제학부 교수. 교토대학 대학원 문학연구과 박사후기과정 수료. 박사(문학). 일리노이대학 시카고 캠퍼스 대학원 철학과 박사과정 수료. Ph. D.(철학). 전공은 서양 근세 철학·지각의 철학. 논문 「존 로크의 인식론에서의 관념과 성질의 유사에 대하여」(『哲学研究』 583호), "Leibniz on the ontological status of bodies"(『哲学』 58호), 「개념주의와 지시사적 개념의 형성」(『科学哲学』 4812호) 등.

오지 겐타王寺賢太 __ 제4장

1970년생. 도쿄대학 인문사회계 연구과 준교수. 도쿄대학 대학원 인문사회계 연구과 박사과정 만기 졸업. 파리서대학 박사(프랑스 문학). 전공은 프랑스 근현대 사상사. 편저서에 Éprouver l'universel–Essai de géophilosophie (공저 Paris, Kimé), 『현대사상과 정치』, 『'포스트 68년'과 우리』(이상 공편, 平凡社) 등.

야마구치 마사히로山口雅廣 __ 제5장

1976년생. 류코쿠대학 문학부 준교수. 교토대학 대학원 문학연구과 박사후기과정 수료. 박사(문학). 전공은 서양 중세 철학·종교 철학. 저서 『서양 중세의 정의론』(공편 저, 晃洋書房), 『철학 세계 여행』(공저, 晃洋書房) 등. 역서 『중세의 철학 — 케임브리지 안내서』(공역, 京都大学学術出版会).

니시카와 히데카즈西川秀和 __ 제6장

1977년생. 오사카대학 외국어학부 비상근 강사. 와세다대학 대학원 사회과학 연구과 박사과정 수료. 전공은 미국사·미국 대통령. 저서 『미국 역대 대통령 대전(기간 1~6)』(大学教育出版), 『미국인 이야기(기간 1~4)』(悠書館) 등.

오사다 구란도^{長田藏人} __ 제7장

1972년생. 메이지대학 농학부 강사. 글래스고대학 대학원 철학과 석사과정 수료. 교토대학 대학원 문학연구과 박사후기과정 수료. 박사(문학). 전공은 서양 철학사. 논문 「칸트의 존재론적 증명비판」(『日本カント研究』 제20권), 「'상식'의 개념과 칸트의 사상 형성」(마키노 에이지[牧野英二] 편, 『신·칸트 독본』, 法政大学出版局), 「애덤 스미스에서의 도덕적 운의 문제와 양심」(『倫理学年報』 제57집) 등.

오카자키 히로키^{岡崎弘樹} __ 제8장

1975년생. 일본학술진흥회 특별 연구원(PD). 교토대학과 오사카대학 등에서 비상근 강사를 맡고 있다. 파리 제3대학 아랍연구과 사회학 박사. 전공은 아랍 근대 정치사상·시리아의 정치문화 연구. 저서 『아랍 근대 사상가의 전제 비판』(東京大学出版会, 근간 예정). 역서 『시리아 옥중 옥외』(야신 하쥬 살리흐 저, みすず書房, 근간 예정).

이시이 쓰요시^{石井剛} __ 제9장

1968년생. 도쿄대학 대학원 종합문화연구과 교수. 도쿄대학 대학원 인문사회계 연구과 박사과정 수료. 박사(문학). 전공은 중국 근대 철학. 저서 『제물적 철학 ─ 장태염과 중국 현대 사상의 동아시아 경험』(華東師範大学出版社), 『대진과 중국 근대 철학 ─ 한학에서 철학으로』(知泉書館), 공저 『앎의 필드 가이드 ─ 서로 다른 목소리에 귀를 기울인다』, 『말을 잣기 위한 철학』(이상, 白水社) 등.

다카야마 다이키^{高山大毅} __ 제10장

1981년생. 도쿄대학 대학원 종합문화연구과 준교수. 도쿄대학 대학원 인문사회계 연구과 박사과정 수료. 박사(문학). 전공은 근세 일본 사상사·근세 일본 한문학. 저서 『근세 일본의 '예악'과 '수사' ─ 오규 소라이 이후의 '접인(接人)'의 제도 구상』(東京大学出版会), 역서 『소라이집 서류』 1·2(공역, 平凡社).

구메 아키라^{久米 曉} __ 칼럼 1

1967년생. 간사이가쿠인대학 문학부 교수. 교토대학 대학원 문학연구과 박사과정 수료. 박사(문학). 전공은 영국 철학·분석 철학. 저서 『흄의 회의론』(岩波書店), 『흄

독본』(공저, 法政大学出版局), 역서 『무엇이 사회적으로 구성되는가』(해킹 저, 공역, 岩波書店) 등.

마쓰다 쓰요시松田 毅 __ 칼럼 2

1956년생. 고베대학 대학원 인문학연구과 교수. 교토대학 대학원 문학연구과 박사과정 학점 취득 졸업. 오스나브뤼크대학 철학 박사학위 취득. 전공은 유럽 근대 철학. 저서 『라이프니츠의 인식론』(創文社), *Der Satz vom Grund und die Refexion: Identität und Differenz beit Leibniz* (Peter Lang), 『부분과 전체의 철학 ─ 역사와 현재』(편·공저, 春秋社), 『철학의 역사』 제5권(공저, 中央公論新社) 등.

도다 다케후미戸田剛文 __ 칼럼 3

1973년생. 교토대학 대학원 인간·환경학연구과 교수. 교토대학 종합인간학부 출신, 교토대학 대학원 인간·환경학연구과에서 박사학위 취득. 전공은 서양 근대 철학. 저서 『세계에 대하여』(岩波ジュニア新書), 『버클리 ─ 관념론·과학·상식』(法政大学出版局), 편저 『지금부터 시작하는 철학 입문』(京都大学学術出版会), 역서 『하일라스와 필로누스가 나눈 대화 세 마당』(岩波文庫) 등.

미타니 나오즈미三谷尚澄 __ 칼럼 4

1974년생. 신슈대학 인문학부 준교수. 교토대학 대학원 문학연구과 박사과정 수료. 문학박사. 전공은 철학·윤리학. 저서 『철학해도 좋은가? ─ 인문계 학부 불필요론에 대한 자그마한 반론』, 『젊은이를 위한 '죽음'의 윤리학』(이상, ナカニシヤ出版), 『신·칸트 독본』(공저, 法政大学出版局) 등.

하시즈메 다이사부로橋爪大三郎 __ 칼럼 5

1948년생. 대학원대학 시젠칸 교수. 도쿄공업대학 명예교수. 도쿄대학 대학원 사회학연구과 박사과정 학점 취득 졸업. 전공은 사회학. 저서 『진짜 법화경』(공저, ちくま新書), 『황국 일본과 아메리카 대권』(筑摩選書), 『세계가 이해하는 종교사회학 입문』(ちくま文庫), 『하시즈메 다이사부로의 정치·경제학 강의』, 『하시즈메 다이사부로의 사회학 강의』(이상, ちくま学芸文庫), 『재팬 크라이시스』(공저, 筑摩書房), 『프리메이슨』(小学館新書) 등.

■ 옮긴이

이신철李信哲

가톨릭관동대학교 VERUM교양대학 교수. 연세대학교 철학과를 졸업, 건국대학교 대학원에서 철학 박사학위 취득. 전공은 서양 근대 철학. 저서로『진리를 찾아서』,『논리학』,『철학의 시대』(이상 공저) 등이 있으며, 역서로는 피히테의『학문론 또는 이른바 철학의 개념에 관하여』, 회슬레의『객관적 관념론과 근거짓기』,『현대의 위기와 철학의 책임』,『독일철학사』, 셸링의『신화철학』(공역), 로이 케니스 해크의 『그리스 철학과 신』, 프레더릭 바이저의『헤겔』,『헤겔 이후』,『이성의 운명』, 헤겔의 『헤겔의 서문들』, 하세가와 히로시의『헤겔 정신현상학 입문』, 곤자 다케시의『헤겔과 그의 시대』,『헤겔의 이성, 국가, 역사』, 한스 라데마커의『헤겔『논리의 학』 입문』, 테오도르 헤르츨의『유대 국가』, 가라타니 고진의『트랜스크리틱』, 울리히 브란트 외『제국적 생활양식을 넘어서』, 프랑코 '비코' 베라르디의『미래 가능성』, 사토 요시유키 외『탈원전의 철학』 등을 비롯해, 방대한 분량의 '현대철학사전 시리즈'(전 5권)인『칸트사전』,『헤겔사전』,『맑스사전』(공역),『니체사전』,『현상학 사전』이 있다.

* 고딕은 철학 관련 사항

	유럽 · 아메리카 합중국	북아프리카 · 아시아 (동아시아 이외)	중국 · 조선	일본
1600	1600 장-조제프 쉬렝 태어남[~1665]. 조르다노 브루노 화형	1607/8 시아파 철학자 아가 후사인 후완사리 태어남[~1686/7]	1603 『천주실의』 간행	1600 세키가하라 전투 1603 도쿠가와 이에 야스 에도 막부를 연다 1609 네덜란드, 히라도에 상관을 개설
1610	1613 하세쿠라 쓰네 나가 등, 유럽으로 건너간다[~1620] 1618 30년 전쟁[~1648]	1619 네덜란드, 자바에 총독을 두고 바타비아 건설	1610 황종희 태어남 [~1695] 1611 방이지 태어남 [~1671] 1613 고염무 태어남 [~1682] 1619 왕부지 태어남 [~1692]	1614 오사카 겨울 전투 1615 오사카 여름 전투 1619 야마자키 안사이 태어남[~1682]. 구마자와 반잔 태어남 [~1691]
1620	1620 메이플라워호, 아메리카에 상륙 1623 파스칼 태어남 [~1662] 1627 보일 태어남 [~1691]	1624 수니파 법학자로 나크슈반디 교단의 수피, 아흐마드 시르힌디 사망 1628 샤 자한이 즉위하고, 인도의 이슬람 문화가 최전성기에 [재위~1658]	1622 유형원 태어남 [~1673]	1620 후칸사이 하비안 『하데우스(破堤宇子)』 간행 1621 기노시타 준안 태어남[~1699] 1627 이토 진사이 태어남[~1705]
1630	1632 스피노자 태어남 [~1677]. 로크 태어남 [~1704] 1637 데카르트 『방법서설』 간행	1633 콤학파의 사이드 쿰미 태어남[~1691]	1633 매문정 태어남 [~1721] 1635 안원 태어남 [~1704] 1636 청, 성립[~1912].	1635 나카에 도주, 도주서원을 연다 1637 시마바라의 난 [~1638]

	1638 니콜라 드 말브랑슈 태어남[~1715]		염약거 태어남 [~1704]	
1640	1640 영국 혁명 [~1660] 1641 데카르트 『성찰』 간행 1642 뉴턴 태어남 [~1727]. 갈릴레오 사망 1646 라이프니츠 태어남[~1716] 1648 베스트팔렌 조약을 체결하고, 30년 전쟁을 종결 1649 데카르트 『정념론』 간행	1641 이란·인도의 과학자 미르 펜데레스키 사망. 시리아의 수피 신학자 압돌가니 나불시 태어남[~1731]	1641 권상하 태어남 [~1721] 1642 이광지 태어남 [~1718] 1644 청의 중국 지배 시작된다. 장헌충, 군을 이끌고 청두를 공략하고 '대서국'을 칭한다 1645 『서양신법역서』 완성	1641 네덜란드 상관을 데지마로 옮기고 쇄국 완성
1650	1650 데카르트 사망 1651 홉스 『리바이어던』 간행		1654 『신학대전』 제1부의 한역이 로도비코 불리오에 의해 이루어진다[~1677]	1652 아사미 게이사 태어남[~1712] 1657 아라이 하쿠세키 태어남[~1725]. 도쿠가와 미쓰쿠니 『대일본사』 편찬 개시 1658 무로큐 소 태어남 [~1734]
1660	1660 영국에서 왕정 복고 런던 왕립협회(현재까지 존속 중) 설립 1666 파리 왕립 학문 아카데미(나중의 프랑스 학사원) 설립	1662 시아파 신학자 압둘라자크 라히지 사망	1661 강희제 즉위 [~1722]. 정성공 타이완 점령 1662 명, 완전히 멸망 1663 황종희 『명이대방록』 완성	1662 이토 진사이 고의당을 설립 1666 오규 소라이 태어남[~1728]
1670	1677 스피노자 『에티카』 간행 1679 홉스 사망	1670 시아파 철학자 라자브 알리 타브리즈 사망	1673 삼번의 난 [~1681] 1677 『신학대전』 제3부 보유가 가브리엘 마갈량이스에 의해 한역	1670 이토 도가이 태어남[~1736]

			된다. 이간 태어남 [~1727]	
1680	1683 오스만 제국군에 의한 제2차 빈 포위 1685 버클리 태어남 [~1753] 1687 뉴턴 『프린키피아』 간행 1688 명예혁명 1689 몽테스키외 태어남[~1755]. 로크 『통치론』 간행. 영국에서 권리장전 제정	1680/1 시아파 철학자 므흐신 카샤니 사망	1681 이익(이성호) 태어남. 강영 태어남 [~1762] 1682 한원진 태어남 [~1751] 1683 정씨가 항복. 타이완이 청의 영토가 된다	1680 다자이 슌다이 태어남[~1747] 1683 핫토리 난가쿠 태어남[~1759] 1687 야마가타 슈난 태어남[~1752]
1690	1694 허치슨 태어남 [~1746]. 케네 태어남 [~1774]. 볼테르 태어남[~1778]	1691 시아파 신학자 카디 사이드 쿰미 사망 1699 카를로비츠 조약 체결	1697 혜동 태어남 [~1758]	1690 야마노이 곤론 태어남[~1758] 1697 가모노 마부치 태어남[~1769] 1699 네모토 손시 태어남[~1764]
1700	1700 베를린 학문협회 (나중의 베를린 과학 아카데미) 설립 1701 프로이센 왕국 성립 1706 벤저민 프랭클린 태어남[~1790] 1707 대브리튼 왕국 성립	1703 살라피주의자 무함마드 이븐 압둘 와하브 태어남[~1792]		1703 안도 쇼에키 태어남[~1762] 1707 후지산 대분화 1709 오규 소라이 켄엔주쿠(蘐園塾)를 설립
1710	1711 흄 태어남[~1776] 1712 루소 태어남 [~1778] 1713 디드로 태어남 [~1784] 1714 영국, 하노버 왕조 성립[~1901]	1715 시아파 철학자 물라 무함마드 나라기 태어남[~1795]	1716 『강희자전』 성립 1719 장존여 태어남 [~1788]	1715년경 아라이 하쿠세키 『서양기문』 완성 1716 교호 개혁 시작

	1717 달랑베르 태어남 [~1783]			
1720	1723 애덤 스미스 태어남[~1790] 1724 칸트 태어남[~1804] 1729 버크 태어남[~1797]	1722 시아파 철학자 미르자 모함마드 사데그 알데스타니 사망	1720 왕명성 태어남[~1797] 1723 옹정제 즉위[~1735]. 옹정제 그리스도교 포교를 금지 1724 대진 태어남[~1777]. 기윤 태어남[~1805] 1727 조익 태어남[~1812] 1728 전대흔 태어남[~1804] 1729 옹정제가 『대의각미록』을 반포	1723 미우라 바이엔 태어남[~1789] 1724 회덕당 설립
1730	1739 흄 『인간 본성론』 간행[~1740]	1731 시리아의 신비 사상가 압둘가니 나불시 사망	1735 단옥재 태어남[~1815]. 건륭제 즉위[재위 ~1795] 1738 장학성 태어남[~1801]	1730 모토오리 노리나가 태어남[~1801]. 나카이 지쿠잔 태어남[~1804]
1740	1740 오스트리아 계승 전쟁[~1740] 1743 콩도르세 태어남[~1794]. 제퍼슨 태어남[~1826] 1748 몽테스키외 『법의 정신』 간행. 벤담 태어남[~1832]		1744 왕념손 태어남[~1832]	1742 구지가타오사다메가키(公事方御定書) 완성 1748 야마가타 반토 태어남[~1821]
1750	1755 루소 『인간 불평등기원론』 간행 1756 7년 전쟁[~1763] 1758 로베스피에르 태어남[~1794] 1759 스미스 『도덕 감	1753 샤이히파의 창시자 샤이흐 아흐마드 아흐사이 태어남[~1826] 1756 시아파 신비 사상가 누르 알리 샤 태어남		1755 가이호 세이료 태어남[~1817]

	정론』간행			
1760	1762 루소 『사회 계약론』, 『에밀』 간행 1763 파리 조약 체결 (영국과 프랑스 사이) 1769 와트 증기기관을 개량	1763 오스만 왕조의 대재상이자 장서가 라기브 파샤 사망 1765 영국 동인도 회사가 벵골, 비하르, 오리사의 사실상의 통치권을 획득	1763 초순 태어남 [~1820] 1764 완원 태어남 [~1849] 1766 왕인지 태어남 [~1834]	1767 교쿠테이 바킨 태어남[~1848]
1770	1770 헤겔 태어남 [~1831] 1775 셸링 태어남 [~1854] 1776 아메리카 독립선언 발표 토머스 페인 『코먼 센스』 간행	1772/4 람 모한 로이 태어남[~1833]	1776 대진 『맹자자의소증』 성립. 유봉록 태어남[~1829]	1776 히라타 아쓰타네 태어남[~1843]
1780	1781 칸트 『순수 이성 비판』 간행 1783 파리 조약 체결, 아메리카 합중국의 독립 승인 1788 칸트 『실천 이성비판』 간행. 쇼펜하우어 태어남[~1860] 1789 프랑스 「인권선언」 채택. 아메리카 연방정부 발족	1783 수니파 법학자이자 신학자인 이브라힘 바주리 태어남[~1860] 1784 콜카타에 아시아 협회 설립	1782 『사고전서』 완성	1780 라이 산요 태어남 [~1832] 1782 아이자와 세이시사이 태어남[~1863]. 덴메이 대기근 [~1787] 1783 아사마산 대분화 1787 간세이 개혁 시작[~1793]
1790	1792 프랑스 제1공화정[~1804] 1798 콩트 태어남 [~1857]	1792 시아파 사상가 하디 사브자바리 태어남 [~1873] 1798 샤이히파의 신비사상가 사이드 카짐 라슈디 태어남[~1843]. 나폴레옹 이집트 원정[~1799]	1792 매카트니, 중국에 도착. 공자진 태어남 [~1841] 1794 위원 태어남 [~1857] 1796 백련교도의 난 [~1804]	1790 쇼헤이자카 학문소 설립 1798 모토오리 노리나가 『고사기전』 완성

1800	1804 프랑스 나폴레옹이 황제가 되어 제1제정으로[~1814]. 프랑스령 생도맹그 독립하여 아이티가 된다 1805 트라팔가르해전. 아우스테를리츠 전투. 토크빌 태어남[~1859] 1806 J. S. 밀 태어남[~1873] 1807 헤겔『정신현상학』간행. 아메리카에서 노예 무역 금지 1809 링컨 태어남[~1865]. 프루동 태어남[~1865]	1801 리파아 타흐타위 태어남[~1873]	1808 단옥재『설문해자주』완성	1806 후지타 도코 태어남[~1855] 1808 마미야 린조 사할린 탐험 1809 요코이 쇼난 태어남[~1869]
1810	1812 아메리카-영국(미-영) 전쟁 1814 프랑스 부르봉 왕조 성립[~1830]. 바쿠닌 태어남[~1876] 1818 맑스 태어남[~1883]	1817 데벤드라나트 타고르 태어남[~1905] 1819 부트루스 부스타니 태어남[~1883]	1810 진례 태어남[~1882] 1816 아마스트 중국에 도착 1818 강번『한학사승기』간행	1811 사쿠마 쇼잔 태어남[~1864]
1820	1820 엥겔스 태어남[~1895]	1824 다야난다 사라스바티 태어남[~1883] 1828 브라흐마 사마지, 브라흐마 사바라는 이름으로 설립	1821 유월 태어남[~1907] 1829『황청경해』간행	1825 이국선 타격령
1830	1830 프랑스 부르봉-오를레앙 왕조 성립[~1848] 1839 퍼스 태어남[~1914]	1834/6 라마크리슈나, 태어남[~1886] 1838 케샤브 찬드라 센 태어남[~1884] 1838/9 자말룻딘 아프가니 태어남[~1897]	1832 장학성『문사통의』간행 1837 장지동 태어남[~1909]	1833 덴포 대기근[~1839] 1835 후쿠자와 유키치 태어남[~1901] 1837 오시오 헤이하치로의 난

1840	1842 윌리엄 제임스 태어남[~1910] 1844 니체 태어남[~1900] 1846 아메리카–멕시코 전쟁[~1848] 1848 프랑스 제2공화정[~1852]	1840 프라탑 찬드라 마줌다르 태어남[~1905] 1849 무함마드 압두 태어남[~1905]	1840 아편 전쟁[~1842] 1842 왕선겸 태어남[~1917] 1848 손이양 태어남[~1908]	1841 덴포 개혁[~1843] 1847 나카에 초민 태어남[~1901]
1850	1852 프랑스 제2제정[~1870] 1856 프로이트 태어남[~1939] 1857 소쉬르 태어남[~1913] 1859 후설 태어남[~1938]. 베르그송 태어남[~1941]. 듀이 태어남[~1952]	1855 압둘라흐만 카와키비 태어남[~1902] 1856 아디브 이스하크 태어남[~1884] 1857 인도 대반란 발생 1858 무굴 제국 멸망, 영국의 인도 직접 통치 시작	1851 태평천국의 난[~1864] 1854 엔푸(嚴復) 태어남[~1921] 1856 제2차 아편 전쟁[~1860] 1858 캉유웨이 태어남[~1927]	1853 페리, 우라가로 내항 1854 미일 화친 조약 1858 미일 수호 통상 조약
1860	1863 아메리카, 노예 해방 선언 1864 막스 베버 태어남[~1920]	1861 조르지 자이단 태어남[~1914]. 라빈드라나트 타고르 태어남[~1941] 1863 카심 아민 태어남[~1908]. 비베카난다 태어남[~1902] 1865 라시드 리다 태어남[~1935] 1869 간디 태어남[~1948]	1865 탄쓰퉁(譚嗣同) 태어남[~1898] 1866 쑨원 태어남[~1925] 1868 장빙린(章炳麟) 태어남[~1936]	1867 대정봉환. 왕정복고의 대호령
1870	1870 프랑스 제3공화정[~1940]. 레닌 태어남[~1924] 1879 아인슈타인 태어남[~1955]	1872 오로빈도 고슈 태어남[~1950] 1877 인도 제국 성립[~1947]	1873 량치차오(梁啓超) 태어남[~1929] 1877 왕궈웨이(王國維) 태어남[~1927] 1879 천두슈(陳獨秀) 태어남[~1942]	1870 니시다 기타로 태어남[~1945] 1875 후쿠자와 유키치 『문명론의 개략』 간행
1880	1883 야스퍼스 태어남	1885 인도 국민회의	1881 루쉰 태어남	1889 대일본제국 헌

	[~1969] 1889 비트겐슈타인 태어남[~1951]. 하이데거 태어남[~1976]	발족 1888 알리 압둘라지크 태어남[~1966] 1889 타하 후사인 태어남[~1973]	[~1936] 1885 슝스리(熊十力) 태어남[~1968] 1889 리다자오(李大釗) 태어남[~1927]	법 발포
1890	1898 아메리카−스페인 전쟁 1899 하이에크 태어남[~1992]	1897 라마크리슈나 미션 설립	1891 후스(胡適) 태어남[~1962]. 캉유웨이 『신학위경고』 간행 1893 마오쩌뚱 태어남[~1976]. 량수밍(梁漱溟) 태어남[~1988] 1894 갑오농민전쟁. 청일전쟁[~1895] 1895 펑유란(馮友蘭) 태어남[~1990] 1897 캉유웨이『공자개제고』 간행 1898 무술정변. 경사대학당 설립. 엔푸 『천연론』 간행	1890 교육칙어 발포 1894 청일전쟁 [~1895]. 타이완의 식민지화
1900	1903 아도르노 태어남[~1969] 1906 아렌트 태어남[~1975]. 레비나스 태어남[~1995] 1908 메를로퐁티 태어남[~1961]. 레비스트로스 태어남[~2009]	1905 벵골 분할령, 스와라지 스와데시 운동의 시작 1906 하산 반나 태어남[~1949]. 사이드 쿠틉 태어남[~1966]	1900 의화단 사건, 베이징 의정서 1905 과거 폐지	1902 영일 동맹 1904 러일 전쟁 [~1905]

세계철학사 4 ― 중세 Ⅱ

세계철학사 5 — 중세 III

세계철학사 8 — 현대

한국어판 ⓒ 도서출판 b, 2023

세계철학사 6

초판 1쇄 발행일 2023년 05월 15일

엮은이 이토 구니타케+야마우치 시로+나카지마 다카히로+노토미 노부루
옮긴이 이신철
기 획 문형준, 복도훈, 신상환, 심철민, 이성민, 이신철, 이충훈, 최진석
편 집 신동완
관 리 김장미
펴낸이 조기조
발행처 도서출판 b
인쇄소 주)상지사P&B
등 록 2003년 2월 24일 제2006-000054호
주 소 08772 서울특별시 관악구 난곡로 288 남진빌딩 302호
전 화 02-6293-7070(대)
팩 스 02-6293-8080
이메일 bbooks@naver.com
누리집 b-book.co.kr

책 값 30,000원
ISBN 979-11-89898-90-8 (세트)
ISBN 979-11-89898-96-0 94140